# SINGLE & SEXY

# Mariëtte Middelbeek

# SINGLE & SEXY

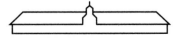

# Herfst

# 1

IK BEN JARIG OP DE DAG DAT DE HERFST BEGINT. EN DAT IS OP-
vallend, want ik was meer richting de winter gepland. Maar ik
kwam te vroeg, een eigenschap die ik nooit meer heb afgeleerd.

Het is diezelfde eigenschap die maakt dat ik hier in een vol
café in m'n eentje tegen een muur geleund sta. Ik speel wat met
mijn glas, laat het rondjes draaien in mijn hand en drink met
kleine teugjes om het niet te snel leeg te laten zijn. Onopvallend kijk ik op mijn horloge. Ik heb pas over een kwartier afgesproken. Tel daar het kwartier bij op dat Eva en Herbert altijd
te laat zijn, en ik moet nog een halfuur wachten. Op Natasja
hoef ik niet te rekenen. Gezien haar Antilliaanse achtergrond
is ze hier op z'n vroegst over een uur. En dan vindt ze zichzelf
nog ruim op tijd.

'Ho, sorry!'

Een jongen valt tegen me aan, omdat zijn voeten na te veel
biertjes een eigen leven zijn gaan leiden. 'Woeps', zegt hij. Hij

kijkt me bijzonder onintelligent aan. Zijn ogen zijn rood van te veel drank.

'Kun je niet uitkijken?' vraag ik. Ik wil het venijnig laten klinken, maar die poging mislukt. De jongen hoort het toch niet. Ik kijk hem boos na.

Opnieuw een blik op mijn horloge. Het is twaalf minuten voor halfelf. Over anderhalf uur, plus twaalf minuten, ben ik jarig. En begint de herfst.

Niet dat iemand hier zich er druk om maakt dat de zomer voorbij is. De muziek bonkt uit de boxen en mensen vermaken zich op de dansvloer, en aan de bar. Vooral aan de bar. Ik denk aan de avond dat ik zestien was geworden, nu dertien jaar geleden. Voor het eerst de stad in, in Utrecht. Na twee passoa-jus was ik al dronken, net als Natasja trouwens. De dag na mijn zestiende verjaardag leerde ik wat een kater is. En bezwoer ik mezelf om nooit meer te drinken, maar die belofte heb ik daarna nog vaak gebroken.

Ik neem de laatste slok van mijn witte wijn en wurm me een weg naar de bar om iets te bestellen. Het duurt lang, maar dan krijg ik uiteindelijk een bacardi-cola in mijn handen gedrukt, plus een handvol muntjes die min of meer genoeg moet zijn als wisselgeld.

Ik toost met mezelf als ik mijn plek tegen de muur weer inneem en neem een iets te grote slok van mijn baco. Het spul brandt in mijn slokdarm, wat niet eens een onaangenaam gevoel is.

'Daar is ze!' hoor ik iemand roepen, boven de muziek uit. 'Joehoe, Charlotte!'

Eva baant zich een weg door de mensenmassa met Herbert in haar kielzog. Ze zwaait naar me en ik zwaai terug met een grote glimlach op mijn gezicht.

Eva geeft me drie klapzoenen en tettert in mijn oor: 'Gefeliciteerd! God, negenentwintig alweer. Je wordt oud.'

Tact is niet Eva's sterkste punt.

'Gefeliciteerd Char', zegt Herbert. Sinds het televisieprogramma met het alfabetmedium vindt hij het leuk me zo te noemen. Ik laat het maar zo. Eva vindt hem helemaal het einde.

'Dank je', antwoord ik wat stijfjes als ook hij me drie zoenen geeft. 'Heel aardig van je dat je bent gekomen.'

Herbert werpt een blik op de bar. 'Ik haal drankjes. Hebben we al een rekening? Nee? Dat regel ik wel even. Jij nog een bacootje, Char?'

Ik knik.

'Ik een droge witte wijn', zegt Eva. Ze kijkt Herbert verliefd na als hij wegloopt.

'Witte wijn', zeg ik, als hij buiten gehoorafstand is. 'Betekent dat...'

Eva knikt. 'Nog altijd niets', zegt ze pruilend. 'We doen het zes keer per week, nu al vier maanden lang, maar nog steeds ben ik niet zwanger. Wel oververmoeid, trouwens.'

'Dat snap ik', zeg ik, al kan ik me er helemaal niets bij voorstellen. Mijn vorige relatie duurde slechts drie maanden en het woord 'kinderen' is alleen gevallen in relatie tot mijn werk als leerkracht van groep 1.

'En jij? Hoe is het met jou? Wat een klootzaak is Kars dat hij je één dag voor je verjaardag heeft laten zitten.'

Ik ontwijk haar onderzoekende blik en denk na over haar woorden. Waarom niet? Als hij toch weg wilde, waarom zou hij dan wachten tot na mijn verjaardag?

'Wat maakt het uit?' Ik haal mijn schouders op, al voel ik van binnen niet de luchtigheid die ik wil uitstralen.

Eva houdt haar hoofd schuin en kijkt me aan. 'Wat zei hij nou precies? Iets over dat hij alleen wilde zijn, of zo?'

Ik knik. Aan de telefoon heb ik haar al verteld met welke pseudopsychologische smoesjes Kars me heeft gedumpt, maar

Eva zou Eva niet zijn als ze deze smoesjes niet tot op de bodem zou analyseren.

'Hij zei dat hij niet zeker weet of hij wel toe is aan een vaste relatie. En dat hij alleen moet zijn om dat uit te zoeken. Hij is nog niet klaar om zich te binden en wil nog van het leven genieten. Snap jij het?'

Eva laat die woorden nog eens rondgaan in haar gedachten en knikt dan langzaam. 'Bindingsangst', is haar conclusie.

'Dat had ik zelf ook al bedacht', zeg ik. 'Maar dat is het niet, want zijn vorige relatie duurde vijf jaar en hij was niet degene die er een eind aan maakte. Het zal wel iets met mij te maken hebben.'

'Doe niet zo raar!' roept Eva meteen. 'Jij bent hartstikke –'

'De drankjes', kondigt Herbert op dat moment aan, en ik haal opgelucht adem. Het laatste waarop ik zit te wachten is een verhandeling over waarom Kars is weggegaan, hoe leuk ik ben en wat een ploert hij is.

'Kars is bij haar weg', zegt Eva tegen Herbert. En dan bijna verontschuldigend tegen mij: 'Ik heb hem sinds gisteren nauwelijks gesproken, anders had ik het hem wel eerder verteld.'

'Balen', is Herberts commentaar en daarmee is het onderwerp wat hem betreft afgesloten. Wat mij betreft trouwens ook.

Eva begint te zwaaien. 'Hé, daar is Natasja!'

Ik volg haar blik en zie inderdaad het vertrouwde gezicht van de vriendin die ik al sinds de basisschool ken. Destijds was haar donkere huid een bezienswaardigheid, zelfs in Utrecht. Zoals altijd kijk ik er jaloers naar. Natasja is een van de mooiste mensen die ik ken.

Ze omhelst me in een wolk van parfum en geeft me één zoen op mijn wang. 'Gefeliciteerd, feestvarken! Nog één jaar en dan zijn we allebei dertig.'

Ik moet er niet aan denken. De combinatie negenentwintig en single klinkt niet geweldig, maar dertig en single heeft helemaal iets... Tja, hoe zal ik het noemen? Iets waar je geen rekening mee houdt als je zes bent en met een laken om je lijf speelt dat je gaat trouwen met de man van je dromen.

Natasja begroet Eva en Herbert en informeert plompverloren naar hun pogingen om in verwachting te raken. Herbert heeft nog het fatsoen zich in de volle kroeg enigszins opgelaten te voelen, maar Eva vertelt zonder gêne het hele verhaal.

Om een eind te maken aan het gedetailleerde verslag van hun seksleven duwt Herbert zijn vriendin resoluut in de richting van de dansvloer. Natasja en ik volgen.

De dj heeft net een jumpstylenummer opgezet waar zelfs de tweeëntwintig kleuters in mijn klas wel raad mee weten, maar ik heb het jumpen nog altijd niet onder de knie en vlucht naar de wc. Natasja komt me achterna.

'Hé, zit je nog erg met Kars?' vraagt ze, als we allebei voor de spiegel staan.

Ik haal mijn schouders op. 'Gaat wel', antwoord ik. Ik ontwijk haar vraag en dat heeft ze heus wel in de gaten.

Ze trekt haar eigen conclusie. 'Ja, dus.'

Natasja draait de kraan open en laat koud water over haar polsen stromen. Dan dept ze haar hals ermee.

'Je moet hem vergeten', zegt ze. 'Ik wist meteen al dat hij niet deugde. Dat heb ik ook tegen je gezegd, toch?'

Ik knik en kijk haar niet aan. In plaats daarvan vestig ik mijn blik op mijn eigen spiegelbeeld.

Mijn hazelnootbruine haar hangt los om mijn gezicht, wat me een heel andere aanblik geeft dan normaal, als ik mijn haar in een simpele staart draag.

'Hij deugt wel', zeg ik na een tijdje. 'Maar het kwam gewoon te vroeg voor hem. Hij zei dat hij eerst nog van het leven wilde genieten.'

Natasja kijkt me via de spiegel aan. 'Van het leven wilde genieten?' herhaalt ze. 'Alsof je dat alleen in je eentje kunt doen! Jemig, wat een stuk verdriet is hij. Het is maar goed dat je van hem af bent.'

Waarom is het achteraf altijd 'maar goed dat je van hem af bent'? Toen Robin het na drie jaar uitmaakte, vond mijn moeder het maar beter dat ik van hem af was. Terwijl Robin in de drie jaar van onze relatie niets – en ik herhaal: helemaal niets – fout kon doen bij mijn ouders. Maar toen wist niemand dat ik niet zijn enige vriendin was, laat staan dat iemand vermoedde dat hij er een vijfkoppige harem op na bleek te houden. Het feit dat ik drieëntwintig was en beweerde dat ik nooit meer een man in mijn buurt zou laten, speelde vast een rol bij de opmerking van mijn moeder. Ik had het trouwens fout, mijn celibataire leefstijl duurde een week of zes.

'Wat jij nodig hebt, is iemand die je wel waard is', zegt Natasja na een lange stilte waarin ze haar lippen met gloss bijwerkt. Ik kijk ernaar en vraag me af waarom zo veel vrouwen de moeite doen om zo veel make-up te dragen dat het bijwerken ervan een dagtaak is. Zelf heb ik vanavond wat mascara op en een onopvallende oogschaduw, wat voor mijn doen al heel wat is.

Natasja bekijkt het resultaat van haar inspanningen in de spiegel. 'Toevallig heb ik een collega, die –'

'Ja', zeg ik, terwijl ze nog niet eens is uitgepraat. Ik ga snel een hokje in en draai de deur op slot.

'Waar bléven jullie?' vraagt Eva. Ze moet hard schreeuwen om boven de muziek uit te komen.

Natasja geeft antwoord. 'Make-up bijwerken. Draaien ze nu eindelijk weer normale muziek? Ik word stapelgek van dat jumpen. Jij niet?' Ze kijkt me aan en ik knik. Gelukkig komt ze niet meer terug op die collega.

Op Eva's voorhoofd parelen zweetdruppeltjes van het dansen. Het is ook bloedheet.

Ik kijk op mijn horloge. Over een halfuur ben ik jarig. Ik weet niet eens waarom ik het zo goed in de gaten houd, maar naarmate de tijd verstrijkt, groeit mijn gevoel van onrust. Alsof ik nu, nu ik nog achtentwintig ben, een daad moet stellen. Iets groots moet doen. Ik ben straks negenentwintig en wat heb ik bereikt?

Ik heb een pabodiploma en een leuke baan, som ik in gedachten op. Ik heb een paar relaties gehad, maar niemand is gebleven en dat is gezien de mannen met wie ik me heb ingelaten misschien niet eens zo erg. Al klink ik nu net als mijn moeder.

'Hé!' Eva stoot me aan. 'Kijk eens wat vrolijker! Je bent zo meteen jarig, weet je nog? Je ziet er niet echt uit alsof je in een feeststemming bent.'

'Sorry.' Ik produceer een grijns. 'Zo beter?'

'Veel beter', oordeelt Eva en ze stort zich weer in de dansende menigte. Ik volg haar en voor het eerst vanavond voel ik een zekere luchthartigheid. Herbert drukt nog een baco in mijn handen, waar ik een paar flinke slokken van neem. Ik begin te bewegen op de maat van de muziek en maak al snel deel uit van de massa die dat ook doet.

Plotseling stopt de muziek. Ik kijk verbaasd om me heen. Eva knipoogt naar me en ik trek mijn wenkbrauwen op.

'Wat...' begin ik, maar Eva loopt weg in de richting van de draaitafel. Tot mijn grote verbazing lacht ze naar de dj en pakt ze vervolgens de microfoon.

Natasja pakt mijn arm vast. 'Let op!' roept ze in mijn oor, zo hard dat ik meteen een suis hoor. 'Dit heeft Eva voor jou geregeld!'

'Het is één minuut voor twaalf', schalt dan Eva's stem uit de boxen en ik weet meteen wat ze van plan is. Radeloos kijk ik om me heen.

'Leuk toch?' vraagt Natasja.

Ik vind het helemaal niet leuk. Iedereen kijkt mijn kant op als Eva me aanwijst. Ik hoop dat de grond zich ineens opent en ik er gewoon in kan zakken.

'Nog tien seconden!' roept Eva. 'Negen, acht, zeven...'

Ik staar naar de neuzen van mijn schoenen. Mijn gezicht gloeit en de huid onder mijn kleding prikt.

'Jaaaaa!' brult Eva door de microfoon. 'Gefeliciteerd!' En ze zet *Lang zal ze leven* in. Terwijl de hele kroeg meeblèrt, omhelst eerst Natasja en dan Eva me. Uiteindelijk volgt Herbert met drie zoenen, alweer, en dan een paar dronken lui die ik niet ken, maar die doen alsof we vroeger nog samen een potje hebben geknikkerd. Waarschijnlijk hopen ze met hun gedrag op een potje van iets anders, maar dat kunnen ze mooi op hun buik schrijven.

Eva trekt me mee naar de rand van de dansvloer. Ze kijkt me geheimzinnig aan. 'We hebben iets voor je. Natasja en ik wilden je weer laten stralen nu Kars weg is en daarom vonden we dit wel toepasselijk.'

Ze haalt een pakje tevoorschijn.

Natasja klapt opgewonden in haar handen. 'Het is echt prachtig', zegt ze alvast.

Met trillende vingers maak ik de plakbandjes open.

'Schiet nou op', zegt Eva. 'Het papier mag heus wel weg, hoor. Hier, ik help je wel.' En ze scheurt het pakje open.

Er zit een zwart doosje in met een zilveren randje. Van Schooten, staat er in zwierige letters op. Van Schooten, Van Schooten – het zegt me niets.

Ik klap het doosje open en zie een zilveren kettinkje met een klein hangertje. Het fonkelt in het knipperende licht om me heen. 'Wat prachtig', zeg ik zacht.

'Mooi, hè?' Eva pakt het kettinkje eruit en hangt het om mijn nek. 'Als jouw gezicht niet straalt, dan doet dit hangertje het wel. Het is klein, maar het licht dat erop valt, wordt prachtig weerkaatst.'

Ik betast het zilveren hangertje voorzichtig met mijn vinger. Daarna geef ik zowel Eva als Natasja een zoen om ze te bedanken.

'Maar we zien natuurlijk liever dat jíj straalt', zegt Natasja lief. 'Ik weet zeker dat je dat binnenkort weer doet.'

'Iemand nog wat drinken?' vraag ik. Voor de tweede keer die avond ontwijk ik haar woorden. Niet omdat ik niet wil antwoorden, maar ik weet simpelweg niet wat ik moet zeggen. Ik wilde dat het zo simpel was: een kettinkje van je vriendinnen dat je helpt om weer gelukkig te worden. Zoals vroeger een kusje en een plaatjespleister genoeg waren om gewonde knieën te helen. Tegenwoordig plak ik mijn eigen pleisters, en ik moet zelf een manier vinden om weer gelukkig te worden. En negenentwintig worden helpt niet echt.

Ik recht mijn rug en tover een glimlach op mijn gezicht. Niemand heeft iets aan een pruilende jarige.

Ik ga op weg naar de bar om twee baco's, een rosé en een biertje te halen. De drukte is alleen maar toegenomen en ik val een paar keer tegen zoenende stelletjes aan.

'Kun je niet uitkijken?' schreeuwt iemand. Ik wil antwoorden, maar iemand anders trapt hard op mijn teen en ik moet mijn kiezen stevig op elkaar zetten om niet te vloeken.

Ik moet een kwartier wachten tot ik aan de beurt ben en schreeuw dan mijn bestelling naar de barman.

'Rekening?' vraagt hij. Althans, dat meen ik te liplezen.

Ik knik.

'Welke naam?'

Weet ik veel. 'Herbert?' probeer ik. De barman zoekt, maar schudt zijn hoofd.

'Van Wilgen?'

Ook niet.

'Charlotte van Rhijn?' probeer ik dan. En ja hoor, bingo. Herbert heeft voor het gemak de rekening op mijn naam gezet. De knieperd.

De drankjes worden op de rekening geschreven en daarna krijg ik ze mee op een wankel dienblaadje. Ondanks het woud van maaiende armen en trappende voeten weet ik heelhuids aan te komen bij mijn vriendinnen. Ze pakken hun drankjes en zetten weer koers richting de dansvloer. Ik volg ze en dans een tijdje met ze mee, maar op een of andere manier vermaak ik me niet.

Ineens voel ik een overweldigende behoefte om naar huis te gaan, in bed te gaan liggen en de dekens ver over mijn hoofd te trekken. Ik wil hier niet zijn, in de snikhete kroeg waar de muziek zoals gewoonlijk veel te hard staat. Ik wil niet nog meer drank drinken waardoor ik straks wiebelig op mijn benen sta en me morgen beroerd voel. Morgen, als ik echt jarig ben en er visite komt die ik moet ontvangen, te eten geven, te drinken geven en moet vermaken. En waarschijnlijk een paar duizend keer moet uitleggen waarom Kars er niet is. Ik wil weg uit de kroeg. Ik wil bovenal niet langer aankijken tegen zoenende stelletjes, ontluikende liefdes en de pure lust die ik overal om me heen zien oplaaien.

Ik kijk naar het drankje in mijn hand en neem vervolgens een slok. En dan nog een, tot het glas leeg is en mijn hoofd tolt.

'Nog één?' vraagt Eva, die ineens opduikt.

Ik schud mijn hoofd. Dat had ik beter niet kunnen doen, want het duurt lang voor de wereld om me heen weer stilstaat. Ik heb het gevoel dat de vloer onder mijn voeten golft.

Snel werp ik een blik op mijn horloge. Het is iets na enen.

'Ik ga naar huis', kondig ik aan, in Natasja's oor.

Ze werpt me een bezorgde blik toe. 'Nu al? Ben je moe?'

Dankbaar voor de uitweg die ze me biedt, zeg ik: 'Ja, heel erg moe. Morgen komt er visite en dan wil ik uitgerust zijn.'

'Snap ik!' Natasja wuift nog even en danst dan weer verder. Ik neem afscheid van Eva en Herbert en ben al op weg naar de garderobe als ik me de openstaande rekening herinner.

Hoewel ik vind dat ik het volste recht heb om weg te gaan en Herbert te laten betalen, keer ik toch om. In tegenstelling tot Herbert heb ik geen zin om een ander voor mijn drankjes te laten opdraaien.

Dus baan ik me opnieuw een weg naar de bar. 'Ik wil de rekening betalen', zeg ik tegen de barman, als ik eindelijk zijn aandacht heb getrokken. 'Charlotte van Rhijn. Pinnen, graag.'

Zonder iets te zeggen schuift hij me de rekening en de pinautomaat toe. Ik kijk naar het bedrag. Bijna tachtig euro. Gelukkig wordt mijn salaris binnenkort gestort.

'Maak er maar tachtig van', zeg ik tegen de jongen achter de bar. Hij knikt en neemt niet de moeite me te bedanken. Voor een fooi van minder dan tien euro doen ze dat in Amsterdam tegenwoordig niet meer.

Ik toets mijn pincode in en wil al bijna weglopen, met een schuin oog naar het schermpje kijkend.

Met een ruk blijf ik staan. Waar ik 'U heeft betaald, Tot ziens' verwacht, verschijnt de melding 'Geen saldo, Betaal anders'.

Ik denk razendsnel na. Vanmorgen stond er nog driehonderd euro op mijn rekening en in de supermarkt heb ik honderd betaald voor de boodschappen die ik voor mijn verjaardag heb gedaan. Bovendien kan ik tweeduizend euro rood staan. Ben ik een overboeking vergeten?

De barman kijkt me aan. 'Je hebt geen geld', roept hij. Heel fijn, de mensen die in de buurt staan, hebben het ook gehoord.

'Dat kan niet', mompel ik, en dan luider: 'Het moet een fout zijn! Er staat wel geld op mijn rekening.'

De barman haalt zijn schouders op.

Met trillende vingers zoek ik in mijn portemonnee naar een andere pinpas. Had ik er niet een van mijn spaarrekening? Of heb ik die laatst weggegooid, omdat ik hem nooit wilde gebruiken?

Ik vind veel, maar geen ander pinpas. Contant geld heb ik wel, maar niet meer dan twaalf euro.

'Shit', zeg ik zachtjes. Opnieuw ploeg ik mijn hele portemonnee door. Ik vind wel mijn creditcard, maar als ik die omhoog houd, schud de barman zijn hoofd.

'Is er hier ergens een pinautomaat in de buurt?' vraag ik.

De barman trekt zijn wenkbrauwen op. 'Je pas doet het niet', helpt hij me herinneren. 'Dus wat wil je bij een pinautomaat doen?'

'Ik kan het toch nog wel een keer proberen?'

De barman kijkt me spottend aan. 'Natuurlijk', zegt hij dan, en stelt de pinmachine opnieuw in.

Ik haal mijn pas erdoor, toets de code in en hoop heel hard dat het apparaat het deze keer wel doet, maar helaas. Dezelfde melding verschijnt en de barman kijkt me aan. 'Geen geld, dame', zegt hij. 'Wat ga je eraan doen?'

'Ik weet zeker dat hij het in een automaat wel doet', zeg ik stellig. 'Ik kom zo terug.'

Maar daar steekt de barman een stokje voor. 'Die heb ik vaker gehoord', zegt hij en ik zie de blik die hij werpt op de twee beveiligers die bij de bar rondhangen. Ze merken zijn blik meteen op en richten hun aandacht op mij.

'Kun je niet even iemands pinpas lenen?' vraagt de barman ongeduldig.

Ik kijk radeloos om me heen. Mijn vrienden, ja. Maar ik kan ze toch niet zomaar vragen of ik even hun pinpas mag lenen? Wat moeten ze wel niet van me denken?

Ik schraap mijn keel. Gelukkig ziet niemand mijn knalrode hoofd als ik me omkeer en op zoek ga naar Natasja. Eva kan ik niet vragen om de rekening te betalen, want ik weet zeker dat Herbert het prachtig vindt als hij hoort dat mijn pinpas weigert. Zo'n eikel is hij wel.

Ik vind Natasja op de dansvloer, waar ze zich vermaakt met een man die minstens vijftien jaar ouder is dan zij. Het schijnt haar niet te deren, ze lacht flirterig naar hem.

Ik kijk naar haar en bedenk hoe ik dit leuk ga inkleden. 'Ik ben mijn pas vergeten' klinkt net even beter dan 'ik schijn ineens geen geld meer te hebben'. Ja, dat ga ik zeggen, ik ben mijn pas vergeten.

Ineens lijkt het alsof iemand een gloeilamp in mijn hoofd aansteekt. Natuurlijk, wat dom van me! Ik herinner me de twee briefjes van vijftig euro die ik vandaag samen met een verjaardagskaart van mijn oma opgestuurd kreeg. Ieder jaar zegt mijn moeder weer dat ik haar moeder moet bellen en haar netjes voor het geld moet bedanken, maar meestal vergeet ik het.

Geen idee waarom, maar in plaats van de briefjes op te bergen tot ik er een bestemming voor had bedacht, heb ik ze in de achterzak van mijn spijkerbroek gepropt. Ik tast ernaar en voel het papier tussen mijn vingers knisperen.

Ik kan wel een gat in de lucht springen van blijdschap. Snel loop ik terug naar de bar, voor Natasja me in het oog krijgt.

'En? Doet hij het weer?' vraagt de barman pesterig.

Ik geef hem het geld, ruk het briefje van twintig dat ik als wisselgeld krijg uit zijn handen en loop snel naar buiten, waar de frisse wind mijn verhitte wangen koelt.

Ik pak mijn fiets en trap met wilde bewegingen naar huis. Ik moet weer eens bij oma langsgaan. Het oude mens heeft me zojuist behoorlijk uit de brand geholpen.

Als ik binnenkom zie ik op het klokje van de magnetron dat het al kwart voor twee is. Toch denk ik niet dat ik kan slapen. Mijn hart hamert in mijn keel en dat komt niet van het fietsen.

Ik laat de lampen uit, maar start wel mijn laptop op. Ik moet nú weten waarom mijn pinpas dienst weigerde. Zou er echt een fout zijn gemaakt bij de bank? Of is er ineens heel veel geld van mijn rekening afgeschreven? Ben ik vergeten dat de hypotheek eraf ging? Maar dat moet dan wel de hypotheek voor vier maanden zijn geweest.

Ik trommel ongeduldig met mijn vingers op mijn bureau tot mijn computer tot leven komt. Daarna surf ik snel naar de website van de bank en zoek naar de inlogcodes. Ik vind het blaadje waar ze op staan in de ordner waar met grote letters 'bankzaken' op staat.

Snel typ ik de codes in en dan opent zich mijn rekeningoverzicht.

En daar staat het, in het rood. €1998,03 debet

Niet alleen is mijn geld op, bijna mijn hele krediet is verbruikt! Misselijk van schrik en van het langzaam opkomende gevoel dat hier iets heel erg mis is, open ik de bij- en afschrijvingen.

De laatste afschrijving is van vandaag en bedraagt bijna tweeëntwintighonderd euro. Ik heb het blijkbaar zelf overgeschreven naar een rekeningnummer dat me niets zegt. De bijbehorende naam doet ook geen bellen rinkelen: G.H. van Haren.

Mijn hart bonkt in mijn keel als ik mijn spaarrekening open. Mijn handen trillen zo erg dat ik de muis er slechts met moeite op krijg.

Mijn tong kleeft als een lap leer tegen mijn gehemelte. Leeg. Mijn spaarrekening is helemaal leeg. Ik klik terug naar mijn rekeningoverzicht en vraag me af hoe ik het over het hoofd heb kunnen zien.

De zevenduizend euro die ik had gespaard is eerst naar mijn rekening teruggeboekt en daarna doorgesluisd naar diezelfde meneer of mevrouw Van Haren.

Ik ben in één klap nuchter. Ik pijnig mijn hersenen en probeer te bedenken of ik niet toch iemand ken met die naam. Iemand van vroeger misschien? Of iemand van mijn werk?

Maar er komt niets.

# 2

'GEFELICITEERD.' MIJN MOEDER GEEFT ME DRIE ZOENEN EN drukt een plant in mijn handen. 'We wisten eigenlijk niet wat je wilde hebben.'

Ze loopt door naar de huiskamer.

'Ja, gefeliciteerd.' Ook mijn vader zoent me. Omdat mijn moeder het cadeau al heeft gegeven, botsen we allebei tegen de plant als we naar elkaar toe buigen.

Mijn vader schraapt zijn keel en hangt zijn jas op. 'Zo, dat was weer moeilijk parkeren', zegt hij, zoals altijd als hij hier binnenkomt. Er is voor Amsterdamse begrippen best veel plek in de straat, maar mijn vader vindt alles wat zelfs maar op file-parkeren lijkt een opgave van formaat.

'Hoe is het?' vraagt mijn moeder.

'Goed', antwoord ik, en ik kuch. Het gevoel dat iemand mijn keel dichtknijpt, wil maar niet verdwijnen. Ik kan de gedachte aan de rode cijfers op mijn rekeningen niet uit mijn hoofd zetten. Maar ik weet wel beter dan mijn ouders te vertellen wat er is gebeurd. Ze zullen vast denken dat ik niet met geld kan omgaan en dat mijn verhaal een omzichtige manier is om bij hen geld los te peuteren.

Nee, dit moet ik zelf oplossen. Sinds mijn eerste baantje op mijn vijftiende heb ik van mijn ouders geen geld meer gekregen, en ik heb er ook nooit om gevraagd.

'Ga zitten', zeg ik ten overvloede. Mijn vader pakt een eettafelstoel en schuift die bij het zitgedeelte van mijn huiskamer. Er is plek zat op de bank of op de twee fauteuils, maar ik weet dat mijn vader weer last heeft van zijn rug en dat hij het alleen uithoudt op een rechte stoel. Ik wil hem vragen of het gaat, maar doe het niet. Praten over kwaaltjes doet hij niet, dat vindt hij niet nodig.

'Koffie met gebak?' bied ik aan. Mijn ouders knikken.

Ik rommel wat in de open keuken en denk na over een gespreksonderwerp. Er leeft maar één ding in mijn gedachten en ik heb moeite om aan iets anders te denken. Het weer misschien?

'Koud, hè?'

Mijn stem klinkt raar en hoog.

'Vind je?'

Ik voel mijn moeders blik in mijn rug branden. Ik doe anders dan anders en ze weet het. Gelukkig vraagt ze niet wat er aan de hand is. Ik zou me met zo'n vraag geen raad weten. Op stel en sprong een leugen vertellen is niet mijn sterkste kant.

Ik leg appelpunten op schoteltjes, doe suiker en melk in de koffie van mijn ouders en zet alles op het kleine tafeltje dat als salontafel dienstdoet. Het past net.

Mijn moeder kijkt om zich heen. 'Is die jongen er niet?'

Deze vraag had ik kunnen verwachten, maar toch reageer ik schichtig. 'Wie? Kars? Nee, die is er niet.'

'Oh.'

'Het is uit.'

'Oh.' Mijn moeder knikt. Mijn vader kijkt naar buiten en geeft al helemaal geen reactie. Ze mochten Kars niet.

Als ik zelf wil gaan zitten, gaat de deurbel. Ik loop naar de gang en druk op de knop om de deur beneden te openen. Het duurt even voor mijn broer de twee trappen heeft beklommen, maar dan staat hij voor me: een twee koppen groter, jonger evenbeeld van mijn vader.

Hij omhelst me. 'Gefeliciteerd, zusje', zegt hij, al ben ik twee jaar ouder. 'Op naar de grote *three-o*.'

Alsof ik hem nodig heb om me daaraan te herinneren.

Bastiaan loopt langs me heen naar binnen. 'Ha pa', hoor ik hem zeggen. 'Dag ma.' Ik zie mijn vaders ogen oplichten. Hij was altijd meer een zoonpapa, en mijn broer was een vaderskindje. Die twee hebben aan een half woord genoeg.

'Koffie, Bastiaan?' vraag ik.

Hij knikt. 'En wat is dat? Appeltaart? Heerlijk, ik heb nog niet ontbeten.'

Ik zie mijn moeders blik naar het digitale klokje van de magnetron schieten. Het is kwart voor elf op zondagochtend. Wat ik weet, maar zij niet, is dat het een wonder mag heten dat Bastiaan überhaupt wakker is. Hij laat zich het Amsterdamse nachtleven goed smaken, en ik kan hem geen ongelijk geven. Bastiaan heeft de goede genen geërfd en over aandacht kan hij niet klagen. Erg vaak spreek ik hem niet, maar als ik hem in het weekend bel, is hij altijd óf de avond daarvoor uit geweest, óf hij gaat die avond uit. Of allebei.

'Komen die vriendinnen van je nog?' wil Bastiaan weten. Hij vraagt het met volle mond. 'Lekker, die taart.'

'Nee, ze komen niet', zeg ik. Ik weet dat hij teleurgesteld is, omdat hij al sinds de basisschool een oogje op Natasja heeft.

Niet dat je kunt stellen dat hij zich voor haar bewaart, maar hij laat geen gelegenheid onbenut om haar te zien.

'We hebben mijn verjaardag gisteren in de kroeg gevierd.'

'Oh ja?' Hij kijkt me aan. 'Welke kroeg?'

'Weet ik niet meer', lieg ik. 'We waren er nooit eerder geweest.'

Ik weet dat Bastiaan er ook regelmatig komt. Het laatste waar ik op zit te wachten, is dat hij erachter komt dat zijn zus de rekening niet kon betalen. Hij hoeft de naam Van Rhijn maar te noemen en de barman zou het zich kunnen herinneren.

'Was het leuk?' vraagt mijn moeder.

Ik knik. 'Natasja was er, en Eva en Herbert. Het was heel gezellig.'

'Herbert', herhaalt mijn moeder. 'Wie is dat ook alweer?'

'Dat is de vriend van Eva, mama. Je hebt hem nog nooit gezien. Het is een beetje een kwal, maar Eva is dol op hem.'

'Jij niet dus', concludeert Bastiaan. 'Waarom niet?'

'Omdat hij een betweter is', antwoord ik. 'En een gluiperd. Maar Eva vindt hem helemaal het einde, dus ik zal hem moeten accepteren. Ze willen een baby.'

Mijn moeders ogen lichten op bij dat onderwerp. Ik weet dat ze dolgraag kleinkinderen wil, maar met twee single kinderen zal ze echt nog even moeten wachten.

'Hoe weet je dat?' vraagt ze. 'Dat ze kinderen willen.'

'Eva heeft het me verteld. Wat heet, ze houdt me van minuut tot minuut op de hoogte. Maar ze is niet zwanger, hoor. Nog niet.'

'Wat leuk dat ze een baby willen', zegt mijn moeder. 'Ook voor haar ouders.'

'Ja', antwoord ik, en ik laat het onderwerp verder rusten. Ik ben negenentwintig, er is tijd zat om een gezin te stichten.

'Hoor ik daar een biologische klok tikken?' plaagt Bastiaan me. 'Zo rond de dertig is die niet meer te houden, heb ik wel eens gehoord.'

'En waar haal jij die wijsheid vandaan?'

Bastiaan steekt lachend zijn handen omhoog. 'Rustig maar, het was een grapje. Je hebt gelijk, je bent nog geen dertig.'

Ik weet dat hij me dolgraag op de kast wil jagen, maar ik ga er niet op in.

'Hoe is het op de zaak?' vraag ik aan mijn vader.

'Goed. Z'n gangetje.'

Al zolang ik me kan herinneren, gaat het op mijn vaders werk 'z'n gangetje'. En ik kan me voorstellen dat er in de loopbaan van een accountant ook vrij weinig opzienbarende hoogtepunten passeren, tenzij je je inlaat met grote, criminele zaken, maar daar heeft mijn vader zich altijd verre van gehouden.

'En op school?' Ik kijk mijn moeder aan.

Ze schudt haar hoofd. 'Na de vakantie is het er een chaos. Er zijn drie docenten overspannen thuisgebleven. Gek genoeg hadden ze tijdens de vakantie nog nergens last van, maar zodra de schooldeuren weer opengingen, konden ze het niet meer aan.'

Mijn moeder is een gelijkmatige, hardwerkende vrouw, maar als het aankomt op hoe andere docenten in haar ogen de kantjes eraf lopen, kan ze onverwacht fel uit de hoek komen.

'Groep drie en vijf krijgen les van een stagiaire', gaat ze verder. 'Zelf heb ik groep zeven overgenomen, waardoor de remedial teaching helemaal stil is komen te liggen.'

Ik knik. 'Bij ons op school zijn er drie mensen voor RT.'

'Dat is een luxe.'

'Ik weet het. Maar in twee klassen staat al vanaf april een invalkracht, omdat de vaste docenten het ook niet meer aankunnen. Ze zijn overspannen, maar ondertussen vliegen ze wel voor drie weken naar Spanje.'

'De verzekering zal het wel betalen', bromt mijn vader. 'En de premies blijven maar stijgen voor mensen zoals wij, die nooit iets hebben en toch de hoofdprijs betalen.'

Bastiaan, die zelfstandig ondernemer is, grinnikt. 'Zeg je baan op, begin voor jezelf en je hebt nergens meer last van.'

'Jij hebt makkelijk praten', zeg ik. 'Een freelance juf is in Nederland nog niet echt ingeburgerd.'

'Dan moet je gaan doen wat ik doe', zegt hij schouderophalend. Ik geef geen antwoord. Ik weet namelijk nog steeds niet precies wat zijn werk inhoudt. Hij heeft een bedrijfje dat iets doet met reparatie en verkoop van mobiele telefoons, maar wat precies, dat is me nooit duidelijk geworden. Hij verdient er wel geld als water mee, want hij doet zichzelf iedere paar maanden een nieuwe auto cadeau.

Ineens denk ik weer aan mijn financiële situatie. Misschien moet ik inderdaad maar het werk gaan doen dat Bastiaan ook doet. Het is de enige manier om, als ik dat geld inderdaad kwijt ben, mijn hypotheek nog te kunnen betalen.

De kleur kruipt vanuit mijn nek omhoog als ik weer aan mijn rekeningoverzicht op internet denk. Vanochtend vroeg, na een doorwaakte nacht, heb ik nog een keer ingelogd om zeker te weten dat ik het goed had gezien. Er was niets veranderd.

Ik zie dat mijn moeder mijn rode wangen registreert. Ze kijkt me bevreemd aan.

Terwijl de kopjes nog halfvol zijn, sta ik op en vraag: 'Iemand nog koffie?'


'Maar mevrouw, u spreekt met de afdeling Reisverzekeringen!' De man aan de andere kant van de lijn begint nu een beetje geïrriteerd te klinken. Maar niet zo geïrriteerd als ik.

'Verbind me dan door. Ik moet iemand spreken die meer weet van bij- en afschrijvingen.'

'Dan moet u klantenservice hebben.'

'Geef me dan aan klantenservice.' Ik slaak een trillende zucht. Is het nou zo moeilijk te begrijpen dat hier sprake is van een noodgeval?

'Dat kan ik helaas niet doen. Die afdeling is morgen pas weer geopend.'

'Maar ik móét ze spreken.'

'Dat heb ik inmiddels begrepen, maar het kan niet.'

Mijn plan om informatie te krijgen via de enige klantenservice van mijn bank die wél open is op zondag, dreigt in het water te vallen. Of deze man kan niet bij mijn gegevens, of hij heeft geen zin om moeite te doen.

'Er is een enorm bedrag van mijn rekening afgeschreven, waarvoor ik nooit toestemming heb gegeven. Ik moet hier iets aan doen, want er is vast sprake van een groot misverstand.'

Mijn stem klinkt nu ronduit smekend.

'Dan zult u toch echt tot morgen moeten wachten. Ik kan u niet helpen. Dag mevrouw.'

Hij hangt gewoon op! Hoe durft hij?

Ik klik van alles aan op de website van de bank, maar veel verder kom ik niet. Ik moet echt wachten tot de klantenservice weer open is en dat is morgenochtend om negen uur.

Gefrustreerd klap ik mijn laptop dicht. Ik heb ineens zin in een sigaret, al ben ik gestopt met roken toen ik vijfentwintig was. *Cold turkey*, van de ene op de andere dag. De eerste paar dagen dacht ik dat ik doodging, maar daarna heb ik er nooit meer naar getaald.

Tot dit moment.

Ik ijsbeer door de kamer, ga nog een paar keer achter mijn laptop zitten en log gefrustreerd vijf keer achter elkaar in bij de bank. Vijf keer hetzelfde resultaat: ik sta hartstikke rood.

Dan herinner ik me ineens de spaarrekening die ik bij een andere bank heb lopen. Ik kijk er nooit naar, maar er moet nog een kleine vierduizend euro op staan. Dat is geld dat ik heb gespaard en heb weggezet om te voorkomen dat ik het zou uitgeven.

Sparen sparen sparen, dat heb ik van huis uit meegekregen. Sparen, zodat je jezelf kan redden als je je baan kwijtraakt.

Mijn baan heb ik nog, maar mijn spaargeld is weg. Ál mijn spaargeld. Ik staar met open mond naar het scherm van mijn computer als de pagina zich opent.

Twee dagen geleden is het complete bedrag overgeboekt naar een andere rekening. Ik verwacht al de naam G.H. van Haren te zien, maar deze keer is de ontvanger een zekere S. de Bruin uit Amsterdam. Het verbaast me al niet meer dat ik geen S. de Bruin ken.

Ik ben digitaal beroofd. Ik weet heel zeker dat ik niet, ook niet via de telefoon, opdracht heb gegeven om geld over te maken naar deze mensen. Er blijft maar één optie over: iemand heeft doodleuk ingelogd op mijn rekening en het geld overgemaakt. En die iemand is een persoon die zich uitgeeft onder twee namen.

Terwijl ik een glas jus d'orange inschenk, pieker ik me suf over wie mijn inlogcodes zou kunnen hebben. Het gaat hier om ál mijn codes, niet alleen die van mijn lopende rekening.

Ik heb ze niet gegeven, maar iemand kan ze opgezocht hebben. Met dank aan mijn precieze aard is alles in dit huis overzichtelijk opgeborgen. Onder de b van bankzaken vind je alles wat je zoekt in de ordner die open en bloot in de kast staat.

Er schiet me maar één naam te binnen. Kars. Zou hij...? Nee. Ik schud mijn hoofd om de gedachte verdrijven.

Maar dat lukt niet. Iemand moet het gedaan hebben, en Kars is hier in huis geweest. Uit frustratie dat ik op zondag niet bij de bank terecht kan, pak ik mijn mobiel en bel ik mijn ex-vriend. Ik weet niet eens wat ik tegen hem ga zeggen, maar ik hoop dat ik aan zijn stem al kan horen of hij hier iets mee te maken heeft.

Als de telefoon al overgaat, bedenk ik dat Kars vast niet opneemt als hij ziet dat ik het ben. Zeker als hij meer weet over de verdwijning van mijn geld.

En inderdaad hoor ik zijn ingeblikte stem die me vertelt dat hij nu even niet kan opnemen, maar dat ik best een boodschap in mag spreken. Als ik dat wil. En dan belt hij misschien wel terug. Of niet. Typisch Kars, vrijblijvendheid boven alles.

Als ik Kars opnieuw bel, krijg ik weer zijn voicemail. Nijdig verbreek ik de verbinding. Ik probeer te bedenken waar hij uit kan hangen, maar ik heb geen flauw idee.

In feite weet ik vrij weinig van Kars. Dat hij 31 jaar oud is, dat zijn achternaam Van Liempt is en dat ik zijn drieëntwintigste bedpartner ben. En nee, hij wist niet meer alle namen van de voorgaande tweeëntwintig dames. Toen hij het vertelde, had ik het leuk gevonden – zeg maar gerust hilarisch – maar nu komt het nogal goedkoop op me over. Maar ja, toen hij het vertelde, stond ik stijf van de lust.

Hij trouwens ook.

Ik herinner me dat er een foto van Kars en mij op mijn computer staat. Waarom weet ik niet, maar ineens móét ik die zien. Kars lacht naar de camera en ik lach naar hem. Ik was hopeloos verliefd op hem, om niet te zeggen bezeten. Dat duurde twee weken. De andere tweeënhalve maand teerde ik op dat gevoel, al kostte het steeds meer moeite het terug te halen.

Ik ontmoette Kars precies drie maanden en vijf dagen geleden in de C1000. Hij liet een komkommer vallen, ik raapte die op en ontmoette zijn blik.

'H-hier', stamelde ik en ik overhandigde hem de komkommer, wat ons allebei ineens heel ongepast voorkwam.

Hij negeerde de groente en stak zijn hand uit. 'Ik ben Kars.'

'Charlotte.'

'Mooi. Je naam, bedoel ik.' Dat was wat hij zei, maar in zijn ogen stond iets heel anders te lezen.

Alsof het de normaalste zaak was dat je in de supermarkt handjes schudde met andere klanten, raakten we aan de praat. De komkommer heeft hij niet mee naar huis genomen, maar in plaats daarvan ging hij er wel met mijn telefoonnummer vandoor.

Het zal mij benieuwen, dacht ik nog, maar jawel, de volgende dag belde hij. Hij kon me niet uit zijn hoofd zetten en wilde me zien.

Ik gruwel als ik nu aan die afgezaagde tekst terugdenk, maar destijds had het me heel poëtisch in de oren geklonken. Even aarzelde ik, maar toen besloot ik de sprong in het diepe te wagen. Ik sprak met hem af op een neutrale plek in de stad. We gingen wat eten, 's avonds belandden we in mijn appartement en in de drie maanden die volgden, maakte ik mezelf wijs dat hij best eens de ware zou kunnen zijn. Ondanks onze totaal verschillende interesses. Ondanks zijn soms ondoorgrondelijke buien, en mijn idee dat die niet van voorbijgaande aard waren.

Maar Kars maakte iets in me los. Hij kon naar me kijken en mij met één blik het gevoel geven dat ik de mooiste vrouw op aarde was, al had ik er eerder nooit naar verlangd om dat te zijn. Ik hoefde van hem ook niet te veranderen, mijn spijkerbroek en paardenstaart waren voor hem goed genoeg.

Na drie maanden wist hij alles over mij en ik vrijwel niets over hem. Hij was 'handelaar', vertelde hij me, maar waarin, dat vermeldde de historie niet. En ik vroeg er niet naar.

Ondanks alles kan ik me niet voorstellen dat Kars me heeft beroofd. Dat hij geen zin meer had in onze relatie betekent niet dat hij ook meteen een crimineel is. Nee, ik zal het in een andere hoek moeten zoeken. Ik pak een blaadje en een pen en ga aan tafel zitten om na te denken over mijn mogelijkheden.

Een uur later staar ik nog steeds tegen een vrijwel leeg vel aan. Ik ben niet veel verder gekomen dan: bank bellen en eisen dat ik het geld terugkrijg.

Ik tik met mijn pen tegen het blaadje. Er moet toch nog wel iets zijn wat ik kan doen? Naar de politie gaan lijkt logisch, maar wat moet ik dan zeggen? Hallo, ik schijn zelf al mijn geld naar de rekening van iemand anders te hebben overgeschreven, maar dat heb ik niet gedaan, dus nu moeten jullie de boef vangen?

Uiteindelijk frommel ik het blaadje tot een prop en smijt het in de prullenbak. Hier heb ik niets aan. Het enige wat ik kan doen, is hopen dat de bank morgen toegeeft dat er een vreselijke fout is gemaakt en dat ik al het geld terugkrijg, plus een kleine compensatie voor de schrik. Laten we zeggen, een paar duizend euro. Dat zou ik goed kunnen gebruiken, want mijn wasmachine is aan vervanging toe en de badkamer kan ook wel een opknapbeurt gebruiken.

Ik schrik als de telefoon gaat. Het is Eva. Shit, die heeft natuurlijk ontdekt dat ik de rekening gisteren niet kon betalen!

'Hoi', zeg ik.

'Hé, jarige job! Ik wilde je even feliciteren!'

'Oh ja, dank je.'

'Wat is er?' Ze heeft meteen door dat ik anders dan anders klink.

'Niks', zeg ik. Ik doe mijn best om mijn stem iets luchtigs mee te geven.

'Je klinkt zo anders. Alsof je ergens mee zit.'

'Welnee.' Ik probeer een lachje, dat wat schel uitvalt, maar wel voldoet om Eva ervan te overtuigen dat haar suggestie echt te maf voor woorden is. Ergens mee zitten? Ik?

Gelukkig trapt Eva erin. 'Hm, dan zal het wel door mijn nieuwe telefoon komen. Zeg, vermaak je je een beetje op je verjaardag?'

'Ja, prima', lieg ik. 'Mijn familie is vanochtend geweest en nu ben ik aan het genieten van de cadeaus die ik heb gekregen.'

Zei ik dat echt? Ik word negenentwintig, geen negen.

'Oh, wat heb je dan gekregen?'

'Een plant.'

'Sjonge.' Ik hoor haar door de telefoon razendsnel nadenken. 'Ja, dat is echt genieten.'

Ineens voel ik de overweldigende behoefte om haar te vertellen wat er gebeurd is. Eva kan goed luisteren en ze is praktisch ingesteld. Misschien komt ze wel met een simpele oplossing op de proppen.

Maar ik zeg niets en met de smoes dat de bel gaat, verbreek ik de verbinding. Dit moet ik zelf oplossen. Eva is lief genoeg om aan te bieden dat ik geld van haar mag lenen en dat is het laatste wat ik wil.

Lenen doe je voor een huis, zegt mijn vader altijd. En dan bedoelt hij: alleen voor een huis. En dan bij voorkeur niet te veel. Van de torenhoge hypotheek die op mijn schouders rust, heeft hij geen weet.

Mijn hypotheek, denk ik dan met een schok. Het is vandaag de eenentwintigste, wat betekent dat over zes dagen het enorme bedrag dat ik elke maand betaal wordt afgeschreven. Mijn salaris is niet eens genoeg om mijn saldo boven de nul te laten uitkomen, laat staan dat ik mijn hypotheek kan betalen.

Waarom moest ik zo nodig tweeduizend euro in de min kunnen staan? Ik maak er nooit gebruik van!

Rusteloos loop ik door het huis. Stel dat ik dat geld nooit meer terugzie, dan heb ik minstens een halfjaar nodig om weer uit de rode cijfers te komen. Misschien nog wel langer. Als ik alles bij elkaar optel, bedragen mijn maandlasten ongeveer twee derde van mijn salaris en dan moet ik nog boodschappen doen ook. In feite is mijn salaris net genoeg om van te leven en een paar tientjes per maand te sparen.

De paar duizend euro die ik bezat, had ik grotendeels te danken aan de hartaanval die mijn oma vorig jaar kreeg. Mijn arme opa en oma hebben hun leven lang gewerkt om een of andere dief er nu met de poen vandoor te laten gaan. Als ze niet gecremeerd waren, zouden ze zich omdraaien in hun graf. Het is maar goed dat ook hun zoon, mijn vader, er niets van weet.

Ik ga achter mijn bureautje zitten, maar sta direct weer op. Langer naar mijn computerscherm staren heeft geen enkele zin. Het geld zal echt niet zomaar weer terugkomen.

Als ik dan toch zo veel rusteloze energie in mijn lijf heb, kan ik net zo goed iets nuttigs gaan doen. Ik loop naar de badkamer en sorteer de was op kleur. Daarna prop ik de witte was in de machine, gooi er een scheut wasmiddel bij en druk op de startknop.

En nog eens. En nog eens.

Ik geef een schop tegen de voorkant van mijn oude Whirlpool en druk nog een paar keer op het knopje, maar er gebeurt niets.

Ik ga op mijn hurken voor de machine zitten en schud hem een paar keer heen en weer, maar ook nu komt er geen reactie.

'Oh shit', mompel ik. En dan harder: 'Oh shit, oh shit, oh shit!'

Ik denk weer aan dat verschrikkelijke bedrag op mijn bankrekening, en die kleine, maar onverbiddelijke min die ervoor staat. En aan die grote nullen op mijn spaarrekening.

En dan buig ik mijn hoofd en begin ik te huilen. Dikke tranen druppen op de wasmachine en op mijn knieën. Mijn schouders schokken onophoudelijk en iedere keer als ik weer het computerscherm voor me zie, word ik overvallen door een nieuwe aanval van verdriet. En nu moet ik ook nog de wasmachine vervangen.

En dan, alsof het apparaat aanvoelt dat het nu echt niet uitkomt dat hij kapot gaat, begint het water te stromen en de trommel te draaien.

Van verbazing houd ik direct op met huilen. Ik slaak een kreet van vreugde en zoen de voorkant van de machine.

Boven het gerommel van de wasmachine uit hoor ik mijn mobieltje gaan. Ik trek een sprintje naar de kamer en kan op tijd opnemen voor de voicemail erop gaat. Het is Kars, zie ik. Even voel ik me opgelucht.

'Met Charlotte.'

'Hé, met Kars.' Het is raar om zijn stem te horen, ook al is het pas een paar dagen geleden dat hij me vertelde over zijn verlangen naar meer vrijheid.

'Hai.'

'Ja. Hoi. Je had mij gebeld?'

Ik hoor aan hoe hij praat dat hij bang is dat ik van alles van hem wil. Ongeduldig vraagt hij: 'Wat is er? Waarom belde je me?'

Ineens aarzel ik. 'Nee, niks', antwoord ik snel. 'Ik wilde Karin bellen, maar drukte op het verkeerde knopje en toen belde ik jou. Karin, Kars, je staat na haar de in telefoonlijst, snap je?'

Karin? Ik ken helemaal geen Karin.

Maar Kars lijkt mijn erg doorzichtige smoes te geloven. 'Oh. Oké', zegt hij gehaast. 'Dan ga ik weer hangen. De mazzel.' En hij hangt op. Hij is ongetwijfeld opgelucht dat hij het gesprek tot tien seconden heeft weten te beperken, denk ik cynisch.

Ik loop naar het raam en staar naar buiten. Nu de herfst is begonnen, vallen ook meteen de eerste blaadjes van de bomen. Het begint te miezeren en hoewel het pas vijf uur 's middags is, wordt het al donker. Het is precies het juiste weer voor mijn humeur.

# 3

'JUF CHARLOTTE?'

Anouk zwaait met haar vinger door de lucht. 'Juf Charlotte, ik wil vertellen!'

Hoewel ik het nooit zal laten merken, werkt Anouk me al op mijn zenuwen vanaf dag één dat ze bij me in de klas kwam, nu bijna een maand geleden.

Waar de meeste kleuters in groep één nog erg terughoudend zijn, is Anouk een haantje-de-voorste. Anders dan andere kleuters hoeft ze helemaal niet te wennen nu ze naar school gaat, en als ik haar niet af en toe indam, voert ze de hele dag het hoogste woord.

Ik probeer haar tot stilte te manen. 'Dit is geen vertelkring, Anouk. Dit is voorleeskring. Ga op je stoeltje zitten, dan lees ik een verhaaltje voor.'

'Maar ik wil vertellen', mokt ze. 'Ik wil –'

'Anouk, dit is voorleeskring', zeg ik geïrriteerd. Niet alleen

Anouk, ook de andere kinderen kijken me verschrikt aan. Ik voel me meteen schuldig over mijn uitval.

Ik glimlach breed. 'Kom allemaal zitten', zeg ik overdreven vriendelijk, al zie ik een paar kindjes wantrouwend naar me kijken.

Ik sla het boek open en lees een verhaaltje voor over twee vrienden die de wijde wereld intrekken en erachter komen dat die wereld toch wel heel erg wijd is. De kinderen vinden het prachtig en smeken me om het nog een keer te lezen, maar de ouders staan buiten te wachten.

Met tegenzin loop ik naar het schoolplein. De leerkrachten moeten zichtbaar zijn, daar hamert Frans, de directeur van de school, altijd op. Zichtbaar voor de ouders die eraan moeten wennen dat hun dierbare kroost ineens naar school gaat.

Zodra ik één voet over de drempel zet, word ik aangeklampt door de moeder van Pieter. Of hij zijn fruit wel heeft opgegeten, want volgens de dokter moest hij meer fruit eten. Pieter is met afstand het zwaarste jongetje van de klas en waarschijnlijk bedoelt de dokter dat hij minder snoep moet eten. En minder koek, en minder van de rommel die ik op dag één in zijn rugtasje vond.

'Hij heeft keurig zijn appeltje opgegeten', zeg ik tegen de moeder. Ik weet al wat er nu gaat komen.

'Maar hij had ook nog een banaan, een mandarijntje en een trosje druiven bij zich! Heeft hij die niet opgegeten?'

'Hij had genoeg aan één appel.' Ik weet dat ik mezelf weinig populair maak als ik zeg: 'Misschien is het een idee om hem in het vervolg één stuk fruit mee te geven. Het is niet nodig dat hij er vier of vijf meeneemt, want hij eet het toch niet op.'

'Dan moet je daar beter op letten', zegt ze snibbig. 'Thuis eet hij alles op wat ik hem geef.'

En dat is precies het probleem, denk ik. Maar ik zeg niets en Pieters moeder draait zich om om haar kind uit de zandbak te plukken.

Ineens verschijnt Frans naast me. 'Hulp nodig? Dat is een lastig mens, ik heb haar al meerdere keren aan de telefoon gehad met een of andere onzineis voor haar zoontje. Dat de school zijn gymkleren zou wassen, omdat zij daar als werkende moeder geen tijd voor had, bijvoorbeeld. Als ze moeilijk doet, stuur je haar maar naar mij, hoor.'

Ik schud mijn hoofd. Lastige ouders te woord staan kan ik zelf heus wel.

Ik verwacht eigenlijk dat Pieters moeder terugkomt om haar zoontje te laten getuigen dat hij rammelt van de honger en dat hij veel liever al zijn fruit zou opeten, maar nadat ze Pieter eindelijk heeft kunnen overhalen uit de zandbak te komen, verlaat ze snel het schoolplein.

Er zijn nog twee moeders die me iets willen vragen, maar tien minuten nadat de bel is gegaan, ben ik klaar om te gaan lunchen. Ik vertel mijn collega's dat ik nog wat dingen voor vanmiddag moet voorbereiden en dat ik mijn boterhammetjes wel even in mijn lokaal opeet. Niemand stelt een vraag.

Ik sluit de deur van het lokaal, kijk nog even door het ruitje om te zien of er niemand over de gang loopt en haal dan mijn mobiel uit mijn tas.

Mijn broodtrommel zet ik op mijn bureau neer, voor als er toch een collega binnenkomt. Maar ik kan geen hap door mijn keel krijgen.

Gisteravond heb ik het nummer van de klantenservice van de bank al opgeslagen in mijn telefoon. Ik zoek het op en druk op de knop met het groene telefoontje dat me in verbinding stelt met de mensen die hopelijk de oplossing van mijn probleem gaan bieden.

Die mensen zijn alleen even lunchen, stel ik tien minuten later vast, als ik agressief word van het wachtmuziekje en van de computerstem die me vertelt dat ik nog heel even geduld moet hebben. Als ik uiteindelijk iemand aan de telefoon krijg, heb ik er flink de pest over in.

'Iemand heeft mijn rekening leeggeroofd', zeg ik chagrijnig. 'Dat kan blijkbaar zomaar bij jullie.'

De redelijke Charlotte probeert me tegen te houden door ergens in mijn achterhoofd een stemmetje te laten zeggen dat je bij dit soort helpdesks met de aanval altijd het tegenovergestelde bereikt van wat je wil.

Maar de redelijke Charlotte legt het af tegen de boze Charlotte – in wie weer de wanhopige Charlotte schuilgaat – en ik heb binnen no time ruzie met de vrouw van de klantenservice.

'Wij kunnen er niets aan doen dat er geld is afgeschreven', zegt ze nijdig, als ik haar heb verteld dat ik het terug wil.

'Jullie kunnen toch zo'n terugvordering doen!'

'Dat kan alleen als het een automatische incasso is, mevrouw. In dit geval betreft het een overschrijving en die kunnen wij niet terug incasseren.'

'Waarom is het systeem dan niet beter beveiligd?' wil ik weten, al ben ik me ervan bewust dat er met de beveiliging niets mis is.

'Het systeem voldoet aan de hoogste beveiligingseisen', wrijft de vrouw me onder de neus.

Nu ik a heb gezegd en de schuld bij de bank heb neergelegd, moet ik ook b zeggen. 'Dat kan ik me niet voorstellen. Ik weet heel zeker dat ik het geld niet zelf heb overgeschreven en dat ik ook niemand toestemming heb gegeven dat te doen. Ergens moet een fout zijn gemaakt.'

Op dit punt zijn de helpdeskjuffrouw en ik het eens. Ze zegt: 'Precies. De enige fout die ik kan bedenken is dat u uw inlogcodes aan iemand anders hebt gegeven. Iemand die er geen goede bedoelingen mee had. Is deze rekening de enige die is geplunderd?'

'Nee,' zeg ik, 'mijn spaarrekening ook. En nog een spaarrekening, maar die heb ik niet bij jullie en...'

Shit.

Ze pint me genadeloos vast. 'Aha, dat is ook toevallig. Er is dus volgens u én bij ons én bij een andere bank een fout gemaakt, waarvan u het slachtoffer bent geworden.'

'Ja', zeg ik zwak.

'Eerlijk gezegd geloof ik niet in zo veel toeval.'

'Oh nee?'

'Nee. Wilt u weten wat ik denk dat er gebeurd is?'

Nee, dat wil ik niet, maar ik zeg: 'Ja, graag.'

'Ik denk dat iemand uw codes heeft gevonden.'

Goed, hier schiet ik niet veel mee op.

'Kunt u niet even kijken wie die meneer of mevrouw Van Haren is? Ik ken niemand die zo heet, maar deze persoon heeft al dat geld op zijn of haar rekening staan.'

Ze typt een paar dingen in.

'Nee', luidt dan het antwoord. 'Daar kan ik u niet mee helpen. De tegenrekening is van een andere bank.'

'Er is dus in feite niets dat u voor mij kunt doen?' vraag ik.

'Het spijt me. Ik ben bang van niet.'

Ik betwijfel of het haar echt spijt, maar bedank haar toch en hang dan op. Met een rood kleurpotlood zet ik een dikke streep door 'bank'. De rest van mijn lijstje is leeg.

Ik staar naar de kindertekeningen aan de muur. Vrolijke gele, blauwe, paarse en groene strepen lopen door elkaar, maar anders dan normaal word ik er niet blij van.

Ik steun met mijn hoofd in mijn handen. Er moet iets zijn wat ik kan doen. Ik zie vast iets over het hoofd. Geld verdwijnt niet zomaar van de ene naar de andere rekening, dat is onmogelijk. Iemand probeert me een loer te draaien.

Heb ik vijanden?

Ik grijp mijn telefoon en bel opnieuw Kars. Het gevoel dat hij iets met deze zaak te maken heeft, laat me niet los. Het is té toevallig dat twee dagen nadat hij me de bons heeft gegeven, mijn saldo tot diep onder het nulpunt is gezakt.

Kars neemt niet op. Ik luister naar het klikje dat aangeeft dat de telefoon op de voicemail springt. Maar in plaats van Kars' stem, hoor ik een dame die me in een of andere rappe buitenlandse taal van alles vertelt wat ik niet kan verstaan.

Ik hang op. Is Kars naar het buitenland vertrokken? Daar heeft hij helemaal niets over gezegd.

Ik probeer het nog een paar keer, maar elke keer krijg ik dezelfde melding.

Net als ik het wil opgeven, piept mijn telefoon twee keer kort achter elkaar. Kars, staat er in het schermpje. Hij heeft me gesms't.

*Deze telefoon gaat zo meteen de zee in. Je kunt wel bellen, maar het heeft geen zin. Bedankt voor het geld. G.H. van Haren*

Het klaslokaal begint om me heen te draaien. De kindertekeningen vervagen tot één grote, kleurige streep en als ik mijn boterhammen zie, moet ik kokhalzen. Verbijsterd staar ik naar de telefoon in mijn hand.

Plotseling herinner ik me weer die avond waarop we om acht uur nog niets hadden gegeten en hij ineens uit eten wilde. Hij was zijn portemonnee vergeten, zei hij. Ik wilde best betalen, maar checkte snel mijn saldo terwijl Kars naar het toilet ging.

Niet snel genoeg. Hij was terug voor ik had ingelogd en boog zich over me heen om me een kus te geven. Hij zag welke site ik voor me had en keek me aan.

'Zit jij bij díé bank?' vroeg hij verbaasd. 'Ook met je spaargeld? Ik ken een bank waar je meer dan vijf procent rente krijgt!'

'Vijf procent?' herhaalde ik, ervan uitgaand dat dat dan wel veel moest zijn. Ik had geen flauw idee wat het rentepercentage bij mijn bank was.

Kars knikte en wees naar het scherm. 'Als je je spaarrekening aanklikt, kun je zien hoeveel rente jij krijgt. Je moet hier... Even kijken. Oh nee, je bent nog niet ingelogd. Wat is je wachtwoord?'

Zijn handen zweefden in de lucht boven het toetsenbord en hij keek me vanuit zijn positie boven mij verwachtingsvol aan.

Hoewel het wel in me opkwam dat het prijsgeven van mijn wachtwoord misschien geen goed idee was, deed ik het toch.

'Zomer-nul-zes', antwoordde ik, en Kars typte het in.

Waarom, vraag ik me nu af, waarom is het niet in me opgekomen om daarna mijn wachtwoord te veranderen? Komt er niet voortdurend zo'n melding in het scherm te staan dat je je inloggegevens nooit aan iemand moet geven, laat staan aan iemand die je net drie maanden kent en bij wie je het gevoel hebt dat hij altijd wat achterhoudt?

Nou ja, dat stond er niet precies, maar ze bedoelden het er vast mee.

Ineens ben ik zo misselijk dat ik bijna niet op mijn benen kan staan. Met knikkende knieën loop ik de gang in. Ik geef over in het kleutertoilet en blijf daarna hijgend op de grond zitten. Met mijn warme hoofd steun ik tegen de koele muur.

Dus toch.

Ik ben boos op Kars, maar boven alles ben ik boos op mezelf.

Ik sta op en spoel mijn mond een paar keer achter elkaar. Terug in mijn lokaal gooi ik mijn boterhammen in de prullenbak en neem ik twee kauwgommetjes tegelijk.

Ik kijk op mijn horloge. Door het raam zie ik de eerste kinderen alweer het schoolplein opkomen.

Ineens weet ik wat me te doen staat. Dit sms'je is een aanknopingspunt. Een schuldbekentenis! Vanmiddag ga ik naar de politie. Met het bewijsmateriaal op een presenteerblaadje moeten ze dit probleem toch voor me kunnen oplossen.

'Dus u wilt aangifte doen van beroving?'

De pinnige agente achter de balie kijkt me over de rand van haar brilletje geringschattend aan.

Ik glimlach allerliefst. 'Nou, niet helemaal. Ik bedoel, ik ben niet op straat overvallen of zo, maar ik ben digitaal beroofd.' Ik spreek het uit alsof de vrouw ze niet allemaal op een rijtje heeft.

'Ja, dat hoorde ik wel, hoor. En daar wilt u aangifte van doen?'

'Ja, precies. Volgens mij is het een misdaad om iemand digitaal van z'n geld te beroven.'

De agente geeft geen antwoord. Ze tikt een paar dingen in op haar computer en wijst dan naar de oncomfortabele houten bankjes, die met grote bouten aan de muur bevestigd zijn. 'Wacht daar maar even.'

Ik ga zitten en blader door een folder over huiselijk geweld. Er staan deprimerende plaatjes in van ongelukkig kijkende vrouwen.

'Mevrouw Van Rhijn?'

Een jonge agent steekt zijn hoofd om de hoek van de deur. Hij draagt een overhemd met één streepje op zijn schouder. De laagste rang. De politie neemt de zaak minder hoog op dan ik.

Ik sta op en volg hem. Met verende tred loopt hij voor me uit naar een serie gesloten deuren, waarboven rode lampjes hangen. Hij gaat ergens naar binnen en laat de deur voor me open staan. Ik volg hem. Hij maakt een uitnodigend gebaar naar de stoel tegenover hem. 'Zo. Neem plaats. Wilt u koffie? Thee? Water?'

'Water, graag.' Ik sla hem gade als hij naar een automaat in de hoek loopt en een minuscuul plastic bekertje voor me tapt. Zelf neemt hij niets.

De agent legt zijn papieren recht, leest een paar regels en kijkt me dan aan. 'U bent beroofd?'

'Dat klopt. Digitaal, weliswaar, maar ik ben wel beroofd. Iemand heeft zich wederrechtelijk mijn geld eigen gemaakt.'

Ik weet niet of het helemaal klopt wat ik zeg, maar het klinkt wel als politietaal.

Jammer alleen dat de agent geen politietaal blijkt te kennen.

'Wat bedoelt u?'

'Dat ik ben beroofd.'

Hij schraapt zijn keel en tikt met zijn pen tegen de tafel. 'Ja, dat zei u al. U bent beroofd, maar niet op straat. Oh ja, hier staat het. U bent beroofd op internet.' Hij kijkt me aan. 'Via uw creditcard?'

'Nee, via internetbankieren.'

'Aha.' Hij typt wat in op de computer. 'En hoe kwam dat zo?'

Als ik uitleg wat er is gebeurd, typt de agent met me mee. Het werkt me op mijn zenuwen.

'Hoe heeft diegene zich toegang tot uw bankgegevens verschaft?' vraagt hij.

Ik aarzel even. 'Via mijn codes. Maar,' voeg ik er snel aan toe, 'daarvoor had ik geen toestemming gegeven. Die codes heeft hij zich ook wederrechtelijk verschaft.'

Weer dat woord, weer die blik. 'Aha.'

'Ja, dat klinkt misschien raar, maar het is wel zo. Diegene is mijn huis binnengedrongen en heeft daar de codes gevonden.'

'Dus er is ook bij u ingebroken?'

'Eh... nee.' Ik krijg een kleur. 'Dat niet. Ik heb hem vermoedelijk zelf binnengelaten.'

Nu typt de agent niet, maar kijkt hij me aan. 'Als u iemand binnenlaat, heeft diegene de codes niet wederrechtelijk verkregen. Dan heeft hij of zij hooguit iets te nieuwsgierig in uw spullen gesnuffeld, maar ach, dat doet iedereen wel eens, toch?'

Ik knik en buig mijn hoofd. 'Ik denk het', mompel ik.

'Precies. Dus diegene die volgens u uw rekening heeft geplunderd, had daar de codes voor, zegt u. Daaruit maak ik op dat u weet wie het is. Klopt dat?'

Zijn handen zweven weer boven het toetsenbord.

Ik knik. 'Het is mijn ex-vriend, Kars van Liempt.' Ik kijk hem triomfantelijk aan. Daar had hij natuurlijk niet op gerekend, dat ik hem precies kan vertellen wie de dader is!

De agent typt met een uitdrukkingsloos gezicht verder. Hij vraagt: 'Is dat Kars met een C of Kars met een K?'

'Met een K. En van Liempt is met p-t.'

'Hm. Als deze meneer eh... meneer Van Liempt inderdaad in uw woning de codes heeft bemachtigd waarmee hij het geld van uw rekening naar zijn eigen rekening kon overschrijven, dan wordt het een lastig verhaal om hem hiervoor te pakken. U hebt hem immers zelf toegang tot uw woning verschaft en het zal altijd uw woord tegen het zijne blijven. Wie zegt dat u hem geen toestemming hebt gegeven dat geld over te maken?'

'Ik!' roep ik uit. 'Ik zeg dat! En ik kan bewijzen dat hij ook weet dat ik het niet wilde. Kijk maar.' Ik rommel met mijn hand in mijn tas.

'Ik heb een sms van hem gekregen', zeg ik. 'Echt. Ik kan het bewijzen.'

Eindelijk heb ik mijn telefoon te pakken en ik laat hem het berichtje lezen.

De agent trekt zijn wenkbrauwen op. 'Dit is afkomstig van iemand die G.H. van Haren heet', zegt hij. 'Volgens mij bent u in de war.'

'Nee.' Ik schud geestdriftig mijn hoofd. 'De rekening waarnaar mijn geld is overgeschreven, staat op naam van ene G.H. van Haren. Snapt u? Het is gewoon een valse naam die Kars heeft gebruikt om een rekening te openen.'

'Of Kars van Liempt is een valse naam', zegt de agent.

Ik staar hem met open mond aan. 'Dat kan niet', zeg ik, en op hetzelfde moment realiseer ik me dat ik Kars' paspoort nooit heb gezien. Of zijn bankafschriften. Of andere post die voor hem bestemd was. Het was altijd zo verdomd netjes bij hem thuis dat ik daarvoor nooit de kans heb gekregen.

'Het gebeurt wel vaker', zegt de agent. 'Mannen, of vrouwen, geven zich onder een bepaalde naam uit, krijgen een relatie met iemand om die na een paar maanden weer te verbreken. Meestal zonder eenduidige reden, maar vaak iets in de trant van "ik ben er nog niet klaar voor".'

Die zin komt aan als een klap in mijn gezicht. Ik voel me een naïeve idioot. Zoiets doorzie je toch meteen? Maar nee, ik heb begrijpend geknikt en hem zelfs gelijk gegeven. Als je er niet klaar voor bent, moet je het niet doen, zei ik nog. Dat Kars niet in lachen is uitgebarsten, is een raadsel.

'Het is logisch dat u daar geen rekening mee hebt gehouden toen u deze relatie aanging. Waarom zou u dat wel doen? U hebt een leuke man leren kennen, u wordt verliefd, bent een beetje verblind en dan is oplichting wel het laatste waar u aan denkt.'

Hij probeert me gerust te stellen, maar ik voel me ineens heel klein en oliedom.

'Maar goed.' De agent knakt met zijn vingers en draait zich dan weer richting zijn computer. 'De aangifte. Is het "van Rhijn" met een lange of een korte ij?'

Ik dreun een hele rij gegevens op en dan nog een keer om alles te checken. Vervolgens vertel ik hoe ik Kars leerde kennen, wat een geweldige man ik hem vond en dat ik hem volledig vertrouwde. De blikken van de agent ontgaan me niet.

Ik vertel hem ook hoe Kars het uitmaakte en dat ik dat nogal onverwachts vond. En tot slot heb ik het over gisteren, toen ik ontdekte dat mijn geld weg was.

'Ik heb Kars gebeld en hoewel hij niet opnam, belde hij later netjes terug. Hij deed een beetje afstandelijk, maar dat begreep ik wel. Hij had me immers verteld dat hij meer ruimte nodig had en ik dacht dat hij bang was voor een stalkende ex.'

'Waarom belde u hem?' wil de agent weten. 'Verdacht u hem meteen?'

Ik haal mijn schouders op. 'Ik vond het gewoon opvallend dat dit zo snel na zijn vertrek gebeurde.'

'Hebt u hem nog gesproken tussen dat gesprek en het moment dat hij het sms'je stuurde?'

'Gesproken niet, nee. Maar ik heb hem wel gebeld. Ik denk dat hij in het buitenland zit.'

De agent kijkt me aan. 'Hoe komt u daarbij?'

Volgens mij denkt hij dat ik te veel films heb gekeken.

'Toen ik hem vandaag belde en hij niet opnam, kreeg ik een melding in een buitenlandse taal.'

De agent zit nu vlijtig te typen. 'Welke taal?'

Tja. 'Spaans?' gok ik. 'Italiaans? Ik kon het zo snel niet volgen.'

'Een mediterrane taal', concludeert de agent, en hij typt het in. 'Maar de telefoon ligt ergens in het water.'

'In de zee, ja. De Middellandse Zee, waarschijnlijk.'

De agent vouwt zijn handen en kijkt me aan. 'Zal ik zeggen wat ik denk, mevrouw Van Rhijn?'

Hij bezorgt me een onaangenaam gevoel en instinctief leun ik een beetje achterover.

'Ik denk dat deze meneer Van Liempt of wat zijn naam ook mag zijn, hoog en droog in het buitenland zit met uw geld. En hij zal ongetwijfeld terugkomen, een nieuwe naam aannemen en het hele spelletje nog een keer spelen, met een ander slachtoffer.'

Ik word een beetje wanhopig. 'Dus dat is het dan? Zo makkelijk leggen jullie dit naast je neer? Ach, we kunnen er niets aan doen, dus we proberen het ook maar niet.'

De agent schudt zijn hoofd en ik zie lichte irritatie op zijn gezicht. Er trekt een spiertje onder zijn oog als hij zegt: 'Dat zei ik niet. Ik wil u alleen duidelijk maken dat de pakkans heel klein is. Willen we meneer Van Liempt vinden, dan moet het echt een toevalstreffer zijn.'

Ik sla mijn armen over elkaar. 'Gaan jullie hem zoeken?'

Hij slaakt een zucht. 'We gaan er geen team van twintig man op zetten, als u dat bedoelt. Maar natuurlijk komt deze zaak wel bij de recherche terecht en wie weet kunnen ze hem linken aan een andere, al opgeloste zaak. In dat geval is het een koud kunstje om meneer Van Liempt in de kraag te vatten.'

Ik vind het een oubollige uitdrukking, 'in de kraag vatten'. In gedachten zie ik twintig agenten met zwaaiende vuisten achter Kars aan rennen.

De agent zit weer te typen en ik kijk om me heen. Als ik niet beter wist, zou ik zeggen dat we gewoon in een kantoorpand zaten en niet bij de politie. Ik dacht dat verhoorkamers altijd grijs en kaal waren, met betonnen vloeren en vastgeschroefd meubilair.

Maar aan de andere kant, dit is misschien geen verhoorkamer. En ik ben geen crimineel.

De agent ziet me kijken en zegt: 'Nooit eerder aangifte gedaan?'

Ik schud beschaamd mijn hoofd en voel me ineens heel saai. Alsof ik nog nooit iets heb meegemaakt wat spannend genoeg was om aangifte van te doen.

'De meeste mensen verwachten dat het er bij de politie uitziet zoals in *Baantjer*.' De agent schudt zijn hoofd. 'We zitten met een imagoprobleem, denk ik.'

Ik ga er niet op in.

Een paar minuten later leunt de agent voldaan achterover. 'Ik heb alles ingevoerd in de computer. Het gaat dus in totaal om zo'n dertienduizend euro, klopt dat?'

Ik knik. Hoe ga ik dat in godsnaam terugverdienen? Ik heb zin om een potje te janken.

'Oké.' De agent loopt naar de printer en pakt een paar papieren. Hij legt twee blaadjes voor me neer. 'Kijk, hier staat alles op.'

Ik lees snel door wat hij heeft getypt. Alles staat er, inderdaad. De namen Van Liempt en Van Haren heeft hij vet gedrukt.

Ik onderteken de aangifte, bedank de agent zonder te weten waarvoor en verlaat dan snel de ruimte, die met de minuut benauwder wordt.

Buiten adem ik met volle teugen de frisse herfstlucht in. Mijn hoofd tolt. Dertienduizend euro. Ik ben failliet.


Als ik de deur naar mijn appartement open, valt me meteen op dat het anders ruikt dan anders. Het is een subtiele lucht, maar ik ruik hem wel.

Ik sluit de deur achter me en loop naar de huiskamer. Daar pik ik dezelfde zweem van de rare geur op, maar ik zie niets wat die kan verklaren. Ik trek de koelkast open, maar er ligt niets te rotten.

In de badkamer vind ik ook geen verklaring. De kraan is niet lek, de wc loopt niet door.

Ik doe de deur naar de werkkamer open, half verwachtend dat ik ook daar niets zal zien.

Fout.

Ik zet een stap naar voren en voel spetters op mijn been. Onder het deurtje van de wasmachine door, drupt nog water. Ik staar er gebiologeerd naar.

Vervolgens stoot ik een kreet uit en laat me op mijn knieën voor de machine vallen, waardoor mijn broek meteen doorweekt is. Zijn kuren van gisteren waren niets anders dan zijn laatste stuiptrekkingen.

Tegen beter weten in sla ik ertegen, schud ik hem heen en weer en als dat niet helpt, aai ik hem zachtjes over zijn witte bovenkant en smeek hem om het spontaan weer te doen.

Maar deze keer laat hij zich niet overhalen.

Ik open het deurtje en samen met het wasgoed komt een hele golf water naar buiten. Mijn toch al natte broek druipt nu, maar ik merk het nauwelijks. Er is maar één vraag die zich aan me opdringt: waar haal ik in vredesnaam een nieuwe wasmachine vandaan? Een nieuwe, grátis wasmachine welteverstaan.

Ik spring overeind en ga in mijn doorweekte kloffie achter de computer zitten. Ik google 'wasmachine' en 'gratis'. Het enige wat ik vind zijn advertenties van mensen die hun lekkende, kapotte wasmachines gratis aanbieden. Als ik zo handig was, fikste ik mijn eigen wasmachine wel.

Verder verstaan grote bedrijven onder 'gratis' vooral 'op afbetaling', en in mijn huidige financiële situatie kan ik nog geen zes euro per maand missen. Laat staan tien.

Er zit niets anders op dan voorlopig met de hand te wassen. Ik wilde dat ik in betere tijden in een droger had geïnvesteerd, maar helaas, dat vond ik altijd een nutteloos ding.

Ik googel 'handwas' en concentreer me als een gek op de ins en outs hiervan, om maar niet te hoeven denken aan de veel grotere problemen die als een donkere wolk boven me hangen.

# 4

ALS DE BRIEVENBUS KLEPPERT, KRIMP IK EEN BEETJE INEEN. Niet weer, niet nog meer rekeningen. Ik heb het gevoel dat ik ga gillen als ik nog één onbetaalde rekening zie.

Ik dwing mezelf de twee trappen af te lopen en de post te pakken. Er zijn drie enveloppen bij met het gevreesde woord erop.

Aanmaning.

Ik leg ze in de schoenendoos die inmiddels aardig vol begint te raken en schuif die onder in een keukenkastje. Met een klap sla ik het deurtje dicht, maar ik voel me niet beter. Een beklemmend gevoel houdt me in z'n greep. Mijn strategie is dat ik het moet zien uit te houden tot de politie Kars heeft gevonden en ik al het geld terugkrijg. Hoelang kan dat nou helemaal duren?

Maar de aangifte is al twee weken geleden en ik heb nog niets van ze gehoord.

Ik blader door de andere post. Er zijn nog meer rekeningen, plus een bankafschrift. Dat zal me weinig nieuws vertellen. Ik houd mijn saldo van minuut tot minuut in de gaten via internet. Mijn salaris is alweer helemaal op, ik heb er net één keer boodschappen van kunnen doen. De rest van het geld is bruut van me afgepakt door de bank. Kars blijkt op mijn rekeningnummer ook nog eens een flinke lening te hebben afgesloten, waarvoor ik elke maand bijna tweehonderd euro moet afbetalen. Tel daar de zevenduizend euro bij op die hij met mijn twee creditcards heeft uitgegeven aan iPods, dvd-spelers en een aantal televisies, en mijn salaris verdwijnt linea recta naar iedereen die meent er aanspraak op te kunnen maken.

Toen ik de bank belde om te vragen hoe het nou weer mogelijk was dat er én een lening is afgesloten én zonder mijn toestemming van mijn creditcards gebruik is gemaakt, kreeg ik te horen dat ik er zelf toestemming voor heb gegeven. En ik herinnerde me ineens weer dat Kars, die voor mij op een avond wat financiële dingen op orde maakte die ik zelf een tijdje had laten versloffen, me zei dat ik een paar handtekeningen moest zetten en dat alles dan geregeld was.

Het was inderdaad geregeld. Ik tekende voor een extra lening van tienduizend euro en gaf hem toestemming met mijn creditcard te doen wat hij wilde. Ik bedankte hem er zelfs voor.

Ik verstijf als de bel gaat. Komt een deurwaarder zo snel? De eerste aanmaning kreeg ik anderhalve week geleden, van een rekening die ik vier weken daarvoor had moeten betalen. Waarom heb ik dat niet gedaan? Ik had geld zat!

Ik neem me voor om, als ik hier ooit weer bovenop kom, nooit meer een rekening te laten liggen.

Met lood in mijn schoenen loop ik naar beneden. Ik open de deur. De man die ervoor staat, draagt het uniform van een postbode.

Interessante vermomming, denk ik nog, maar dan reikt hij me een pakketje aan. 'Voor de buurman. Meneer eh... Waalsma. Kent u die?'

Ik knik. 'Die woont op één hoog.'

'Ja. Precies. Hij is er niet.'

'Oh.' Ik sta met het pakketje in mijn handen en kijk hem suf aan, me afvragend wanneer hij over de onbetaalde rekeningen begint.

'Kunt u hem dit geven?'

'Eh... ja.' Ik herstel me. 'Dat lukt wel.'

De postbode maakt zich snel uit de voeten en ik blijf met het pakketje in de deuropening staan. Daar kwam ik goed weg. Ik leg het pakketje op de trap, zodat mijn buurman het vanzelf vindt en loop dan terug naar boven. Net op tijd om de telefoon op te nemen.

'Goedemiddag mevrouw, u spreekt met Susan Willekens van KPN. Bel ik gelegen?'

KPN, shit, dat was het. Dat was de rekening die ik niet heb betaald.

'Komt het gelegen dat ik bel?' herhaalt ze, als ik geen antwoord geef.

Ik schud mijn hoofd. Natuurlijk niet. Is dat mens gek?

Toch zeg ik: 'Ja. Uiteraard. Waar kan ik u mee helpen?'

'Volgens ons systeem staat er nog een factuur open. Een factuur die al op 1 september betaald had moeten zijn. Het is inmiddels 7 oktober en u hebt nog altijd niet betaald. Ik wil u vragen wat de reden daarvoor is.'

Zij is vast zo iemand die haar zaakjes altijd piekfijn op orde heeft, bedenk ik. Ik mag haar niet, deze Susan. Ze is vast getrouwd met de perfecte man, heeft een paar perfect opgevoede kinderen en heeft nog nooit een rekening te laat betaald. Nee, zij betaalt natuurlijk al voor ze hem überhaupt heeft gekregen!

En ze geniet ervan om anderen op hun fouten te wijzen. Anderen, die hun leven niet zo op orde hebben als zij.

'Er is geen reden', antwoord ik. 'Ik zal het zo snel mogelijk betalen. Ik denk dat deze rekening even aan mijn aandacht is ontsnapt. Kan gebeuren, toch?'

'We hebben u twee aanmaningen gestuurd.'

'Ik was op vakantie', verzin ik snel. 'Heel lang. Zes weken.'

'Wist u dat u ook per automatische incasso kunt betalen?'

Ik slaak een zucht. Waar bemoeit dat mens zich mee?

'Oh, is dat zo? Heel interessant. Maar ik zal de rekening betalen en het niet meer vergeten. Oké?'

'Oké', zegt ze. En dan: 'U begrijpt vast wel dat wij uw telefoon afsluiten tot we het geld binnen hebben. De aansluitkosten à negenendertig euro vijfennegentig zullen we met uw volgende factuur verrekenen.'

De trut. God oh god, hier geniet ze van. Onschuldige klanten een trap na geven. Is dit nou klantvriendelijkheid? Betaal ik hiervoor nu al jarenlang trouw mijn rekeningen?

Ik gun haar mijn woede niet en zeg koel: 'Dat moet u dan maar doen. Goedemiddag.'

Nadat ik heb opgehangen, besef ik dat dit voorlopig mijn laatste gesprek met deze telefoon is geweest. Vanaf nu zal ik moeten beweren dat er iets mis is gegaan bij KPN en dat mijn aansluiting daarom niet werkt. Gelukkig heb ik mijn mobiele telefoon nog, al kan de laatste rekening daarvan ook niet worden betaald. Toch mazzel dat ik daarmee niet bij KPN zit.

Ik pak een schrijfblok en ga aan tafel zitten. Als ik over twee-enhalve week mijn salaris krijg, moet ik zo snel mogelijk een prepaid telefoontje kopen. Dat is een uitgave die ik me niet kan permitteren, maar ik heb geen keus. Als mijn mobiel ook wordt afgesloten, kan ik niet meer beweren dat er een fout is gemaakt.

Mobiel kopen, schrijf ik boven aan een leeg blaadje. Even schiet de gedachte aan Bastiaans bedrijf door mijn hoofd. Hij verkoopt ook mobieltjes, maar ik heb niet zo'n zin om bij hem aan te kloppen. En ik weet niet of hij ook beltegoed erbij verkoopt en dat heb ik wel nodig. Al moet tien euro genoeg zijn om het een hele tijd uit te houden. Gebeld worden is immers gratis en als ik mensen lang genoeg niet opbel, zullen ze vanzelf wel iets van zich laten horen.

Volgende maand is Eva jarig, herinner ik me. Ik heb geen kaart in huis en ook geen postzegels. Weer een investering van drie euro die ik er niet bij kan hebben.

Ik zal een dubbele longontsteking moeten verzinnen om niet op haar verjaardag te hoeven komen. Een cadeautje kan er nu echt niet af.

Ik voel aan het kettinkje dat ik van Eva en Natasja heb gekregen en dat ik vrijwel altijd om heb. Zou Eva het merken als ik...?

Nee. Ik schud ferm mijn hoofd. Dat kan ik echt niet maken. Ze ziet natuurlijk meteen dat het hetzelfde kettinkje is. Ik moet er gewoon voor zorgen dat ik niet naar haar verjaardag ga.

Alhoewel. Ik kijk rond in mijn kamer en mijn blik valt op het schilderijtje boven de bank. Vrijwel iedere keer als ze bij mij is, zegt Eva hoe mooi ze het vindt.

Een stuk inpakpapier heb ik nog wel in huis. Ik voel me meteen een stuk lichter.

Mijn mobiel gaat. Zoals bij alles wat tegenwoordig onverwachts gebeurt, schrik ik me suf.

Het nummer in het scherm zegt me niets. 'Hallo?' zeg ik afwachtend.

'Hallo, mevrouw Van Rhijn?'

'Ja. Dat ben ik.'

Oh nee, daar heb je het gedonder al.

'U spreekt met Jeroen van Dijk van de politie Amsterdam-Amstelland. Excuses dat het een tijdje heeft geduurd voor we contact met u opnamen.'

'Oh, dat geeft niet, hoor', zeg ik, opgelucht dat het niet iemand is die belt over een niet-betaalde rekening.

'Ik bel over uw aangifte van eh... digitale beroving?'

'Ja, dat klopt. Ik ben beroofd via internet.'

'Ja. Maar niet voordat u de dader zelf de codes had gegeven, klopt dat?'

Ja hoor, wrijf het er nog maar een keertje in. 'Dat klopt. Ik besef dat het geen goed idee was om de dader van de codes te voorzien, maar hij was in die tijd mijn vriend. Geliefde, zeg maar. Partner.'

Ik probeer het te zeggen met alle waardigheid die ik in huis heb.

Gelukkig laat hij de preek achterwege. 'Dat heb ik inderdaad begrepen. Ik bel even om u te laten weten dat wij de naam Kars van Liempt hebben nagetrokken en dat we in Amsterdam niemand hebben gevonden met die naam. De naam Van Haren heeft een aantal matches opgeleverd, maar er is niemand met de voorletters G.H. die ongeveer dezelfde leeftijd heeft als de man die we zoeken. We zijn er zo goed als zeker van dat Van Haren ook een valse naam is. En De Bruin trouwens ook, al komt die naam zo veel voor dat het moeilijker is om bij iedereen langs te gaan die aan het profiel zou kunnen voldoen.'

'Oh', zeg ik teleurgesteld.

'Ik begrijp dat dit vervelend voor u is, maar er is verder niet zo veel wat we voor u kunnen doen.'

'Hoezo?' vraag ik. De wanhoop kruipt in me omhoog. Mijn hele overlevingsstrategie is gebaseerd op het uitzingen tot de politie Kars heeft gevonden. Langer dan een paar maanden houd ik het niet vol.

Nerveus vraag ik: 'Jullie kunnen hem toch opsporen? Dat sms'je dat hij stuurde, is toch te traceren? Hij is ergens in het buitenland en met die telefoontechniek heb je hem zo te pakken.'

'Het sms'je kwam uit Italië', weet de rechercheur me te vertellen. 'En de tekst vertelt ons al dat het geen enkele zin heeft om verder te zoeken. De eigenaar heeft de telefoon weggegooid en is vertrokken.'

'Maar de telefoonmaatschappij dan!' roep ik uit. 'Zij weten toch wel op welke naam dat nummer stond? Zo kunnen ze hem toch vinden?'

'De telefoon stond op naam van K. van Liempt.' Het is duidelijk dat de agent niet zit te wachten op mijn amateuristische Sherlock Holmes-suggesties.

'Oh.' Ik ben door mijn mogelijkheden heen. 'Dus jullie kunnen niets voor me doen.'

'Ik zal eerlijk tegen u zijn. Er is weinig meer dat we gaan doen. We kúnnen een internationale zoekactie op touw zetten en onze Italiaanse collega's vragen naar meneer Van Liempt of Van Haren of De Bruin uit te kijken. We kunnen zelfs zelf een team naar Italië sturen om de zaak tot op de bodem uit te zoeken.'

Ik houd mijn adem in. Eindelijk hoor ik dingen waar ik iets aan heb.

'Maar dat doen we niet', maakt de politieman korte metten met mijn sprankje hoop. 'Dat zouden we alleen doen als het gaat om een levensgevaarlijke crimineel, of als er miljoenen euro's in het spel zouden zijn. Het spijt me, mevrouw Van Rhijn, maar een dergelijk grootschalig onderzoek behoort in dit geval niet tot de mogelijkheden. Het kost veel en veel meer dan het bedrag waar het over gaat. Ik hoop dat u dat begrijpt.'

Geef me dat bedrag dan, wil ik schreeuwen, maar mijn keel zit dichtgeschroefd. Het enige wat ik nog kan uitbrengen is een raar hoog piepje, dat door de rechercheur blijkbaar als 'ja' wordt geïnterpreteerd.

'Dat is mooi', zegt hij tevreden. 'Nogmaals excuses dat we niet meer voor u kunnen doen. Dekt uw verzekering de schade?'

Nee, pummel, natuurlijk niet. Mijn verzekering had de schade vast wel gedekt als ik niet zelf 'de deur open had laten staan', zoals die andere agent het een paar weken geleden omschreef.

Met uiterste krachtsinspanning weet ik er een redelijk normaal 'nee' uit te krijgen. Ik heb niet de indruk dat de agent naar me luistert.

'Goed, tot horens maar weer', sluit hij af, alsof we elkaar al jaren met enige regelmaat bellen. Ik geef geen antwoord.


Ik weet niet meer waarom ik de stad ben ingegaan, maar feit is dat ik hier loop en dat ik een enorme onweersbui op mijn kop krijg. En ik heb geen paraplu. Ik had beter naar Erwin Kroll moeten luisteren.

We kúnnen een internationale zoekactie op touw zetten, hoor ik rechercheur Jeroen weer zeggen. Maar dat doen we niet.

Nee, je moet eerst voor minstens vijftien miljard beroofd zijn wil de politie iets voor je doen! Ik trap gefrustreerd tegen een leeg blikje. Als je een grote crimineel bent die door een andere, nog grotere crimineel is beroofd, dan is de politie pas je beste vriend. Maar als je een brave burger bent, zoals ik, kun je het wel vergeten.

Ik heb extreem veel medelijden met mezelf. Wat doe ik hier eigenlijk? Ik loop in een winkelstraat, maar kan toch niets kopen. Ik schud mijn hoofd, duik iets dieper in mijn jas en loop door.

Dan valt mijn oog op een ander bordje, klein en onopvallend op een winkelruit geplakt.

*Personeel gezocht.*

Ik blijf staan, zo plotseling dat mensen tegen me aan botsen. Ze vervolgen vloekend hun weg.

Ik staar naar het bordje. Dat is het. Ik neem er gewoon een baan bij. Makkelijk zat, toch? Als ik de komende tien jaar in de avonduren ergens ga werken, dan heb ik mijn spaargeld vast wel terugverdiend. Plus tienduizend van de lening. Plus zevenduizend van mijn creditcard. En de tweeduizend euro die ik rood sta.

Nou vooruit, vijftien jaar.

Maar uiteindelijk kom ik er wel, en op eigen kracht. Want ik bijt nog liever mijn tong eraf dan dat ik mijn ouders om hulp vraag. Of mijn vriendinnen.

Ik hoor het Eva nog zeggen. 'Die Kars, hè. Weet je nou wel zeker dat hij het voor je is? Hij heeft iets... Ik weet het niet. Ik vertrouw hem gewoon niet.'

'Welnee!' was mijn antwoord. 'Omdat hij anders is dan al mijn andere vriendjes? Ik heb eindelijk iemand gevonden met wie ik het wél ga uithouden!'

Ik zie mezelf nog mijn glas rosé heffen en toosten op de eeuwige liefde.

Nee, dan mijn ouders. In de week nadat mijn moeder Kars had ontmoet, belde ze me opvallend vaak op. 'Kijk je wel uit', zei ze meerdere malen. En: 'Doe voorzichtig. Vooral met Kars.'

'Waarom beoordeel je iemand die je nauwelijks kent op de eerste indruk?' vroeg ik nog, geïrriteerd. 'Dat vind ik nou zó jammer. Kars maakt me echt gelukkig.'

Het was een van onze meer diepgaande gesprekken, moet ik zeggen. En een van de weinige keren dat mijn moeder me liet merken dat ze een mening had over een man met wie ik thuiskwam.

Ze probeerde het daarna nog een paar keer, maar al haar opmerkingen deed ik af met dooddoeners. 'Je moet hem beter leren kennen. Oordeel nou toch niet zo snel over hem. Wacht nou maar af. Als je hem eenmaal leert kennen, vind je hem geweldig.' Ik had er een flink aantal op voorraad, ook om mijn vriendinnen mee om de oren te slaan. Nu ik er nog eens over nadenk, stond niemand in mijn omgeving te springen van enthousiasme toen ik met Kars thuiskwam.

En daarom kan ik nu met geen mogelijkheid bij anderen aankloppen. Ze zien me aankomen!

Ik loop verder, mijn handen diep in mijn zakken gestoken. Een bijbaantje waarbij ik gezien kan worden, is geen optie. Ik kan moeilijk open en bloot in een winkel gaan staan, het risico dat een bekende me ziet voor lief nemend. Wat zou ik moeten zeggen? Ik verveelde me stierlijk en daarom beun ik wat bij in de avonduren?

Het zou wel makkelijk zijn. Uit mijn werk kan ik meteen door naar de Albert Heijn bij mij op de hoek om daar achter de kassa plaats te nemen. De supermarkt is elke avond tot negen uur geopend, en soms zelfs tot tien uur. Dat zijn dus zeker vier uurtjes per dag, keer vijf en dan nog eens tien uur op zaterdag. Lang leve het onderwijs met twaalf weken vakantie per jaar.

Maar het is geen optie. Als iemand me ziet, dan hang ik. Dan moet ik toegeven dat ze allemaal gelijk hebben gehad over Kars en dat ik dom en naïef ben geweest.

Ik moet iets anders verzinnen, iets wat ik onopvallend en anoniem kan doen.

Getver, het klinkt meteen ranzig.

'Wat zie jij eruit!'

Anneke, de juf van groep drie, kijkt me met nauwelijks verholen verbazing aan. 'Het regent dat het giet!'

'Ja, ik weet het.' Met een ongelukkig gebaar strijk ik een verzopen haarlok uit mijn gezicht. Het is maar goed dat ik zelden make-up draag naar mijn werk, anders was dat er geheid afgespoeld. Maar waarom zou je de moeite van het opmaken doen voor een kleuterklas die het toch niets uitmaakt hoe je eruitziet?

'Wist je niet dat het ging regenen?' vraagt Anneke. 'Ze hadden het toch voorspeld. Toen ik thuis wegging, was de lucht al helemaal donker.'

Ik vertel haar maar niet dat het al regende toen ik op mijn fiets stapte. Ik heb even met pijn in mijn hart naar mijn auto staan kijken. Het kan verbeelding zijn geweest, maar volgens mij zei hij heel zachtjes 'kom maar, hier is het warm en droog'. Maar hij zegt ook 'ik moet benzine hebben'.

Ik strijk demonstratief over mijn dijen. Voor het eerst ben ik blij met het formaat ervan. 'Ik moet aan mijn lijn werken', maak ik Anneke wijs.

Ze kijkt omlaag naar haar eigen, stevige figuur. 'Wat een discipline. Dat zou ik misschien ook moeten doen. Maar ja, op zo'n verzopen koppie zit ik niet te wachten. Heb je een handdoek nodig?'

Ze loopt haar lokaal in en komt terug met een oude handdoek. Ik droog mijn haar af en dep mijn gezicht.

Uiteindelijk zie ik er weer een beetje toonbaar uit, al pluist mijn haar alsof ik een uur in een condensdroger heb gezeten. Maar niemand valt het op, op een paar ouders na die me wat bevreemd aankijken. Maar hun blikken weet ik zorgvuldig te ontwijken. Sowieso wil ik niet te dicht bij ze in de buurt komen. Ik draag mijn kleren zo lang mogelijk en was ze, als het echt niet langer meer kan, met het goedkoopste poeder uit de supermarkt. Ik weet inmiddels waar de fabrikant op bezuinigd heeft: geur. Hoewel het spul 'lentefris' belooft te zijn, ruik ik niet naar lente en al helemaal niet fris.

Misschien komt het door het lauwe water waarmee ik de handwas doe. Warm water is te duur. Met angst en beven kijk ik uit naar de naderende winter. De douche is geen vriend meer, maar vijand.

Net voor ik de deur van het lokaal wil sluiten, komt Frans met snelle passen aangelopen. Zijn gezicht staat gehaast. Ik houd de deur vast en kijk hem aan. Komen deurwaarders ook op je werk?

'Wat is er?' vraag ik met groeiende onrust.

Frans kijkt me aan. 'Sorry,' stamelt hij, 'ik was het helemaal vergeten. Echt heel dom van me.'

Een deel van de spanning glijdt van me af.

'Wat is er dan?'

'Er komt vandaag een nieuw meisje. Ik wist het al sinds vorige week, maar ik ben glad vergeten het je te melden. Is ze er nog niet?'

Hij kijkt langs me heen de klas in. Ik volg zijn blik. Heb ik haar over het hoofd gezien?

'Volgens mij niet.'

Frans kijkt naar buiten. 'Daar komt ze net aan. Kijk, die auto is van haar vader.' Hij laat zijn stem dalen. 'Haar moeder is ervandoor gegaan en haar vader zorgt nu alleen voor haar. Het vertrek van haar moeder is erg ingrijpend geweest. Maar daar hebben we het later nog wel over. Ze heet Vivian. Vivian van Heusden.'

Vivian. Ik sla die naam op in mijn geheugen.

'Geen probleem', zeg ik met een zelfverzekerde glimlach. 'Ik heb wel voor hetere vuren gestaan.'

'Mooi.' De directeur loopt naar de deur om onze nieuwe leerling en haar vader te verwelkomen. Ik zie door het raam hoe ze het schoolplein oplopen. Mijn blik glijdt heen en weer tussen hen en de auto, die met twee wielen op de stoep voor het hek geparkeerd staat. Ik weet niet wat voor merk het is, maar hij is groot, zwart, glimmend en ongetwijfeld heel erg duur. Ik zucht.

Ik zeg tegen de kleuters dat ik zo terug ben en ik laat de deur open als ik naar de ingang van de school loop. Frans staat te praten met de vader van Vivian. Ik kijk naar hem en huiver. Wat een engerd. Echt zo eentje die je niet in een donker steegje tegen wilt komen.

Ik schud hem de hand. Hij stelt zich voor als Leo van Heusden.

Ik laat me op mijn hurken zakken en zeg: 'Hoi Vivian. Ik ben juf Charlotte. Je komt bij mij in de klas. Welkom op school.'

Het kind kijkt me stuurs aan.

'Kom op', zegt haar vader. In zijn stem klinkt iets vermoeids door. 'Zeg eens gedag tegen je juf.'

'Hoi.'

'Vivian.' Haar vader legt zijn hand op haar hoofd. Ze doet snel een stap opzij.

'Niet doen, papa. Alexandrea heeft mijn haar ingevlochten.'

'Alexandrea is onze Poolse nanny', verklaart haar vader. 'Je zult haar nog wel zien, want ze zal Vivian zo nu en dan van school ophalen.'

Ik knik. 'Oké, goed dat ik het weet.'

De vader kijkt op zijn horloge. 'Het spijt me, maar ik moet gaan. Veel plezier, Viev.' Hij geeft zijn dochter een kusje op haar hoofd, wat met dezelfde irritatie wordt begroet als zijn hand.

'Pàhàp, mijn háár!'

Dit kleine, door en door verwende prinsesje haalt nu al het bloed onder mijn nagels vandaan. 'Ga je mee, Vivian?' vraag ik, ondanks haar gedrag een en al vrolijkheid. 'Dan gaan we kennismaken met je klasgenootjes.'

Vivian haalt haar schouders op. De pailletetjes op haar roze shirt dansen heen en weer. 'Mij best.'

Later die dag, als ik door opnieuw een hoosbui naar huis fiets, denk ik aan Vivian en haar vader. Ze is een onuitstaanbaar kind, aan wie ik waarschijnlijk mijn handen vol zal hebben. Ze vindt zichzelf een ware prinses, wat haar waarschijnlijk is aangepraat door haar ouders en de Poolse nanny. Van het vertrek van haar moeder leek ze niet zo veel last te hebben als Frans beweerde. Maar misschien komt dat nog.

Om kwart over drie stopte die glimmende slee weer voor de deur en haalde haar vader haar op. Die man bezorgde me opnieuw de zenuwen. Hoewel ik zijn auto wel kan waarderen, maar uitsluitend vanwege de waarde die dat ding vertegenwoordigt. Ik zou hem direct naar de garage brengen en de opbrengst cashen.

Een rijke man moet ik hebben, dat is het einde van mijn geldzorgen. Misschien moet ik dat maar tot mijn 'plan A' maken – als ik een rijkaard aan de haak sla, ben ik van al mijn problemen verlost.

Ik, die liefde altijd als een groot goed zag, ben tot deze diepte gezonken. Liefde als manier om aan geld te komen, wat zou de oude Charlotte daarvan hebben gevonden?

Ik schud mijn hoofd. De oude Charlotte zou daar waarschijnlijk een donderende moraalpreek voor over hebben gehad.

Maar de nieuwe Charlotte is niet in de positie zich dergelijke preken te veroorloven. De nieuwe Charlotte moet zwemmen of verzuipen.

Liefde. Het woord blijft in mijn hoofd rondzingen. En: geld. Als plan A niet lukt, moet ik een plan B hebben. Liefde en geld, een gewaagde combinatie. Maar ook een geslaagde.

Ik ontwijk handig een auto die uit een straat komt waar hij niet uit mag komen. Ik zwaai met mijn vuist. Mijn gedachten keren terug naar het plan dat zich aan het ontspinnen is. Ik kan wel verzinnen dat ik een rijke man moet vinden, maar liefde is breder dan dat.

Seks, denk ik ineens, maar net zo snel zet ik die gedachte van me af. Ik ben toch geen hoer! Dat mijn geest dit soort dingen kan bedenken.

Ik trap zo hard dat ik even aan niets anders kan denken dan mijn pijnlijke longen. Mijn hart bonkt tegen de binnenkant van mijn ribbenkast en noodgedwongen minder ik vaart. Vooral mijn eigen onmacht frustreert me. Waarom kan ik geen werk vinden dat ik thuis kan doen, en waarmee ik in no time bakken met geld binnenhaal? Dat moet toch mogelijk zijn?

Als ik thuis ben, googel ik 'thuiswerk' en kom naast een heleboel onzinbeloftes opvallend veel werk tegen dat te maken heeft met veel webcams en weinig kleren. Ook niet erg anoniem, al denk ik dat ik niemand ken die zich daarvoor interesseert. Maar aan de andere kant: dan ken je ze júíst.

Ik surf een tijdje rond op Marktplaats.nl, waar ook verrassend veel thuiswerk wordt aangeboden, maar ik vind geen banen waar ik iets aan heb. Even overweeg ik om mezelf als schoonmaakster te verhuren, maar het probleem is dat ik niet weet wie er achter de advertenties zitten. Het kan net zo goed een ouder van school zijn. Die ziet me aankomen. Binnen de kortste keren ben ik hét gespreksonderwerp op het schoolplein. En dan is de stap naar de lerarenkamer snel gemaakt.

Dan klik ik het onderdeel 'Contacten en Berichten' aan. Ik vind mezelf te goedkoop voor woorden. Moet ik echt op deze manier mijn problemen oplossen? In mijn achterhoofd klinkt een moralistisch stemmetje, dat verhaalt over eigenwaarde en oprechtheid. Toch klik ik de website niet weg.

Waar ik normaal gesproken zou hebben gelachen om de wanhopige en soms ronduit hilarische advertenties, bekijk ik ze nu met een serieuze blik. Nergens biedt zich iemand aan met de tekst 'rijke man zoekt failliete vrouw om te sponsoren', maar iets maakt dat ik toch advertenties blijf aanklikken.

Het wemelt hier van de eenzame, wanhopige mensen die het zat zijn om alleen op feestjes te verschijnen, die de vraag 'en, heb je al een relatie' niet meer kunnen hóren en die nu eindelijk ook wel eens iemand aan hun arm willen hebben.

*Na 45 jaar wil ik ook weten wat het is om een relatie te hebben.* Ik glimlach om deze advertentie, afkomstig van een zekere Henk uit Schiedam. Je kunt hem niet verwijten dat hij niet eerlijk is over zijn intenties.

Of Gerrit, uit Den Haag, die schrijft dat hij op zijn zesendertigste nog steeds niet gewend is om alleen te leven. Ik denk dat Gerrit op zoek is naar de perfecte vervanging voor zijn moeder, maar er zijn een hoop vrouwen in Nederland die niets liever doen dan voor iemand zorgen.

Geweldige uitvinding, die digitale contactadvertenties. Hoeveel mensen zouden al via internet degene hebben gevonden die ze in het predigitale tijdperk nooit zouden hebben getroffen? Zonder internet zouden ze misschien alleen zijn gebleven. Dan zouden ze een leven lang die vraag hebben moeten horen: en, heb jij al een relatie? Een leven vol feestjes, waar ze alleen naartoe moeten. Een leven vol ochtenden waarop ze alleen wakker worden. Een leven lang zoeken, maar niet vinden.

Maar aan de andere kant, zou Henk uit Schiedam nou echt de ware treffen met zo'n advertentie? Ik vraag me zelfs af of Henk werkelijk op zoek is naar de ware. Henk wil vooral weten hoe het is om niet meer alleen te zijn. En Gerrit, hij zoekt vooral opvulling van zijn lege meubels. Van zijn lege leven. Gerrit wil weten hoe het is om samen met iemand te verschijnen op een van de vele bruiloften en kraamvisites die hij op zijn leeftijd moet afleggen.

En dan ineens heb ik het. Ik kan de oplossing zijn van de problemen van deze mensen. Ik weet zeker dat mensen bereid zijn te betalen voor datgene waar ze door middel van deze advertenties zo hard naar zoeken. Ik zet mezelf in als gezelschap. Als tegenwicht tegen lastige vragen. Als armvulling.

# 5

'JA!' IK GOOI MIJN HANDEN IN DE LUCHT ALS EEN KLEIN KIND.
Ik kijk naar die heerlijke cijfers op het scherm van mijn laptop. Geen cijfers met een plus ervoor, dat niet, maar even lijken
mijn problemen minder groot.

Mijn salaris, dat er gisteren al had moeten zijn, is een uur geleden overgemaakt. Ik moet nu snel handelen.

Ik spring op mijn fiets en merk nauwelijks dat het pijpen-
stelen regent als ik met driftige bewegingen naar de stad trap.
BelCompany, herinner ik me. Daar hadden ze een goede aanbieding.

De regen valt nog altijd met bakken uit de hemel als ik
de telefoonwinkel binnenstap. Blijkbaar ben ik de enige die
het rotweer heeft getrotseerd om vandaag een telefoon te
kopen. Er staan drie verkopers, die waarschijnlijk op provi-
siebasis werken, want ze springen als hongerige wolven op
me af.

Ik kies er eentje uit die me vooral snel lijkt. Elk moment kunnen de afschrijvingen beginnen en voor die tijd moet ik de telefoon binnen hebben.

'Ik heb een prepaid telefoon nodig', zeg ik. 'Die uit de aanbieding.'

'Die hebben we helaas niet meer', zegt hij. Hij doet zijn best om zijn stem spijtig te laten klinken, maar zijn gezicht doet niet mee. Hogere prijzen, hogere provisie.

'We hebben er wel eentje die net een fractie duurder is, maar die ook een beetje meer kan. En u krijgt hem met twintig euro beltegoed.'

Ik slaak een zucht. 'Is dat de goedkoopste die u hebt?'

'Ja, voor slechts negenennegentig euro bent u de nieuwe eigenaar. Het is een koopje, echt. Ik kan zelf niet geloven dat dit uit kan.'

'Doe die dan maar', zeg ik vermoeid. Ik weet dat het niet duur is, aangezien ik mezelf twintig euro aan beltegoed bespaar, maar toch sprak de aanbieding van negenenzestig euro me meer aan. Maar daar hadden ze er natuurlijk twee van op voorraad.

De man vult wat formulieren in, verdwijnt dan naar achteren om het telefoontje te halen en wil vervolgens de doos openen en alle functies aan me uitleggen.

Maar ik ben hem voor. 'Dat hoeft niet, hoor. Ik ben bekend met dit toestel. Sterker nog, ik heb er jaren zo eentje gehad.'

Hij kijkt me bevreemd aan. 'Maar dit is een nieuw model!'

'Niet in Amerika', verzin ik snel. 'Waar ik de afgelopen vijf jaar heb gewoond. Nee joh, daar hebben ze die telefoon al eeuwen.' Ik overdrijf, ik weet het, vooral met het Amerikaanse accent dat ik ineens gebruik.

Ik wip ongeduldig van mijn ene voet op mijn andere als de verkoper eerst de telefoon in een tasje doet, vervolgens de formulieren erbij stopt en dan pas het bedrag op de kassa aanslaat. We hebben het hier over secondewerk! Zodra de bank al mijn afbetalingen afschrijft, kan ik deze telefoon niet meer betalen.

Uiteindelijk, na wat een eeuwigheid lijkt, haal ik mijn pas door de pinautomaat. Met trillende vingers toets ik mijn pincode in. Mijn hart bonkt in mijn keel als het apparaatje even geduld van me vraagt. Een zucht van verlichting ontsnapt aan mijn lippen als de betaling voltooid is.

De verkoper kijkt me nauwelijks aan als hij me het tasje overhandigt. Hij luistert naar zijn collega die een blijkbaar hilarisch verhaal vertelt.

Ik klem de tas tegen mijn borst alsof het een kostbare schat is, wat het in zekere zin ook is. Doordat ik de rekening van mijn oude mobiele telefoon niet heb betaald, wordt dat nummer binnen tien dagen afgesloten. Dat stond in een brief die ik van de provider kreeg.

Mij best, denk ik stoer. Het enige wat ik hoef te doen, is mijn nieuwe nummer doorgeven aan de mensen die me vaak bellen en proberen een verklaring te verzinnen.

Ik kan natuurlijk zeggen dat mijn mobiel gestolen is. Dat is een plausibele verklaring voor het feit dat ik een ander nummer heb, en bovendien kan niemand het controleren.

Dat ik dan alweer moet liegen tegen mijn ouders en mijn vriendinnen, bezorgt me een licht onaangenaam gevoel, maar tijd om daar lang bij stil te staan heb ik niet. Ik moet snel naar de pinautomaat om een paar tientjes op te nemen, zodat ik de komende weken iets te eten heb.

Ik waag de gok en neem vijftig euro op. Dat betekent dat ik, als de bank alle afschrijvingen geclaimd heeft, de hypotheek niet meer kan betalen, maar dat moet dan maar. Vorige maand heb ik ook niet betaald en de brieven van mijn hypotheekbank stromen toch al binnen. Misschien moet ik ze binnenkort mailen om te zeggen dat ik op vakantie ben en dat ik alles in orde ga maken zodra ik terug ben. Over een jaar of dertig.

Als ik langs Albert Heijn fiets, kijk ik verlekkerd naar de ingang. Ongelooflijk dat ik daar zo vaak gedachteloos naar binnen ben gestapt, of zelfs balend dat ik nog boodschappen moest doen, terwijl ik moe uit mijn werk kwam.

Nu zou ik er heel wat voor over hebben om naar binnen te kunnen gaan, lukraak wat etenswaren te pakken die me lekker lijken en zorgeloos te kunnen afrekenen.

Voor mij geen Albert Heijn meer. Ik fiets een flink eind verder. De stromende regen is inmiddels overgegaan in gemiezer, waar ik niet minder doorweekt van raak. Als een verzopen konijn kom ik aan bij de Aldi.

Ik pak een karretje en loop meteen door naar de afdeling potten en blikken. De combinatie pasta met blikgroente is me niet heel goed bevallen, maar ik zal moeten leren het lekker te vinden. Misschien helpt het als ik spaghetti en witte bonen in tomatensaus vanaf nu als mijn lievelingseten ga beschouwen. Als je maar lang genoeg denkt dat iets zo is, dan wordt het uiteindelijk zo, volgens *The Secret*.

Midden in de Aldi stel ik me mezelf voor, liggend op een strand in Zuid-Frankrijk. Ik heb geen geldzorgen, maar ben gewoon met mijn twee vriendinnen op kampeervakantie, zoals we dat jaren geleden een keer hebben gedaan. Met z'n drieen sliepen we in een tentje en op gehuurde fietsen bekeken we de omgeving, maar het grootste deel van de tijd lagen we kletsend en lachend op het strand. Ik kan het nog haarscherp voor me zien.

Verwachtingsvol doe ik mijn ogen weer open. Er is niets veranderd. Ik sta in een slecht verlichte supermarkt met overal dozen om me heen en ik laad mijn karretje vol met spaghetti en blikken groenten.

Ik reken negenenveertig euro en negentig cent af en prijs mezelf om mijn hoofdrekenkwaliteiten. Met drie zware tassen slinger ik naar huis.

Als ik mijn fiets voor de voordeur in een rek zet, komt er net een grote, glimmende auto de straat in. Ik werp er een blik op, kijk weer naar mijn slot en merk dat een onheilspellend gevoel zich van mij meester maakt. Mijn onderbewuste heeft iets geregistreerd en hoewel ik mijn vinger er nog niet op kan leggen, merk ik dat mijn hart in mijn keel begint te bonken. Hier klopt iets niet. We zijn in mijn straat, niet bij school.

De auto stopt voor mijn voordeur en de bestuurder heeft een paar minuten nodig om hem kaarsrecht in het parkeervak te zetten. Dan stapt hij uit. Met een scherp geluid adem ik in.


'Dus u bent deurwaarder.'

Ik hoor zelf hoe dom mijn opmerking klinkt. De man neemt me koel op en knikt. 'Hoe raad je het zo?'

Het lijkt me beter niet op zijn vraag in te gaan.

'Zo', zegt hij. 'Charlotte. Of moet ik zeggen: juf Charlotte.'

'Wat u wilt', mompel ik.

God, hij doet al net zo uit de hoogte als Vivian.

Leo van Heusden neust wat rond in mijn appartement. Bij de waardevolle spullen blijft hij wat langer staan en uiteindelijk laat hij zijn hand rusten op de televisie. 'Je weet waarom ik hier ben?'

Ik knik timide. 'Ik heb een paar rekeningen niet betaald.'

'Een paar?' Hij grinnikt, maar ik mis iets. Oprechtheid, waarschijnlijk. 'Zo zou je het ook kunnen uitdrukken, een paar. Ik spreek liever van ál je rekeningen.'

'Ja', zeg ik, omdat ik niets anders weet. God, waarom komt een deurwaarder zo snel? Ik dacht dat het maanden zou duren.

'Je zult je wel afvragen waarom ik hier nu al ben', zegt Leo, alsof hij mijn gedachten kan raden. 'Als het om één of twee rekeningen zou gaan, zou ik nog veel langer zijn weggebleven, maar het schijnt dat jij plotseling gestopt bent met het betalen van al je rekeningen en we hebben van de bank begrepen dat je saldo tot ver onder het nulpunt is gedaald. Reden genoeg voor mij om een kijkje te gaan nemen.'

Ik weet niet wat ik moet zeggen. Mogen banken die gegevens zomaar doorspelen?

Leo aait over de bovenkant van mijn televisie. 'Da's een mooi apparaat. Die heb je vast nog niet zo lang.'

Ik schud mijn hoofd. 'Een halfjaar.' Mijn stem klinkt raar hoog door mijn dichtgeschroefde keel.

Dan brengt Leo de genadeslag toe. 'Deze gaat mee. Voorlopig is dit het enige dat ik meeneem, maar als je niet snel je rekeningen betaalt, kom ik terug. Ik zag dat je een wasmachine hebt. Ook al is hij oud, je kunt hem zo kwijtraken.'

Die mag hij meenemen! Graag zelfs. Ik pieker al weken over hoe ik dat oude kreng mijn huis uit krijg.

Leo tilt de televisie op. Terwijl hij langs me heen loopt, zegt hij slangachtig: 'Ik zou maar snel betalen. Anders kom ik terug.' Hij lacht. Ik mis de grap.

'Eén vraag', zeg ik. 'Vertelt u dit op school?'

Even neemt hij me geringschattend op, dan schudt hij zijn hoofd. Ik hoop dat hij woord houdt.


'Hé, waarom heb jij een nieuw nummer?'

Het duurt niet lang voordat Natasja belt, nadat ik een sms'je heb gestuurd om iedereen op de hoogte te stellen van mijn nieuwe telefoonnummer. Die sms'jes kostten me meer dan ik me kan en wil veroorloven, en in mijn twintig euro beltegoed is alweer een aanzienlijk gat geslagen.

'Mijn telefoon is gestolen', zeg ik.

Het kost me weinig moeite om duidelijk te laten merken dat ik hiervan baal.

'Oh echt? Hoe kan dat nou?'

'Geen idee.' Dit is mijn plan. Ik houd de toedracht van de diefstal vaag, zodat ik nooit op niet-kloppende details kan worden afgerekend. 'Hij zat in mijn tas en nadat ik met de metro ben gegaan, zat hij er niet meer in.'

De metro, alsof ik me een kaartje kan veroorloven.

'Da's balen', vindt Natasja. 'Had je hem verzekerd?'

'Nee. Ik ga me er ook niet druk om maken. Het is jammer, maar ik heb al een nieuwe telefoon.'

'Goed dat je er zo over denkt', zegt ze. 'Even iets anders. Heb je zin om iets leuks te gaan doen? Ik belde Eva ook al, maar zij kon niet. Ze moest klussen, zei ze. Ik wist helemaal niet dat ze aan het verbouwen waren.'

Ik onderdruk een grinnik. Van mijn broedse collega's weet ik dat mensen met een kinderwens met klussen niet bedoelen dat ze alvast de toekomstige kinderkamer van een nieuw behangetje voorzien. Maar ik maak Natasja niet wijzer dan ze is. Ik vind sowieso dat Eva ons wel wat minder deelgenoot mag maken van haar preconceptionele perikelen.

'Zullen we gaan shoppen?' stelt Natasja voor.

Het woord lijkt uit een andere wereld te komen. Een wereld die vroeger bestond.

Ik doe alsof ik me verslik om tijd te winnen. Gek genoeg heb ik nog niet nagedacht over de mogelijkheid dat iemand me dit zou vragen, terwijl Natasja toch een aanzienlijk gat in haar hand heeft.

'Ik kan niet. Ik ben begonnen met een cursus Spaans en vandaag is de eerste les.' Ik verzin tegenwoordig sneller smoesjes dan dat ik de waarheid zou kunnen vertellen.

'Op zaterdag?' Ze klinkt verbaasd.

'Ja, het is speciaal voor werkende mensen.'

'Oh. Morgen dan? Vanaf twaalf uur zijn de winkels open.'

Shit.

'Morgen moet ik naar mijn ouders.'

'Jemig, wat een druk weekend heb je.' Natasja heeft medelijden met me. Ik krimp een beetje ineen. 'We kunnen morgenavond een filmpje kijken. Gewoon, bij jou thuis. Ik heb al weken een dvd liggen die ik nog wil zien. Ik ben de titel even kwijt, maar het schijnt een goede film te zijn. Dan neem ik die mee en maken we het gezellig.'

'Goed idee', zeg ik. 'Maar ik kan ook naar jou komen. Dan rijd ik meteen door als ik bij mijn ouders ben geweest.' Hoe ik morgen uitleg dat ik op de fiets kom, zie ik dan wel weer. Misschien kan ik mijn niet-bestaande dieet weer opvoeren.

'Ook goed', zegt Natasja. 'Zeven uur bij mij? Of kom je ook eten? Oh nee, je ging naar je ouders.'

Dubbel shit. De gedachte aan een lekkere, complete maaltijd zonder blikgroenten of spaghetti doet me watertanden. Maar ik kan nu niet meer terug.

'Zeven uur is goed. Tot morgen!'

Snel verbreek ik de verbinding. Deze keer ben ik weer goed weggekomen, maar hoe lang kan ik dit nog volhouden? Hoeveel smoesjes kan ik verzinnen?

Ik ga achter mijn computer zitten. Godzijdank heb ik vorig jaar besloten over te stappen op internet via de kabel. Voor het eerst ben ik blij dat de administratie van het kabelbedrijf een grote bende is, al zat ik eerder vloekend aan de telefoon omdat allerlei gegevens niet klopten. Waarschijnlijk komen ze er medio volgend jaar een keer achter dat ik al maanden de rekening niet meer heb betaald.

Ik surf weer naar Marktplaats.nl. Nu ik mijn nieuwe telefoon heb, kan ik eindelijk mijn plan uitvoeren. Project Armvulling, ben ik het in gedachten gaan noemen. Eindelijk heb ik het idee dat ik zelf iets aan mijn situatie kan doen.

Ik noem mezelf voor de zekerheid Lot in mijn advertentie. Geinige woordspeling, ook.

*Ook zo genoeg van altijd maar alleen zijn? Kun je je grootmoeder wel iets aandoen omdat ze altijd maar vraagt waarom je nog geen verkering hebt? En wil je nu eens niét alleen verschijnen op de zoveelste bruiloft, kraamvisite of familieparty? Dan heb ik (29) de oplossing! Voor vijftig euro per uur ga ik met je mee, en ben ik je vriendin. Ik gedraag me zoals jij dat wilt, en jij mag bedenken waar we elkaar hebben leren kennen. Ik ben de armvulling die je al zo lang mist. Ik ben je gezelschap na al die tijd alleen, je antwoord op lastige vragen.*

*Let op: alleen voor bezoeken, feestjes etc. Geen seks. Geen overnachtingen. Discretie gegarandeerd. Contante betaling.*

*Voor meer informatie bellen.*

Ik vul mijn telefoonnummer in, lees de advertentie nog één keer door en plaats hem dan op de site. Ik heb zin om heel hard te gillen, of te dansen, of te zingen. Ik ben ontzettend blij met mijn goede idee en eindelijk, na een moeilijke tijd, ben ik op de weg terug. Ik weet het zeker: dit wordt een doorslaand succes.

Misschien moet ik wel mensen aannemen. Dan stop ik als kleuterjuf om mijn armvulling-imperium op te bouwen. Kars zal de ogen uit zijn kop krabben van spijt dat hij me heeft bedonderd.

Ik lees de advertentie nog een keer. Hopelijk komt mijn bedoeling over en word ik straks niet lastig gevallen door vieze oude mannetjes. Tenzij het ríjke, vieze oude mannetjes zijn. Zo diep ben ik al gezonken. Ik ga desnoods mee naar de bejaardensoos.

Op maandagochtend ben ik nog niet één keer gebeld. Het gevoel van euforie dat ik had toen ik de advertentie plaatste, is veranderd in een sluimerende wanhoop. Wat als dit niet lukt? Ik had hier al mijn hoop op gevestigd. Deze advertentie zou me uit de problemen helpen, mijn weg naar een betere toekomst plaveien.

Ik denk terug aan gisteravond, toen ik bij Natasja was. Het moet haar zijn opgevallen dat ik gulzig chips in mijn mond propte en me vijf keer liet bijschenken van de heerlijke rosé die ze had opengetrokken. Na wekenlang water drinken smaakte het spul zo verrukkelijk dat ik de kater die ik nu heb voor lief neem.

Maar Natasja zei niets, goddank. Mijn eetgedrag klopte niet bij mijn verhaal dat ik expres langs huis was gereden om de auto neer te zetten, zodat ik op de fiets kon omdat dat beter was voor mijn lijn, waar ik tegenwoordig op let. Later bedacht ik dat ik natuurlijk had moeten zeggen dat ik liever ging fietsen omdat ik anders niet kon drinken, maar een briljante inval krijg je altijd pas uren nadat je hem nodig had.

Mijn telefoon had ik expres op de trilstand gezet, doodsbenauwd dat er iemand zou bellen voor de advertentie en dat ik hem te woord zou moeten staan waar Natasja bij was. Aan het eind van de avond, voor ik op de fiets stapte, checkte ik hoopvol mijn voicemailberichten, maar niemand had gebeld.

Vanochtend voor ik naar mijn werk ging, heb ik de advertentie nog een keer geopend, bang dat ik een verkeerd telefoonnummer had ingevoerd maar helaas, het nummer klopte gewoon. Er waren weliswaar bijna driehonderd mensen die de advertentie hadden bekeken, maar niet één van hen had de moeite genomen me te bellen.

'Juf Charlotte?' Vivian kijkt me aan en houdt haar hoofd scheef. In haar ogen herken ik de blik van haar vader en ik moet mijn best doen om mijn woede niet op haar bot te vieren.

'Wat is er?' vraag ik met opeengeklemde kaken.

'Wat gaan we doen?' Dit is haar favoriete vraag, naast 'waarom'. Vivian kan zichzelf nog geen twee seconden vermaken. Ik benijd Alexandrea niet.

'We gaan spelen', deel ik haar simpelweg mee. 'Leuk toch?'

'Mwah.' Ze haalt haar schouders op. 'Jij hebt geen Ken. Thuis heb ik er zes.'

'Maar hier zijn weer andere dingen.' Ik sta op en loop bij haar vandaan. De discussie over hoe leuk haar speelgoed thuis is en hoe verschrikkelijk dat op school, ga ik met een verwende vierjarige niet aan.

Ik roep de kleuters bijeen en verdeel ze in vier groepen. Iedere groep speelt ergens anders. Ik help de kinderen die gaan verven in schortjes en vul bakjes met verf. Daarna hang ik papieren op en geef ze kwasten. Als ik ook de andere kinderen aan het spelen heb gezet, ga ik achter mijn bureau zitten. Ik check onopvallend mijn telefoon.

Er is één nieuw voicemailbericht, zie ik. Ik schrik en voel me tegelijkertijd op een vreemde manier opgewonden. Zal ik het afluisteren?

Ik kijk de klas rond. Alle kleuters zijn druk in hun eigen spel verdiept, maar er hoeft er maar één te zijn die me opmerkt en het later onschuldig tegen papa of mama vertelt en ik hang.

Frans is daar heel duidelijk over geweest in de vorige lerarenvergadering: tijdens de lessen wordt er niet gebeld, tenzij het om een noodgeval gaat. En dan bedoelt hij noodgeval in de zin van een levensbedreigend, alarmnummervragend noodgeval. In alle andere gevallen is het de docenten ten strengste verboden om mobiel te bellen, op straffe van het inleveren van de telefoon bij Frans en bidden dat je hem ooit weer terugkrijgt.

Kinderachtig, ja, maar het werkt, want sinds het invoeren van de maatregel is alleen de stagiair uit groep zes betrapt. Al heb ik het idee dat het sms-verkeer met een paar honderd procent is toegenomen.

Ik bekijk het nummer waardoor ik ben gebeld. Het zegt me niets. Dit moet haast wel met mijn advertentie te maken hebben!

Met uiterste zelfbeheersing stop ik mijn telefoon in mijn tas. Het zal moeten wachten, al kan ik me de rest van de ochtend niet meer concentreren.

Zodra de laatste kleuter het lokaal heeft verlaten, duik ik in mijn tas en haal mijn mobiel tevoorschijn. Inmiddels heb ik twee berichten. Hijgend van spanning bel ik naar mijn voice-email.

Het eerste bericht is van Nuon. De afdeling Betalingen wil weten waarom ik al twee maanden geen voorschot heb betaald. Ik vraag me af hoe ze in vredesnaam aan mijn nummer komen en bedenk dan dat ik het heb ingesproken op de meldtekst van mijn voicemail op mijn andere telefoon.

Ik dwing mezelf het hele bericht af te luisteren. Het voorschot dient betaald te worden, vertelt de man me. Anders kom ik bij de jaarafrekening in de problemen. Ik haal opgelucht adem. Jaarafrekening, dat klinkt nog ver weg.

Teleurgesteld wis ik het bericht. Maar ik heb nog een kans. Misschien dat het tweede bericht is waar ik met verlangen op zit te wachten.

'Hallo', zegt een rokerige, enigszins hijgende stem. 'Met Koos. Is dit Lot? Ik las je advertentie en ik wil je wel inhuren. Ik heb geen feesies, maar eh... Nou ja, we kunnen het vast heel gezellig hebben, ha ha. Nou Lot, bel me.'

Verschrikt verbreek ik de verbinding.

Met moeite kauw ik mijn droge boterhammen weg. Elke hap vormt een bal in mijn mond. Met een paar slokken water slik ik het brood weg.

Ik start de computer op die op mijn bureau staat. Sinds drie maanden staat in ieder lokaal een pc met internet, speciaal voor de docenten. Onzin, vond Frans eerst, maar docenten werden er gek van dat ze altijd thuis van alles op internet moesten opzoeken.

De verbinding is hier een beetje traag en ik trommel zenuwachtig met mijn vingers op het bureau. Eindelijk opent de Hotmailpagina zich en ik typ het nieuwe e-mailadres in dat ik speciaal voor mijn gezelschapsservice heb aangemaakt. Lotalsgezelschap@hotmail.com.

Naast een stuk of wat spammails zijn er twee berichten die mijn aandacht trekken. Een is van Z. de Haan, de ander van Gekke Gerrit. Mijn hart mist een slag, het zal toch niet díe Gerrit zijn?

Ik open zijn bericht als eerste.

*Hallo Lot, met veel interesse heb ik je advertentie gelezen. Ik heb zelf ook een advertentie gezet omdat ik graag een relatie wil.*

Niemand kan zeggen dat hij niet direct is. Ik lees verder.

*Alleen is dat nog niet gelukt. Ik heb geen feestjes ofzo, en ik zie het ook niet echt zitten om je te betalen, maar mis-*

*schien kunnen we iets afspreken? Volgens mij ben jij ook
op zoek naar een relatie en doe je alleen maar alsof je betaald wilt krijgen om mijn aandacht te trekken. Dat vind
ik een goede truc. Maar je wilt gewoon seks. En ik ook. Laten we afspreken. Ik heb een foto gestuurd, zodat je kunt
zien wie ik ben. Ik ben trouwens 56, en geen 36 zoals in
mijn advertentie staat. Dat is een typefout.*

*Groeten van Gerrit*

Ik weet niet of ik moet lachen of huilen. Geen wonder dat niemand het ooit met Gerrit heeft uitgehouden.

Toch open ik nieuwsgierig de foto. Onwillekeurig deins
ik terug. Jakkes, wat een engerd. Zei hij dat hij 56 was? Iemand heeft zichzelf duidelijk een halve eeuw jonger gelogen. Deze man is hoogbejaard! En hoogbehaard. Jammer
genoeg heeft hij besloten dat het een goed idee was om zonder T-shirt te poseren. Nu krijg ik mijn brood helemaal niet
meer weg.

Hoopvol open ik de e-mail van Z. de Haan. Deze persoon
heeft niet meer te melden dan '*je bent niet goed bij je hoofd*'.
Hier schiet ik ook al niet veel mee op.

Ik klik een paar keer op vernieuwen, maar er komen geen
nieuwe e-mails binnen. Daarna pak ik mijn telefoon en kijk
er hypnotiserend naar, alsof ik het toestel zo kan dwingen om
over te gaan.

Er gebeurt niets.

'Eet je niet met ons mee?'

Ik schrik en draai me om. Jorien, die groep twee heeft, staat
in de deuropening. Ze kijkt me bevreemd aan. Dit is al de zoveelste keer dat ik alleen in mijn lokaal lunch.

Ik knik. 'Ik kom er zo aan. Even iets opzoeken.'

Met haar broodtrommeltje onder haar arm loopt ze weg. Ik sluit Hotmail. De foto van Gekke Gerrit blijft staan. Hij lacht zijn gele tanden bloot. Ik huiver en zet het scherm uit.

# WINTER

# 6

IK TREK MIJN OUDE WINTERJAS NOG IETS STEVIGER OM ME heen, maar het heeft geen zin. Door de kieren die worden veroorzaakt door missende knopen komt een ijskoude wind, die zich een weg weet te banen tot op de blote huid van mijn buik. Ik huiver.

Gelukkig begint vandaag de kerstvakantie. Nog een dag langer op de fiets naar mijn werk en ik vries dood, vrees ik.

Als ik mijn fiets in het rek op het schoolplein zet en naar binnen wil lopen, naar de warme lerarenkamer en de pruttelende koffie, komt net Anneke het plein op.

'Ik heb bewondering voor jou!' roept ze me toe, terwijl ze zwaait.

Ik kijk jaloers naar haar nieuwe, dikke winterjas die ze niet eens nodig heeft omdat ze net uit haar heerlijk warme auto is gestapt.

'Dank je.'

'Echt.' We staan nu samen voor de deur en ze houdt hem voor me open. 'Sinds je met dat afvalgedoe bent begonnen, heb je een ijzeren discipline laten zien. Wie anders gaat er bij min drie op de fiets naar d'r werk, terwijl ze gewoon een auto heeft?'

Ze neemt me goedkeurend op. 'Ik moet zeggen dat het zijn vruchten heeft afgeworpen. Je ziet er een stuk slanker uit dan een paar maanden geleden.'

'Ik ben zeven kilo afgevallen', zeg ik. Ik probeer er een trots gezicht bij te trekken, hoewel ik eerder zin heb om te huilen.

'Poeh.' Anneke trekt haar jas uit en hangt hem aan de kapstok. 'Daar kan ik nog wat van leren.'

Ik wacht tot ze de lerarenkamer binnen is gegaan voor ik mijn eigen jas uittrek. Als ze ziet dat er knopen missen, gaat ze natuurlijk vragen stellen.

Mijn telefoon gaat, maar ik druk de oproep weg. Het zal wel weer de zoveelste deurwaarder zijn, of afdeling 'wanbetalers' van een of ander bedrijf.

Ik snuffel even aan mijn oksels, stel vast dat ik mijn armen vandaag maar niet te veel omhoog moet doen en loop naar de lerarenkamer. Mijn plan is om één kopje koffie te pakken en me snel weer uit de voeten te maken. Sinds wasmiddel een luxe is geworden die ik me niet kan veroorloven, beperk ik sociaal contact tot een minimum. Gelukkig heb ik eergisteren na drie dagen afzien een tube tandpasta kunnen pikken bij Eva. Eigenlijk wilde ik de voordeelflacon Witte Reus ook in mijn tas laten verdwijnen, maar die paste niet.

Als ik de lerarenkamer binnenkom, weet ik al dat mijn plan om meteen naar mijn lokaal te verdwijnen in duigen valt. Anneke zit net te vertellen over mijn verloren kilo's en alle blikken richten zich op mij.

Ik glimlach halfslachtig en loop snel naar de koffieautomaat.

'Verdomd, ja', zegt Frans. 'Nu je 't zegt. Je kleren slobberen zelfs een beetje, Charlotte.'

'Het is zonde om nieuwe te kopen', mompel ik. 'Ik wil nog meer afvallen. Ik blijf niet kopen.'

'Daar heb je groot gelijk in.' Jorien zit druk te knikken. 'Na de geboorte van Elske was ik twintig kilo zwaarder dan voor de zwangerschap, terwijl de baby er al uit was. Ik ben op dieet gegaan en ik jojo wat af. Ik heb kleding van maat achtendertig tot achtenveertig in mijn kast hangen. Doodzonde dat ik het grootste deel niet aan kan.' Ze stopt een chocolaatje in haar mond. 'Ik wilde dat ik net zo kon afvallen als Charlotte. Maar ja, het is zo lekker, hè?' Hup, nog een chocolaatje.

Ik kijk watertandend naar de doos bonbons die op tafel staat, een afscheidscadeautje van een leerling die ging verhuizen. Ik zou een moord doen voor een bonbon. Misschien kan ik tijdens de les heel even naar de lerarenkamer sneaken.

Mijn collega's hebben het alweer over iets anders en ik sluip met mijn koffie in mijn hand de kamer uit. De leerlingen komen pas over twintig minuten en ik kan echt niets meer bedenken wat ik aan voorbereiding moet doen. Uit verveling haal ik mijn mobieltje tevoorschijn. Ik leg het aan de lader, omdat ik heb uitgerekend dat op school mijn telefoon opladen me een paar cent aan stroomkosten per maand bespaart. Om dezelfde reden heb ik onlangs de spaarlampen uit de lampen in de lerarenkamer gedraaid: als ik die thuis gebruik, kan ik nog een paar cent bij mijn besparing optellen.

Ik bekijk mijn sms'jes. Drie voicemailberichten.

Ik staar uit het raam. De hoop dat er eindelijk iemand heeft gebeld die serieus interesse heeft in mijn diensten als gezelschap naar feesten en partijen, is allang vervlogen. Op ongeveer dertig mailtjes en telefoontjes van ranzige oude mannetjes en zestienjarige ettertjes na, zijn er geen reacties gekomen. Ik heb de advertentie een paar dagen geleden hoger op de site geplaatst. Daarvoor moest ik stiekem Eva's telefoon gebruiken, omdat mijn budget de 1 euro 30 die het kost niet kan trekken, maar Eva belt zo veel, zij merkt het toch niet.

Het werd nog even tricky toen ik uit de werkkamer kwam en Herbert net over de overloop liep. Omdat ik heel overtuigend acteerde dat ik op zoek naar de badkamer de verkeerde kamer ingelopen was, liet hij het er verder bij zitten.

Ik besluit dat die paar cent die het me kost om mijn voice-email af te luisteren, er maar af moet kunnen. Wie weet staat er toch iets belangrijks tussen de berichten.

Het eerste bericht is weer eens van Nuon. Of ik nu eindelijk eens wil terugbellen en/of de achterstallige rekeningen wil betalen.

Het volgende bericht is van eenzelfde strekking, maar komt van het kabelbedrijf, dat er sneller dan verwacht achter is gekomen dat er al in geen maanden geld van mijn rekening is geïncasseerd.

Het derde bericht wil ik al bijna wissen omdat ik niets hoor, maar uiteindelijk klinkt er een stem. 'Hallo? Is dit de voice-email van Lot? Ik las je advertentie op Marktplaats en ik heb wel interesse. Bel me alsjeblieft even terug. Mijn nummer is...' Hij noemt een 06-nummer en ik grijp snel naar een blaadje en een pen om het op te schrijven. Voor het eerst klinkt het alsof ik iemand aan de telefoon heb die serieuze bedoelingen heeft.

Mijn hart klopt wild in mijn keel. Ik kan het geld al ruiken.

Rustig aan, roep ik mezelf streng tot de orde. Dit kan best een oplichter zijn. Of iemand die heel andere bedoelingen heeft dan ik. Ik moet het eerst maar eens afwachten voor ik de gedachte aan het vele geld voorzichtig kan toelaten.

Ik aarzel. De man heeft me net gebeld, dus het zou niet raar zijn om nu terug te bellen. Maar aan de andere kant, de kinderen komen zo en dan kan het natuurlijk niet zo zijn dat ik uitgebreid zit te bellen. Nee, ik kan hem beter vanmiddag terugbellen.

Of vanavond.

De beslissing wordt voor me gemaakt, doordat de lokaaldeur open gaat en Vivian binnenkomt. Met haar vader in haar kielzog.

'Hallo, Charlotte', zegt hij.

'Hallo.' Ik slik. 'Leo.'

Hij neemt me op. 'Leuke blouse.'

Ik kan hem wel wat aandoen. Hij heeft in mijn huis overal kleding gezien, die ik zelfs aan het deurtje van de magnetron te drogen hang. Toch houd ik mijn kiezen stevig op elkaar en zeg: 'Dank je.'

'Ik ben ziek', kondigt Vivian aan. Ik kijk naar haar. Ze ziet er niet uit alsof ze iets mankeert.

'Ze heeft keelpijn', verklaart haar vader. 'Als het niet gaat, moet je Alexandrea maar bellen. Dan komt zij haar wel halen. Heb je haar mobiele nummer?'

Ik schud mijn hoofd. Hij krabbelt het op een blaadje en overhandigt dat aan mij. Ik leg het naast dat andere nummer op mijn bureau en knik koeltjes. Dan kijk ik hem aan. 'Verder nog iets?'

Hij schudt zijn hoofd. 'Nee, ik stap maar weer eens op. Ik heb een razend drukke dag voor de boeg. Veel werk te doen, snap je?'

Ik voel de sneer en buig mijn hoofd. Leo vertrekt zonder nog iets te zeggen.

'Mijn vader zegt dat jij een sloeber bent.' Vivian kijkt me uitdagend aan.

Ik verschiet van kleur en weet niet wat ik moet zeggen.

De kleuter houdt haar hoofd scheef. 'Wat is een sloeber? Dat wil hij niet zeggen.'

Ik knars met mijn tanden van woede. Als ik niet snel ingrijp, weet straks de hele school hoe ik ervoor sta.

'Een sloeber,' zeg ik, 'is iemand die...' Shit, ik moet iets verzinnen. Iets briljants.

'Ja?' Vivian is ongeduldig.

'Iemand die heel erg van winkelen houdt', verzin ik snel. 'Een sloeber gaat het liefst iedere dag naar de winkel en koopt altijd heel mooie spullen. Zoals mooie kleren en schoenen en tassen.' Ik buig me naar haar toe. 'Zal ik je een geheimpje vertellen?'

Vivian knikt gretig.

'Ik ben helemaal geen sloeber.' Ik kijk haar triomfantelijk aan. 'Jouw vader denkt wel dat ik een sloeber ben, maar dat is niet zo. Leuk, hè?'

Ze trekt een rimpel in haar neus en moet deze nieuwe informatie even verwerken. 'Nee', zegt ze dan, en ze schudt haar hoofd. 'Jij bent inderdaad geen sloeber. Jij hebt geen mooie kleren.'

Ik heb zin om Alexandrea nu al te bellen.


Die avond krijg ik geen hap door mijn keel, wat niet alleen komt door mijn saaie, goedkope maaltijd. Ik zet de helft in de koelkast – dat kan ik morgen nog eten.

Een tijdje loop ik doelloos door het huis. Ik pluk hier en daar wat wasgoed vandaan, dat nauwelijks droogt omdat ik de verwarming zelden aan zet en ik het wasgoed elke keer drijfnat moet ophangen.

Ik loop naar de badkamer en buk om vies wasgoed van de grond te rapen. Als ik weer omhoog kom, vang ik een blik op van mezelf in de spiegel. Mijn gezicht is bleek en een beetje ingevallen. Iedereen zegt dat mijn dieet zo goed helpt, maar ik voel me vies en lelijk, en zo slap als een vaatdoek. Ik heb waarschijnlijk een gebrek aan een heel scala aan vitamines, ondanks de kilo's blikgroenten. Volgens mij bevatten die van de goedkoopste soort überhaupt geen vitamines. Wel heel veel dingen die met E-nummers worden aangeduid, maar waar ze eigenlijk zo'n icoontje van een doodshoofd voor zouden moeten gebruiken.

Ik wend mijn blik af en zet de douche aan, waarmee ik het wasgoed nat maak. Ik laat mijn kleding tegenwoordig een nacht in koud water weken en schrob dan de grootste vlekken eruit. Als ik mezelf ooit nog eens rijp vind voor de sportschool, doe ik mijn wasmachine de deur uit. Ik krijg een biceps als een bouwvakker.

Opeens valt het licht uit. Ik kom overeind en stoot mijn hoofd.

'Verdomme', vloek ik binnensmonds. Dan slaat de schrik me om het hart. Is dit een stroomstoring of is Nuon het nu echt zat?

Half huilend loop ik door het huis. Het is niet één groep die eruit ligt, niéts doet het meer. Ik zet schakelaars om, druk tevergeefs op alle knopjes van de magnetron en laat dan mijn verhitte hoofd rusten tegen de koele afzuigkap. Dit is het dan. Nu ben ik officieel verloren.

Gek genoeg komt er maar één ding bij me op. Ik moet die man bellen. Van de angst die me eerder nog tegenhield, nu het serieus dreigt te worden, is de schakelaar tegelijk met die van de stroom omgezet. Al ben ik bang, ik heb geen keus meer.

Ik herinner me dat ik het briefje in mijn agenda heb gedaan en ga op de tast op zoek naar mijn tas. Uiteindelijk vind ik hem in de slaapkamer en met het schermpje van mijn mobiel als verlichting, zoek ik het juiste blaadje. Ik aarzel niet langer, maar mijn vingers trillen wel als ik het nummer intoets.

'Hallo?' zegt een mannenstem.

'Ja. Dag. Hallo.' Een flitsend begin. 'Met Lot spreekt u. Spreek je. Lot. Van de advertentie.'

Ik voel me vies als ik dat zeg. Het enige wat er nog aan ontbreekt, is een latex minirok en een parkeerplaats langs de snelweg.

De man aan de andere kant van de lijn heeft er duidelijk minder moeite mee. 'Hallo Lot. Van de advertentie. Wat leuk dat je terugbelt. Ik dacht al dat het een grap was van iemand.'

'Nee!' roep ik. 'Nee, natuurlijk niet. Hoe kom je erbij? Nee, dit is een serieuze business. Ik was alleen eh... op stap. Voor de zaak. Snap je?'

'Ja, ik begrijp het. Het geeft ook niet. Mooi dat het zo goed loopt. Ik hoop dat je tijd voor me hebt.'

'Natuurlijk!' Daarna schraap ik mijn keel. 'Ik bedoel, ik pak even mijn agenda.'

Het enige wat ik in het duister zo snel kan vinden, is een telefoonboek. Ik ritsel met de pagina's. 'Eens kijken, wanneer wilde je... ehm...' Tja, hoe noem ik dit? Daten? Afspreken? Het klinkt allemaal heel fout. 'Wanneer wilde je boeken?' vraag ik dan, en ik vind zelf dat het best professioneel over komt.

'Kerstavond. Ik hoop dat je dat geen probleem vindt.' Hij begint zich meteen te verontschuldigen. 'Op kerstavond hebben we altijd een familiefeest en ik heb geen zin meer in lastige vragen, zoals jij dat in je advertentie noemt.'

'Aha.' Mijn hersenen werken op volle toeren. Wat zou een prof nu zeggen? 'Ik heb hier het intakeformulier voor me liggen', verzin ik snel. 'Zullen we even wat vragen langslopen?'

'Ja, dat is goed. Betekent dat dat je kunt op kerstavond?'

'Je hebt geluk, er heeft net iemand afgezegd. Die had ineens een vriendin gevonden.' Er komt een schril lachje uit mijn keel, dat me vreemd in de oren klinkt.

'Oh, dat is mazzel voor mij. Laten we beginnen. Je wilt zeker mijn naam weten.'

Blij dat hij me even op weg helpt, zeg ik: 'Ja, je voor- en achternaam, graag.'

'Menno. Menno Vlashuijs, met een lange ui.'

Het is te donker om iets te kunnen opschrijven, maar ik schrijf in gedachten mee en probeer mijn vraag precies zo te timen dat het aannemelijk is dat ik bij die lettergreep ben als ik vraag: 'Een lange ui?'

'Ja, zo zeg ik dat altijd. Met u-i-j.'

'Oké.' Stilte. Ik tel tot drie en vraag dan: 'Wat is je leeftijd?'

'34.'

'Goed. Ik ben 29.'

'Ja, dat stond al in je advertentie. Een leeftijdsverschil van vijf jaar is redelijk, volgens mij. Ik viel altijd al op jongere vrouwen. Toen ik nog op vrouwen viel dan, hè.'

Nu komen we bij de interessante informatie. Ik leun achterover terwijl ik seconden aftel tot ik klaar ben met mijn denkbeeldige aantekeningen en vraag dan: 'Dus je bent homo?'

'Zeker. Maar dat weet mijn familie nog niet. En ach, ik weet het zelf pas zes jaar.' Hij lacht een beetje bitter. 'Al zes jaar, vanaf het moment dat ik het met mijn vorige en meteen laatste vriendin uitmaakte, krijg ik bij iedere gelegenheid waar een of meer familieleden van de partij zijn die ene vraag. En, heb je al een vriendin?'

Hij zet een gek stemmetje op en ik moet lachen.

Menno grinnikt zelf ook. 'Ja, lach er maar om. Het is om stapelgek van te worden. Maar ik weet zeker dat mijn familie een collectieve hartverzakking krijgt als ik ze de waarheid vertel. Laat staan dat ik mijn vriendje kan introduceren. De enige die weet hoe het zit, is mijn broer, maar hij zal het ze nooit vertellen.'

'En nu wil je dat ik me gedraag als je nieuwe vriendin, klopt dat?'

'Ja.' Menno slaakt een zucht. 'Eigenlijk is het erg dat het nodig is, maar ik heb voor één keer even geen zin in dat eeuwige gezeur. Ze zullen je wel helemaal doorzagen, voornamelijk over mij en hoe het zo lang heeft kunnen duren voor ik eindelijk iemand mee naar huis nam, maar ik neem aan dat jij daar wel aan gewend bent.'

Bijna vraag ik 'hoezo?' maar ik houd me net op tijd in. Oh ja, ik ben een prof.

'Geen probleem', verzeker ik Menno. 'Daar red ik me wel uit.'

'Mooi. Heb je nog meer vragen voor de intake?'

'Eh... ja. Natuurlijk. Hoelang kennen wij elkaar al?'

'Hoezo?'

'Voor het verhaal, bedoel ik. Als ze me gaan doorzagen, is dit wel het minste dat we moeten kortsluiten.'

'Oh ja.' Hij grinnikt. 'Stom van me. Je merkt dat ik hier nog niet zo in thuis ben.'

Dan kunnen we elkaar de hand schudden, maar dat zeg ik natuurlijk niet. 'Drie maanden?' stel ik voor. 'Kennen we elkaar drie maanden?'

'Mij best. En waar hebben we elkaar ontmoet?'

'Hm, eens denken.' Ik krijg hier zowaar lol in. 'Wat voor werk doe je? Kunnen we daar misschien iets mee?'

'Ik ben barman.'

'Heel goed! Daar kunnen we zéker iets mee.' Mijn enthousiasme neemt toe.

'In een homobar.'

'Oh.'

'Maar mijn familie komt uit Overijssel. Zij weten niet dat het een homobar is. Daar kunnen we elkaar dus gewoon ontmoet hebben. Amstel Taveerne heet het café. Mijn oma van vierentachtig vindt die naam zo idyllisch klinken, zegt ze.'

'Amstel Taveerne.' Ik prent die naam in mijn hoofd. 'Oké.'

'Reken je eigenlijk reiskostenvergoeding?' wil Menno dan weten. 'Want het feestje is in Heino en dat is niet om de hoek. Hoe kom je, met de auto?'

'Ik eh...' Shit. Ik heb alleen een fiets, maar zelfs als ik nu wegga, ben ik er waarschijnlijk niet op tijd. Ik zal de gok moeten nemen en zwartrijden in de trein.

'Ik kom met de trein', zeg ik. Heeft Heino eigenlijk een station?

'Oh. Dan pik ik je wel op van het station, want het huis van mijn ouders ligt niet echt aan het spoor. Kom je uit Amsterdam?'

Wat moet ik zeggen? Als ik ja zeg, wil hij misschien wel langskomen om kennis te maken.

'Ehm...' zeg ik langgerekt, om mezelf nog wat bedenktijd te geven.

Gelukkig redt Menno me. 'Want als je uit Amsterdam of uit de buurt komt, kun je wel met me meerijden. Dan kunnen we onderweg nog even bespreken hoe we elkaar precies hebben ontmoet en wat jouw zogenaamde werk is.'

Perfect! Ronduit perfect! Ik verheug me er nu al op om weer eens in een auto te zitten. Het heerlijke gevoel om gereden te worden, en lekker warm en onderuitgezakt te kunnen wachten tot je helemaal vanzelf op een andere plaats bent. De prachtige klik waarmee de gordel sluit. Wat een onvoorstelbare luxe.

'Lot?' vraagt Menno. 'Ben je er nog?'

'Ja, natuurlijk. Sorry. Je viel even weg. Ik woon inderdaad in Amsterdam. Zal ik naar je toekomen?'

'Goed idee. Als je hier rond vijf uur bent, gaan we direct weg en dan zijn we op tijd op het feestje. Het duurt tot een uur of tien, denk ik, en dan rijden we weer terug. In totaal heb ik je ongeveer zeven uur nodig, dus driehonderdvijftig euro. Ga je daarmee akkoord?'

Driehonderdvijftig euro? Drie-hon-derd-vijf-tig euro? Zo'n geweldig bedrag heb ik al in geen maanden meer op mijn rekening gehad, en al helemaal niet in mijn handen.

Met moeite lukt het me om cool te blijven. 'Dat lijkt me prima. Betaling contant en direct bij afloop.'

'Natuurlijk, ik zorg dat ik het bij me heb.'

Menno noemt nog zijn adres, dat ik wel opschrijf. Hopelijk heb ik in het donker een papiertje gevonden, anders staat het half op tafel.

Als ik heb opgehangen, blijf ik een tijdje verdwaasd voor me uit zitten kijken. Ik kan alleen maar denken aan dat geweldige bedrag, en wat ik allemaal met dat geld kan doen. Om mijn schulden af te betalen heb ik een veelvoud ervan nodig, maar het is een begin.

Even schiet het gevaar van deze onderneming door mijn hoofd. Menno kan wel helemaal geen vriendelijke homo met een geheim voor zijn familie zijn, maar een gevaarlijke lustmoordenaar die zijn slachtoffers op internet oppikt. Misschien rijden we niet naar zijn ouders in Overijssel, maar naar zijn persoonlijke begraafplaatsje in het bos, waar ik een ereplaats krijg naast zijn andere slachtoffers.

Maar ik zet de gedachte snel van me af, ik wíl gewoon niet dat die mogelijkheid bestaat. Trouwens, ik ben niet in de positie om af te zeggen. Ik zal moeten vertrouwen op de goedheid van de mens, en vooral op die van Menno. Mijn hart bonkt van opwinding. Het eerste kleine stapje omhoog uit dit dal is gezet.

En dan floepen ineens de lampen weer aan. Ik slaak een verbaasde kreet en knipper met mijn ogen. Ik voel me ineens bijzonder lichtzinnig, een gevoel dat ik in geen maanden heb gehad.

Als ik het keukenkastje open waar ik de ongeopende rekeningen bewaar en er een hele stapel op de grond glijdt, bekruipt me niet het beklemmende gevoel waaraan ik al gewend ben geraakt. Ik raap de stapel met een haast achteloos gebaar op, prop de enveloppen terug in de kast en sluit het deurtje. Nog even, jongens, dan verdwijnen jullie uit mijn leven.

# 7

'IK KAN NIET', ZEG IK. DAAR IS GEEN WOORD VAN GELOGEN, wat weer eens iets anders is. 'Ik heb een afspraak.'

'Op kerstavond?' vraagt Eva. Ik hoor naast verbazing ook nieuwsgierigheid in haar stem.

'Ja.'

'Met je ouders of zo?'

'Nee, niet met mijn ouders.' Eva weet dat ik al sinds jaar en dag eerste kerstdag bij mijn ouders vier en aangezien mijn ouders nogal aan tradities en rituelen hangen, is het familiefeest echt niet ineens naar kerstavond verplaatst.

'Oh. Met wie heb je dan een afspraak?'

Eigenlijk wil ik het gevoel van opluchting dat zich voor het eerst sinds maanden van mij meester heeft gemaakt met haar delen, maar dan moet ik haar ook de rest vertellen.

'Met een man', zeg ik.

Opnieuw: niet gelogen.

'Een mán?' Alsof het zo moeilijk is voor te stellen dat ik op mijn negenentwintigste zoiets uitheems als een date heb.

'Ja, met een man, ja.' Het antwoord klinkt blijkbaar net zo gepikeerd als ik me voel, want Eva biedt snel haar excuses aan.

'Het verbaast me alleen dat je er niets over hebt gezegd.'

'Het geeft niet. Ik heb hem ook nog maar net ontmoet.'

'Waar?'

'Op school. Hij is onze nieuwe systeembeheerder.'

Eva fluit bewonderend. 'Zo, elkaar net ontmoet en nu al een date op kerstavond. Jij laat er geen gras over groeien.'

'Nee', antwoord ik. 'Hé, ik moet ophangen. Veel plezier dan met je etentje morgen.'

Ik sta op en loop naar mijn kledingkast. Het grootste deel van de kleding die ik bezit, heb ik de laatste tijd gedragen en hangt dus smoezelig en gekreukt ergens in mijn huis te drogen.

In mijn kast hangen verder nog twee felgekleurde zomerjurkjes, maar die zijn voor deze gelegenheid volledig ongeschikt. Verder heb ik alleen kleding die bestand is tegen vieze neuzen en verfhandjes, maar daarmee kan ik evenmin aankomen op een feestje. Het enige dat in aanmerking komt, is een zwart jurkje dat ik jaren geleden heb gekocht en waarvan ik me vaak heb afgevraagd waarom ik het eigenlijk heb. Maar nu komt het van pas. Ik kan het combineren met de donkerbruine laarzen die ik zelden draag, omdat ik niet dol ben op hakken. En misschien investeer ik wel in een panty.

Als ik een dag later door een snijdende, waterige kou van mijn huis naar dat van Menno fiets, vervloek ik mezelf om mijn gierigheid. Ik sta op het punt om driehonderdvijftig euro te verdienen, maar heb geen cent over gehad voor datgene wat mijn benen nog enigszins toonbaar maakt: een zwarte panty. Ik had bedacht dat ik die paar euro wel beter kon besteden, omdat ik verder toch nooit panty's draag, maar nu zijn mijn benen rood, paars en blauw van de vrieskou. Menno zal wel denken dat ik een nieuw soort junk ben, die gehecht is aan haar mooie armen en daarom haar benen verpest met spuiten. Gelukkig is het donker, al is het pas tien over halfvijf. Uiteraard ben ik weer eens te vroeg. Normaal zoek ik nog wel op internet op hoeveel reistijd ik moet rekenen, maar nu het kabelbedrijf onverbiddelijk de stekker eruit heeft getrokken, heb ik niets anders dan een kaart tot mijn beschikking. En die berekent geen reistijd.

Ik zet mijn fiets in een rek voor de deur, trek mijn jurk onder mijn jas recht, controleer mijn slot en verschik mijn jurk nogmaals. Daarna veeg ik mijn handen af, die ondanks de kou klam aanvoelen. Ik sla mijn sjaal nog een keer extra om mijn nek, en haal hem meteen weer los. Ik zet een paar stappen weg van Menno's voordeur en loop dan weer terug. Het voelt onwennig op hakken en ik heb het idee dat ik twee meter lang ben.

Ik schrik me rot als de deur opengaat. Een man verschijnt in de deuropening en ik weet meteen dat het Menno is. Niet dat ik wil beweren dat je een homo herkent als je er eentje ziet, maar Menno is wel van het slag homo dat je er vrij gemakkelijk uitpikt.

Onbegrijpelijk dat zijn familie zijn geheim nog niet heeft opgepikt. Misschien moet ik ze onder de kerstboom maar een schaar geven, om die oogkleppen los te knippen.

'Ben jij Lot?' vraagt Menno onzeker. Hij kijkt naar me en laat zijn blik dan langs me heen dwalen, de straat door, alsof hij de hoop koestert dat ergens achter mij een langbenige, hoogblonde beauty aan komt lopen die zich met die naam voorstelt.

'Eh... ja.' Ik schraap mijn keel, recht mijn rug en loop dan met uitgestrekte hand op Menno af. 'Ik ben Lot. Hai.'

'Menno.'

'Ja.'

'...'

Dit wordt een lange avond.

Ik vraag: 'Wil je meteen gaan?'

'Nee.' Zenuwachtig doet Menno een stap opzij. 'Kom binnen. Sorry, ik ben een beetje nerveus. Ik doe dit normaal gesproken niet.'

Ik ook niet, dus dat treft.

Ik volg Menno de trappen op, naar zijn appartementje op de vierde verdieping. Het is klein, maar toch zou ik er vanavond nog willen intrekken. Het huis bevat allerlei leukigheidjes die ik me niet meer kan veroorloven. De verwarming staat aan, er branden kaarsen en ik snuif de geur op van schoonmaakmiddel. Het grote plasmascherm aan de muur vertoont beelden van een of andere kerstfilm en ik staar er gebiologeerd naar. Verbluffend dat je gewoon kunt vergeten hoe het is om televisie te kijken. Ik vul mijn avonden tegenwoordig met het herlezen van alle boeken die ik bezit en het steeds opnieuw kijken van dezelfde dvd's. De beeldkwaliteit op mijn computer is op geen enkele manier te vergelijken met die van mijn plasma-tv, maar het is beter dan niets. Ik vrees de dag dat Leo mijn computer meeneemt.

De grootste luxe staat in een hoek van Menno's huiskamer en bevat voor mijn gevoel wel een miljoen lichtjes.

Menno volgt mijn blik en lacht een beetje verlegen. 'Ach ja. Dat is misschien raar, een man alleen met een enorme kerstboom, maar ik hecht nou eenmaal vreselijk aan tradities. Met Pasen ben ik bij wijze van spreken in staat om eieren voor mezelf te verstoppen.'

Ik wil hem vertellen dat ik het helemaal begrijp en dat ik moet slikken als ik een kerstboom zie. Mijn huis is dit jaar kil en kaal.

Maar ik knik alleen maar, maak mijn blik los van de boom en neem mijn klant van vanavond eens goed in me op, terwijl hij kerstcadeaus in een felrode Dirk-shopper stopt.

Menno is van gemiddelde lengte, met onopvallende blauwe ogen en donkerblond haar. Hij draagt een zwarte broek, een overhemd en glimmende schoenen, maar ik heb het idee dat dat een vorm van opoffering is voor het kerstfeest. Ik moet me wel sterk vergissen wil hij niet het type zijn voor spijkerbroek-shirt-sneakers-klaar.

Menno draait zich met een ruk om en ik wend snel mijn blik af.

'Zullen we gaan?' vraagt hij.

We laden de cadeaus in Menno's minuscule autootje. Het past allemaal maar net, en ik moet een groot pak op schoot houden, maar dat doet niets af aan het heerlijke gevoel eindelijk weer eens in de auto te zitten.

'Vertel eens iets over jezelf', zegt Menno als we de straat uit rijden.

Deze vraag had ik verwacht en dus antwoord ik gladjes: 'Ik ben dus Lot Venema, 29 jaar, kom oorspronkelijk uit een dorpje in de buurt van Utrecht, maar woon sinds een paar jaar in Amsterdam.' Zolang je dicht bij de waarheid blijft, vallen die paar kleine, maar noodzakelijke leugentjes minder op, las ik op internet toen ik weer eens een lunchpauze in mijn lokaal doorbracht. Er bestaan complete sites met liegtips. Die ontdekking maakte dat ik me meteen beter voelde. Duizenden, zo niet miljoenen mensen bevinden zich blijkbaar in een situatie waarin liegen hun dagelijks leven is geworden. Misschien moet ik een praatgroep beginnen. Of er een boek over schrijven. Ik kom vast bij Oprah op de bank en dan ben ik hartstikke binnen.

'Ja?' Menno's stem haalt me uit mijn gedachten. Ik moet me nu echt even concentreren.

'Ik werk met kinderen,' zeg ik, 'maar ik heb het gevoel dat ik daardoor af en toe het contact met volwassenen mis. Zo kwam ik op het idee om dit werk te gaan doen.'

Vanuit mijn ooghoek zie ik Menno zijn wenkbrauw optrekken. 'Je kunt ook gewoon een paar vrienden zoeken.'

'Dat is zo. En die heb ik ook. Maar ik vind dit werk zo inspirerend. Ik ontmoet echt de leukste mensen. Helemaal niet alleen maar zielige kneuzen.'

Oeps.

'Zoals ik?' vraagt Menno.

'Nee! Nee, natuurlijk niet! Anders zou ik het toch niet zeggen?'

Ik moet alle zeilen bijzetten om mijn fout te herstellen.

'Ik bedoelde een man die ik laatst als klant had', verzin ik snel. 'Maar laat maar, het is niet belangrijk. Het komt er p neer dat je soms dénkt dat iemand een zielige kn... een zielig figuur is en dat dat erg meevalt als je hem leert kennen.'

'Wat voor types heb je in je klantenkring?' vraagt Menno. Hij lijkt mijn opmerking alweer te zijn vergeten.

'Van alles', steek ik van wal. Ik draai mijn zorgvuldig ingestudeerde verhaaltje af. Halverwege verliest Menno zijn interesse. Oké, de miljardair die zo eenzaam was dat hij me wilde betalen om permanent in zijn kasteel te komen wonen, was misschien een beetje over the top.

'We moeten het nog even over ons hebben', verander ik snel van onderwerp. 'Waar we elkaar hebben ontmoet, bijvoorbeeld.'

'Oh ja.' Menno gaat iets meer rechtop zitten, waardoor hij het gaspedaal verder intrapt. Ik weersta de verleiding om me vast te pakken aan de deur. In dit tempo leggen we de afstand Amsterdam-Heino in twintig minuten af.

Menno merkt niets van mijn angst en broedt op een leuk verhaaltje om zijn familie om de tuin te leiden. 'In de bar', stelt hij voor. 'Jij was daar met je vorige vriend, die je voor mijn neus dumpte. Of nee!' Hij zwaait met zijn vinger door de lucht. 'Ik weet iets leukers. Hij zat aan de bar te zoenen met zijn minnares, waarop jij binnenkwam, hen betrapte en precies zoals in die ene reclame een glas water in zijn gezicht smeet. Prachtig, toch? Ik weet zeker dat mijn familie dit een geweldig verhaal zal vinden.'

'Dan doen we het zo', zeg ik. Grinnikend oefen ik het verhaal in gedachten. Ik ben allang blij dat er in de geschiedenis van onze ontmoeting een heldenrol voor mij is ingebouwd. Als ik dan toch moet acteren, dan speel ik niet graag de kneus.

'En hoe ging het verder?' vraagt Menno zich hardop af. Hij heeft nu helemaal de smaak te pakken.

Terwijl hij brainstormt over het verloop van onze niet-bestaande relatie, dwalen mijn gedachten weer een beetje af. Als mijn vriendinnen zouden weten waar ik me op dit moment bevond, zouden ze niet meer bijkomen van het lachen. Ik denk dat ik het ook allemaal heel hilarisch zou vinden, als de aanleiding voor dit alles niet een torenhoge schuld zou zijn.

'Wat vind je ervan?' vraagt Menno ineens.

Ik heb geen idee waar hij het over heeft. 'Waarvan?'

'Het verhaal van onze relatie.'

'Ja. Prachtig.'

'Wel goed uit je hoofd leren, anders vallen we meteen door de mand.'

Ik slik. 'Misschien moeten we het nog even stap voor stap doornemen. Voor de zekerheid.'

'Oké. Luister. Na het hele gebeuren aan de bar ben jij natuurlijk ontroostbaar, maar gelukkig ben ik er om je op te vangen. Ik voorzie je van wat gratis drankjes, we kletsen een tijdje en voor je het weet, ben je je ex vergeten en heb je alleen nog maar oog voor mij.'

Goed, de échte heldenrol is duidelijk niet voor mij. Maar whatever. Driehonderdvijftig euro.

'Aan het eind van de avond wil je het liefst meteen met me mee naar huis, maar dat houd ik nog even tegen. Ik wil immers geen misbruik maken van jouw kwetsbaarheid.'

Welja. Waarom ook niet?

'Maar ik geef je wel mijn telefoonnummer en de rest van de avond en nacht kan ik alleen nog maar aan jou denken.'

Dit lijkt er meer op.

'Meteen de volgende ochtend bel je me en vertel je dat je niet hebt kunnen slapen. En dat lag niet aan het overspel van je ex!' Hij grinnikt. Blijkbaar bevalt dit verhaal hem heel goed.

'Omdat ik niet zo goedkoop wil zijn je meteen thuis uit te nodigen, trakteer ik je op een weekendje Parijs.' Hij kijkt me aan en laat zijn stem wat dalen. 'Ook om uit te vinden hoe serieus jij onze ontluikende liefde neemt, hè?'

'Uiteraard', zeg ik.

'Ik regel kaartjes voor de Thalys en wacht je drie dagen later op op het Centraal Station. Dat is dan de tweede keer dat we elkaar zien. De vonk is er nog steeds, dat merken we allebei meteen. We nemen de trein en daar, in de Thalys, zoenen we voor het eerst.'

Mijn gedachten over dit zoetsappige Bouquetromannetje zijn blijkbaar van mijn gezicht af te lezen, want Menno zegt vergoelijkend: 'Natuurlijk weten wij allebei dat deze romance zo weggelopen is uit een foute Hollywoodfilm, maar daar zijn mijn moeder, mijn oma en mijn tantes gek op. Ik weet zeker dat we ze met dit verhaal een geweldige avond bezorgen en als we dan toch aan het liegen zijn, dan zie ik niet in waarom we ze niet op maat zouden bedienen.'

Daar kan ik hem geen ongelijk in geven. Menno begint te vertellen over zijn familie, zodat ik straks niet helemaal met mijn mond vol tanden sta. Tot mijn schaamte moet ik toegeven dat hij professioneler te werk gaat dan ik.

Ik luister aandachtig en probeer alles in me op te nemen, maar als we drie kwartier later uitstappen bij het huis van zijn ouders, heb ik het gevoel dat ik alles alweer ben vergeten. Zijn moeder heet Corrie, herinner ik me alleen. Of was dat nou zijn oma?

De deur zwaait open voor we hebben aangebeld. Ik krijg de indruk dat de hele familie het afgelopen uur zenuwachtig door de gordijnen heeft gespiekt om te zien of we er al aankwamen. Menno met een vriendin, een hele bezienswaardigheid.

Ik snuif genietend de heerlijke etensgeur op. Mijn maag knort luidruchtig en ik kuch overdreven om het geluid te maskeren.

'Mam, dit is Lot', zegt Menno. Ik schud de hand van een vrouw met kort, grijs haar en een zwarte, hoekige bril waarachter haar halve gezicht schuilgaat. Ze neemt me nieuwsgierig op en glimlacht gretig naar me.

'Hai, ik ben Corrie', zegt ze. Dus toch. 'Noem me alsjeblieft gewoon Corrie en geen "mevrouw", want dan voel ik me net zestig.'

'Dat ben je ook', bromt de man die naast haar staat, en dat blijkt Corrie een geweldig grappige opmerking te vinden. Als ze weer een beetje bijgekomen is, richt ze haar blik opnieuw op mij. 'Je mag me natuurlijk ook "ma" noemen', zegt ze.

Ik slik. 'Corrie lijkt me prima.'

Er dreigt een pijnlijke stilte te vallen, maar gelukkig verschijnt op dat moment een krasse bejaarde dame, die haar hand uitsteekt en de mijne bijna fijnknijpt.

'Hoi', zegt ze met een doorrookte stem. 'Ik ben Corrie.'

Ook al.

'Dat is zo verwarrend', zegt Corrie 1. 'Je kunt me toch beter "ma" noemen, anders begrijpt niemand het meer. Bovendien, ik ben Menno's moeder en daardoor ook een beetje de jouwe.'

Jemig, dat mens heeft echt gesnakt naar een schoondochter. Ik stel me Menno met een vriendje voor. Zou die haar ook ma mogen noemen?

'Dit is mijn zus', gaat Menno verder met voorstellen. 'Bianca. Bianc, dit is Lot.'

'Hai, Lot.' De geur van bubbelgum dringt mijn neus binnen. Hoewel Menno in de dertig is, is zijn zusje hooguit zeventien.

'Ze is een nakomertje', zegt Menno. Zijn mond is dicht bij mijn oor, zodat niemand het hoort. 'Negeer haar maar. Ze is negentien, maar gedraagt zich alsof ze twaalf is.'

Als ik me heb voorgesteld aan Menno's vader, zijn broer en een hele stroom aan ooms en tantes, gaan we naast elkaar op de bank zitten. Heel veel paar ogen kijken verwachtingsvol naar ons.

'En', zegt zijn oma dan. Ik voel de onvermijdelijke vraag aankomen. 'Waar hebben jullie elkaar ontmoet?'

Ineens ben ik het helemaal kwijt. In de Thalys? Nee, die kwam pas later. En dus was het ook niet in Parijs. Ik weet het gewoon niet meer.

Hoewel de meeste ogen op mij zijn gericht, redt Menno me. 'In de bar waar ik werk', vertelt hij. Oh ja, dat was het. Ik gooide water in het gezicht van mijn niet-bestaande ex, die me bedroog met een niet-bestaande minnares.

Ik veeg mijn klamme handen aan de zijkant van mijn jurk af. Ineens ben ik bloednerveus. De avond is nog maar net begonnen en ik heb geen idee hoe ik dit ga volhouden.

Menno port even in mijn rug en ik schiet naar voren. 'Eh... ja. Ik ken Menno inderdaad uit de bar. De Amstel Taveerne.' Ik glim van trots dat ik die naam heb onthouden. Zorgvuldig mijd ik de blik van Gert, Menno's broer, die natuurlijk donders goed weet dat je in de Amstel Taveerne geen vrijgezelle, jonge vrouwen oppikt. Menno heeft me verzekerd dat Gert voor honderd procent te vertrouwen is, maar toch maakt zijn aanwezigheid me zenuwachtig.

'Eigenlijk kom ik nooit in die bar,' vertel ik verder, 'maar die avond zocht ik mijn vriend. Ik had opgevangen dat hij daar wel eens kwam en ik dacht, laat ik ook gaan.'

'Niet zonder reden, natuurlijk', helpt Menno me herinneren.

'Nee! Nee, zeker niet.' Ik slik en probeer opnieuw mijn handen droog te vegen, maar ze worden meteen weer vochtig. 'Mijn vriend bedroog me. Ik betrapte hem en zijn minnares zoenend aan de bar.'

Menno neemt het even over. 'Ik had ze allang gezien, maar ik wist natuurlijk niet wie ze waren. Ineens kwam Lot binnen en voor ik doorhad wat er gebeurde, gooide ze zo het drankje van haar vriend in zijn gezicht.'

Er klinkt wat gelach en ongelovig gesnuif. Ik sla mijn blik neer. De rol van ster in een zoetsappige comedy bevalt me toch niet zo goed. Ik speel liever de grijze muis, denk ik. Al die aandacht maakt me bloednerveus.

'En toen?' dringen de Corries aan. Menno kijkt naar mij. Ik schraap mijn keel.

'Toen was het natuurlijk over en uit tussen ons. Enne...' Op dit punt in het verhaal kwam Menno weer om de hoek kijken. Maar hoe?

Gelukkig redt hij me opnieuw. 'Ik zag het allemaal gebeuren. En ik had medelijden met haar. Of nee, medelijden is niet het goede woord. Eigenlijk had ik bewondering voor haar. Ze liet eens even merken hoe ze in elkaar stak. Ik vind het aantrekkelijk als een vrouw haar mannetje staat.'

'Ja, met mij valt niet te sollen', neem ik het weer over. 'Mijn ex-vriend droop af als een geslagen hond. En zijn minnares knapte meteen op hem af. Ze dumpte hem ter plekke.' Dit stond niet in het script, maar nu ik er steeds beter inkom, vind ik het wel een aardige vondst.

'Net goed! Dat zal ze leren ons te bedriegen, die mannen!' Corrie 2 klapt in haar handen. Niemand reageert. Ik moet straks eens aan Menno vragen waar Corries man gebleven is.

'Daarna ging ik aan de bar zitten en daar raakte ik aan de praat met Menno. We dronken wat. Nou ja, ik dronk wat en hij schonk het in. Gratis. De avond werd toch nog gezellig.'

Corrie 1 zucht diep. Ze hangt aan mijn lippen 'Ja, vertel! Vertel!'

'Nee, die avond is er niets gebeurd', temper ik haar enthousiasme. 'Menno was zo galant om me slechts om mijn telefoonnummer te vragen.'

'Ho, wacht even. Volgens mij gaf ik jou míjn telefoonnummer.' Menno steekt zijn hand op. Jezus, wat een big deal over dit soort details. Is het niet cool om iemand je nummer te geven? Ik haal mijn schouders op. De klant is koning.

'Oh ja, zo zat het. Ik kreeg Menno's nummer. Eigenlijk wilde ik dezelfde avond nog bellen, maar ik heb het tot de volgende morgen weten te rekken. Menno vertelde me later dat hij de hele avond aan me heeft gedacht, maar dat hij niet de indruk wilde wekken dat hij eropuit was gebruik te maken van de situatie.'

Corrie 1 en 2 knikken goedkeurend.

'Ze belde de volgende ochtend', vertelt Menno. 'Ik wilde iets origineels doen en vroeg haar om met me naar Parijs te vertrekken. Gewoon, om te zien hoe serieus ze was. Tot mijn verbazing zei ze ja en drie dagen later zaten we in de Thalys. Op weg naar Frankrijk.'

Menno's oma smakt met haar kunstgebit. 'Prachtig. Wat een mooi verhaal. Het lijkt wel zo'n film, hè? Zoiets uit Howwieloet.'

'Hollywood, oma.' Menno knipoogt naar me. Niets blijft on-
opgemerkt, ook dit niet, en ik hoor een van de tantes een zucht
slaken.

'Mooi, hè', zegt ze tegen niemand in het bijzonder. 'De liefde.'

De kale man met bierbuik die naast haar zit, kijkt de andere kant op.

Menno staat op. 'Laten we gaan eten.' Ik durf eindelijk opgelucht adem te halen. De eerste ronde heb ik overleefd. Mijn
maag maakt de vreemdste geluiden en ik volg mijn zogenaamde vriendje snel naar het heerlijke buffet.

De rest van de avond herhaal ik de geschiedenis van onze liefde tot uit den treuren. Ik hoop dat ik het verhaal iedere keer
hetzelfde vertel, maar langzamerhand wordt iedereen zo dronken dat kleine details er niet meer toe doen. Ik overleef op uitsluitend water en vruchtensap, omdat ik niet kan garanderen
dat ik het toneelspelen volhoud met een paar wijntjes achter
mijn kiezen. Stel dat het me ineens een enorm grappig idee
lijkt om iedereen te vertellen dat Menno eigenlijk op mannen
valt. Niet alleen kan ik dan fluiten naar mijn driehonderdvijftig euro, ik bevind me ook nog eens op ruim een uur rijden van
huis zonder één rooie cent voor een treinkaartje.

Met het glas water stevig in de hand geklemd, sla ik ieder
aanbod van alcohol resoluut af. Gelukkig heeft nog niemand
zich genoeg moed ingedronken om me te vragen of ik soms
zwanger ben.

'Cadeautjes!' kondigt Corrie 1 rond een uur of negen aan.
Zwabberend baant ze zich een weg naar de kerstboom, waar-
onder zich een aanzienlijke stapel pakjes bevindt. Mijn blik
ontmoet die van Menno. Als we over een uur inderdaad weg
willen gaan, mag de familie het record uitpakken wel verbreken. Zo te zien zitten we hier tot diep in de nacht.

'Ik ga verdelen!' roept Corrie. Ze duikt in de stapel cadeaus, leest alle etiketten hardop voor en gooit het betreffende pakje dan in de richting waar ze de gelukkige ontvanger vermoedt. Ik vind het wel een komische vertoning, maar ik zie Menno door de grond gaan van ellende.

'En deze...' Corrie houdt het laatste pakje omhoog. 'Deze is voor Lot. Welkom in de familie.'

Ze overhandigt me het platte, langwerpige cadeautje en ik krijg een brok in mijn keel. Het is bijna jammer dat Menno en ik over een paar weken helaas onze relatie verbreken, omdat we hebben ontdekt dat onze karakters toch niet bij elkaar passen. Of welke draai hij er ook aan geeft.

'Nou, bedankt', zeg ik. 'Wat attent... Ma.'

Maar ze luistert al niet meer. Blijkbaar is het traditie dat iedereen op Corries teken de pakjes openscheurt en ze telt af van tien naar nul. Op nul vult de kamer zich met het geluid van scheurend papier.

Ik houd een enorme chocoladereep in mijn handen. Het water loopt me meteen in de mond.

'Geniet er maar lekker van, kind', zegt Corrie 2, die ineens naast me is opgedoken. Zelf houdt ze een fles whisky in haar hand, waar ze net zo verlekkerd naar kijkt als ik naar mijn chocolade.

Hoewel de chocolade me aankijkt en me smeekt om alvast een stukje te proeven, weet ik de verleiding te weerstaan. Ik berg de reep zorgvuldig op in mijn tas en zit ongeduldig het laatste uur van het familiefeest uit. Stipt om tien uur staat Menno op. Ik volg zijn voorbeeld.

'We gaan, mam. Het was gezellig.'

'Nu al?' Beide Corries reageren teleurgesteld.

'Ja.' Menno pakt onze jassen en houdt de mijne galant voor me op. 'Het is nog een eind rijden. En morgen moeten we weer vroeg op.'

'Oh ja?' vraagt de jongste Corrie nieuwsgierig. 'Waarom? Gaan jullie naar Lots familie?'

'Zoiets, ja.' Menno geeft eerst zijn moeder en dan zijn oma drie zoenen. Ik volg zijn voorbeeld en huiver als ik het smakkende kunstgebit vlak naast mijn oor hoor.

'Kom snel weer eens langs', drukte Corrie 1 me op het hart. 'We vonden het erg gezellig.'

'Dat zal ik zeker doen', zeg ik, huichelaar die ik ben.

Dan stappen Menno en ik in de auto en kan ik eindelijk ontspannen. Als we de straat uit rijden, kijkt Menno me aan.

'Dat ging goed, hè?'

Ik knik. 'Ja, ze hadden niets door, volgens mij.'

'Ben je wel eens door de mand gevallen?' vraagt Menno.

Ik overweeg een grappig verhaal te verzinnen over een familie die me eerst genadeloos ontmaskerde en vervolgens hun zoon met de twintig jaar oudere buurvrouw betrapte, maar ik ben er te moe voor.

'Niet dat ik weet', zeg ik. 'Hoe ga je mij nu weer laten verdwijnen? Wat voor vreselijk verhaal hang je op?'

Menno kijkt me bevreemd aan. 'Je doet niet echt aan klantenbinding, hè? Waarom zou ik je laten verdwijnen? Dit is me zo goed bevallen dat ik het vaker ga doen. Het eerstvolgende familiefeest is in februari, als een van mijn neven trouwt. Bij deze wil ik je vast boeken. Het gaat om de plechtigheid, de receptie, het eten én het feest. In totaal wel tien uur, denk ik. Of zit je die maand al volgeboekt?'

Overdonderd stamel ik: 'N-nee. Ik bedoel, er is vast nog wel iets te regelen.'

Met een chocoladereep in mijn tas en een nieuwe opdracht op zak leun ik ontspannen achterover.

# 8

ALS IK LANGZAAM WAKKER WORD, OVERVALT ME METEEN EEN extreem opgetogen gevoel dat ik in geen tijden heb gehad. Ik ben nog half in slaap en kan me nog niet zo goed herinneren wat er precies aan de hand is, maar mijn hart klopt snel en ik kan niet stoppen met glimlachen.

In mijn slaperige brein sijpelt de ware oorzaak van mijn uitgelaten stemming binnen. Het zijn de zeven simpele papiertjes die sinds eergisteravond op het aanrecht liggen.

Ik spring uit bed om ze te gaan bekijken. Heel voorzichtig raak ik de briefjes van vijftig aan, alsof ze zouden kunnen verdwijnen door mijn aanraking. Ik kan er nog niets mee omdat gisteren, op eerste kerstdag, alles gesloten was. Bovendien was ik bij mijn ouders, waar we tot mijn grote opluchting al tien jaar niet meer aan kerstcadeautjes doen. Wel aan uitgebreide kerstdiners, en ik heb voor de tweede dag op rij ongelooflijk lekker gegeten. Genietend denk ik daar aan terug. Het zal voorlopig wel de laatste keer zijn geweest.

Mijn telefoon gaat en ik zie dat het Natasja is.

'Hoi!' roep ik als ik opneem.

'Zo, jij bent vrolijk. Is er iets?'

Niets zeggen. Ik houd me in en vraag: 'Nee, niets. Hoezo?'

'Je klinkt alsof je net de loterij hebt gewonnen.'

Ik moet nu echt gaan uitkijken. Gespeeld zeg ik: 'De loterij? Nee joh, hoe kom je daar nu bij? Het zal wel door Kerstmis komen.'

'Heb je zo'n leuke kerst?'

'Ik? Jawel, hoor.' Ik friemel zenuwachtig aan een hoekje van een vijftigje.

'Oh. Oké. Hoe was het bij je ouders?'

Opgelucht laat ik mijn adem ontsnappen. 'Wel oké. Hoe heb jij het gisteren gehad?'

'Ook wel oké. Mijn familie uit Curaçao is over en logeert bij mijn ouders, dus dat was één groot feest. Ik ben om negen uur weggegaan, toen was ik echt kapot. Ik word oud, weet je.'

'Doe normaal', zeg ik, omdat Natasja net zo oud is als ik.

'Ach, je hebt ook gelijk. Het was ook niet mijn leeftijd. Mijn neef had een nieuw recept voor een cocktail meegenomen vanaf het eiland. Die hakte er wel in, kan ik je zeggen.'

'Katertje?'

'Mwah, een beetje. Vandaag doe ik het rustig aan.'

Dat zegt niets, bij Natasja. 'Ik zag dat er een geweldig feest is in de Melkweg. Er draaien heel goede dj's. Voor iedereen die kerst niet onder de boom wil vieren, is het motto. Zin om mee te gaan?'

Ja. Maar ik zeg: 'Ik weet het niet, hoor. Hoe laat begint het?'

'Het is al vanaf vier uur, zo'n beetje de tijd dat iedereen verplicht naar de familie moet.'

'Zijn er nog wel kaartjes verkrijgbaar?'

Ik staar naar mijn zuurverdiende geld. Hoewel ik een feestje best kan waarderen, ga ik dat er echt niet aan uitgeven.

'Ja, volgens mij wel.' Ik hoor wat geklik als Natasja het op internet opzoekt. 'Er zijn nog kaarten verkrijgbaar aan de kassa. Ze kosten wel iets meer dan in de voorverkoop. Vijfendertig euro, maar dan zit het eerste drankje erbij in.'

Ik verslik me bijna in mijn glaasje water. Vijfendertig euro? Zijn ze gek geworden?

'Mwah', zeg ik, koortsachtig zoekend naar een plausibele verklaring waarom ik niet mee ga.

'Wat is er? Is toch leuk?'

'Jawel.' Mijn oog valt op een krantje dat vorige week in de brievenbus lag. 'Maar ik ga al naar de meubelshow!' zeg ik dan opgelucht. 'Dat vind ik veel leuker. En dat duurt tot halfzes.'

'De meubelshow? Met wie ga je dan?'

'Met mijn moeder. Zij is ook dol op meubels. Vreemd dat je dat niet weet.'

'Nee. Oh. Nou ja, dan houdt het op. Doei!' Ze klinkt een beetje vreemd als ze ophangt. Ik vind het niet leuk om tegen mijn vriendin te moeten liegen, maar ik ben veel te opgewonden om er lang bij stil te staan.

Ik pak een schrijfblok en een pen en ik maak een boodschappenlijstje. Ik heb besloten dat ik de driehonderdvijftig euro ga gebruiken om eindelijk weer eens normaal boodschappen te doen. Als ik het gebruik om mijn schulden af te lossen, is het veel te snel verdwenen en bovendien zal zo'n miniaflossing het leed niet verzachten. Het scheelt me misschien één telefoontje van een afdeling wij-willen-geld-zien. Maar die neem ik toch niet meer op.

Nee, dit geld is voor mij en voor mij alleen. Ik schrijf alles op wat ik lekker vind. Chocolade, er moeten kilo's chocolade komen. En Tijgernootjes. En dubbelvla, oude kaas en vers donkerbruin brood. Het water loopt me nu al in de mond.

Maar ik moet nog een dag wachten, want de supermarkt is dicht.

Pas de volgende ochtend kan ik de boodschappen in huis halen. Ik sta extra vroeg op, zodat ik eerst naar de winkel kan gaan en daarna pas ga ontbijten. Het beeld van een dampend bruin brood heeft mijn netvlies nog niet verlaten.

Ik ben net aangekleed en wil mijn schoenen aantrekken als de bel gaat. Wie kan dat nou zijn? Het is nog maar net negen uur. Misschien de postbode, maar ik heb geen pakketje besteld.

'Wie is daar?' vraag ik als ik beneden ben, maar ik krijg geen antwoord.

Ik doe open. Meteen heb ik daar spijt van. Op de stoep staat Leo.

'Vrolijk kerstfeest. Alsnog', zegt hij met zijn kiezen op elkaar geklemd. 'Ik dacht al dat je op vakantie gegaan was.'

'Hoezo?' vraag ik, maar ik weet het antwoord al. De laatste paar keer dat Leo zich liet zien, heb ik niet open gedaan. Maar nu, op de dag na kerst, had ik hem niet verwacht.

Hij negeert mijn vraag. 'Gelukkig ben je er nu. Ik heb weer eens de vraag van een klant gekregen of ik bij je langs wilde gaan. Hij wil graag zijn rekeningen betaald hebben, maar neemt voorlopig ook genoegen met iets van waarde.' Hij loopt langs me heen naar binnen. 'Al verwacht ik niet dat je daar nog veel van hebt.'

Leo loopt naar boven en het enige wat ik kan doen, is achter hem aan gaan. Het geld. Shit, het geld ligt op het aanrecht.

'Stop!' roep ik, maar hij kijkt alleen maar even over zijn schouder.

'Ik ben zo weer weg, dus maak je maar niet druk.' En dan gaat hij mijn appartement binnen. Ik sta op de gang en laat mijn hoofd tegen de muur rusten. Het is niet moeilijk te raden op welk moment hij het geld vindt.

'Hééé', zegt hij langgerekt. 'Je hebt een klein kerstcadeautje neergelegd, zie ik. Kijk, daarmee bespaar je jezelf en mij heel veel tijd. Als je dat vanaf nu iedere keer doet, gaat het de goede kant op.'

Hij loopt de gang weer in en ziet mij met mijn hoofd tegen de muur geleund staan. 'Is er iets?'

Ik verzamel al mijn krachten en kijk hem aan. 'Nee. Niets.'

'Oh, je had dat geld nog nodig?' Leo kijkt me met zijn priemende oogjes aan. Hij wappert met de biljetten die voor hem heel wat minder waarde hebben dan voor mij.

'Ach, ik ben de beroerdste niet', zegt hij, terwijl hij een briefje van vijftig voor me op de grond gooit. 'Opnieuw een vrolijk, maar verlaat kerstfeest, Charlotte.'

Pas als Leo de deur met een klap achter zich heeft dichtgetrokken, durf ik me weer te bewegen.

Met veel moeite weet ik het geld op te rapen. Verslagen ga ik mijn appartement weer binnen.

Als ik de lege plek zie waar tot een paar minuten geleden het geld lag, kan ik de brok in mijn keel niet langer wegslikken. De tranen lopen over mijn wangen. Weg kilo's chocolade, weg Tijgernootjes.

# 9

‘HALLO?’

Argwanend neem ik mijn telefoon op. Het is een doordeweek-se dag en ik word gebeld door een nummer dat ik niet ken.

‘Goedendag, u spreekt met Reinier van Deutekom. Is dit eh...’ Er klinkt geritsel. ‘Is dit Lot?’

Mijn hart slaat over. Blij dat ik toch heb opgenomen, zeg ik: ‘Ja, ik ben Lot. Waar kan ik u mee helpen?’

‘Ik bel naar aanleiding van de advertentie. Op Marktplaats. Bij toeval zag ik hem staan en ik... Tja. Ik ben op zoek naar ie-mand.’

De beller voelt zich zo te horen nogal ongemakkelijk. Dat geldt voor mij ook, maar ik weet het beter te verbergen.

‘Dan bent u aan het goede adres’, zeg ik. ‘Ik pak even de agenda erbij. Voor wanneer is het?’

‘Over twee weken. Het gaat om een galadiner van mijn be-drijf.’

Ik blader door een stapeltje onbetaalde rekeningen. 'Is dat 9 januari?'

'Ja, dat klopt. In de avond. Vanaf een uur of halfzeven en het duurt zeker tot na twaalven.'

Nog meer geblader. 'Ja, dat gaat nog wel lukken. Even kijken. Vanaf halfzeven, zei u?'

'Ja, kan het nog? Ik ben misschien een beetje laat met boeken. Maar ik wist niet...'

'Oh nee, het kan nog, hoor', zeg ik snel.

'Mooi.' Hij geeft me zijn adres, dat ik op een aanmaning van Nuon krabbel. Ook schrijf ik zijn e-mailadres op, voor de orderbevestiging. Een nieuw principe dat ik net heb verzonnen en dat ik zelf heel professioneel vind klinken.

'Het ging om een galadiner, zei u?'

'Ja, dat klopt. Normaal gesproken zou ik daar alleen naartoe gaan, maar ik heb nogal eh... Ja. Ik heb nogal opgeschept over mijn vriendin.'

Er valt een stilte. 'Ja?'

'Het probleem is alleen dat ze me gisteren heeft verlaten. Ik heb alleen mijn medewerkers verteld dat ik met mijn vriendin zou komen. Mijn mooie vriendin. Mijn fotomodelvriendin.'

'Aha', zeg ik.

'Ik heb nogal hoog van haar opgegeven. Het is misschien een beetje raar om dit te vragen, maar hoe zie je eruit?'

Niet als een fotomodel, vrees ik. Voor het eerst ben ik blij dat ik zoveel ben afgevallen. Het probleem is meer mijn hoofd. Ik ben in geen maanden naar de kapper geweest en mijn huid is dof en onrustig door het gebrek aan vitamines.

'Nou?' dringt de nieuwe opdrachtgever aan.

'Ik denk dat ik aan de verwachtingen kan voldoen', zeg ik, denkend aan het geld dat ik niet kan missen.

'Dat is mooi. En heb je ook een galajurk?'

Ik slik. Nee, natuurlijk niet. Maar ik zeg: 'Geen enkel probleem. Dat regel ik.'

'Goed. Als je mij de orderbevestiging mailt, stuur ik je mijn adres. En dan zie ik je op 9 januari om halfzeven.'

Ik verbreek de verbinding. Wat ik nu nodig heb, is een galajurk en een internetverbinding. Misschien kan ik bij Eva terecht. Ik weet dat ze een galajurk bezit, die ze heeft aangeschaft voor een feestje met haar vorige vriend. Het ding kostte zeshonderd euro en Eva heeft hem slechts een uur gedragen, want toen het feest net begonnen was, vertelde haar vriend haar plompverloren dat hij liever vrijgezel wilde zijn om vervolgens het feest te verlaten en zich met zijn vrienden te bezatten in de kroeg. Eva ging huilend naar huis en was er wekenlang stuk van. Natasja en ik hebben haar er slechts met veel moeite van weten te weerhouden de jurk in de prullenbak te gooien.

Maar de jurk is van later zorg. Ik moet nu eerst zorgen dat ik een orderbevestiging kan sturen, maar met de afsluiting van de kabel is me de toegang tot het internet ontzegd.

Ik loop naar beneden en klop aan bij mijn buurman. We spreken elkaar bijna nooit. Hij is nogal een vreemde snoeshaan, maar vast wel eentje die op internet kan.

Hij doet de deur open in een verschoten badjas. Zijn baard van drie dagen verraadt dat hij geen bezoek verwachtte en al helemaal zijn bovenbuurvrouw niet. Het is een ongeschreven regel in ons huis dat we elkaar met rust laten, tenzij er brand is of de gasleiding lekkage vertoont. De verplichte vergaderingen van de Vereniging van Eigenaren houden we niet en ik stort elke maand geld op de rekening van de vereniging, maar ik heb werkelijk geen idee waar het terechtkomt. Aangezien ik de afgelopen maanden, toen mijn bijdrage is uitgebleven, niets heb gehoord, heb ik de indruk dat niemand zich geroepen voelt als penningmeester te fungeren.

Mijn buurman kijkt me argwanend aan. 'Oh, hai. Is er iets?'

'Nou, op zich niet, maar ik heb een vraag.' Ik gedraag me zo luchtig mogelijk, maar ik weet zeker dat ik niet wegga voor ik mijn doel heb bereikt. 'Mijn internetverbinding doet het al dagen niet meer.'

'Oh.'

'Heb jij ook problemen?'

'Nee.'

'Echt niet?'

'Nee.'

'Ook niet een beetje?'

'Nee.'

'Oh.'

Een ongemakkelijke stilte maakt dat we allebei opzij kijken. 'Is het dringend?' vraagt de buurman uiteindelijk.

'Ja, nogal. Wat fijn dat je het aanbiedt.' Ik zet een stap naar voren en er zit voor hem niets anders op dan naar achteren te gaan. 'Je mag anders wel even hier...' zegt hij en voor hij zijn zin heeft afgemaakt, zit ik al achter zijn computer.

'Wat ontzettend vriendelijk van je. Ik ben zo weer weg.'

Ik probeer zo oppervlakkig mogelijk adem te halen om niet misselijk te worden van de geur van oude sigaretten. Naast de computer staan lege bierflesjes en whiskyglazen.

Mijn buurman strekt zich uit op de bank en steekt een sigaret op.

'Je moet bellen', zegt hij.

'Sorry?'

'Je internetprovider. Anders regelen ze het nooit.'

'Goed idee.' Kan hij zijn mond niet houden?

Ik open Hotmail en mijn hart slaat over als ik zie dat ik vier nieuwe berichten heb op het adres van Lotalsgezelschap. Snel lees ik ze door. Twee zijn er van mannen die me best als gezelschap willen, maar dan wel uitsluitend 's nachts. Eén bericht is van een zekere Michel, die meer over de mogelijkheden van de service wil weten. Hem antwoord ik snel dat hij me kan bellen. Het laatste bericht is van ene Harry, die volgende week op kraamvisite moet, maar zo'n hekel heeft aan baby's dat hij graag vrouwelijk gezelschap meeneemt om het troetelen aan over te laten. Ik stuur hem ook een mail met mijn telefoonnummer.

Dan draai ik in Word een orderbevestiging in elkaar en mail die vlug naar mijn nieuwste klant. Ik moet hier weg, en snel ook.

'Bedankt, hè!' roep ik naar mijn buurman, die half in slaap is. 'Ik zal bellen.'

Snel ren ik terug naar mijn eigen appartement, dat er ineens ontzettend aantrekkelijk uitziet.

Als ik op het punt sta om Eva te bellen en het gesprek subtiel op de jurk te brengen, gaat mijn telefoon.

'Hallo?'

'Lot, met Menno!'

'Oh, hoi.'

'Ik wilde je nog even bedanken voor de avond bij mijn familie. Ze zijn helemaal weg van je en vragen zich af wanneer je weer komt.'

'Echt waar?' Ergens voel ik me trots. Het is me nooit eerder gelukt om zo snel zo populair te raken bij een schoonfamilie.

Menno klinkt werkelijk opgetogen. 'Ja, geweldig, hè? Ik had niet gedacht dat het zo goed zou werken. En daarom bel ik je ook. Ik zei dat ik je in februari weer nodig had, en dat is ook zo, maar ik wil je ook graag voor die tijd nog een keertje inhuren.'

'Dat kan natuurlijk.' Mijn hart klopt in mijn keel.

'Ik hoop alleen wel dat je kunt, want het is vast een populaire dag.'

Mijn keel wordt droog. 'Zeg het maar.'

'Nieuwjaarsdag. Een tariefsverhoging zal ik uiteraard betalen.'

Dat is een verdomd goed idee. 'Gelukkig kan ik die dag nog, maar dan ben ik inderdaad wel genoodzaakt om honderdtwintig procent te rekenen.'

'Geen probleem', zegt Menno.

Ik had honderdvijftig moeten vragen.

'Gaan we weer naar je familie?'

'Nee, deze keer heb ik een feestje met oude schoolvrienden. Het is in Zwolle, omdat veel van hen Amsterdam veel te ver weg en bovendien reuze gevaarlijk vinden.'

'Is het overdag of 's avonds?'

'Vanaf een uur of vijf en ik denk dat we om tien uur terug zijn in Amsterdam. We moeten om vier uur weg, dus dat komt neer op zes uurtjes. Driehonderdzestig euro. Oké?'

'Ja, akkoord.' Ik kan het geld al bijna tussen mijn vingers voelen knisperen.

'Ik kom je wel halen', biedt Menno aan.

'Nee,' zeg ik snel, 'dat is niet nodig. Ik ben eh... niet thuis dan. Ik kom wel naar jou toe.'

'Ook goed', zegt hij. 'Ik zie je rond een uur of vier.'

'Afgesproken.' Ik houd me in tot ik heb opgehangen en slaak dan een vreugdekreet. Driehonderdzestig euro! En deze keer verdwijnen ze niet in de zak van de deurwaarder. Nee, van dat geld ga ik eens even schandelijk genieten.


'Laten we naar de Dam gaan', stelt Eva voor.

We zitten met z'n vieren in haar gezellige huiskamer. Natasja, Eva en ik hebben ons de hele avond vermaakt met ouderwetse bordspelletjes, maar nu het tegen elven loopt, zijn we dat wel zat. Herbert zit erbij met een gezicht als een oorwurm. De vreselijke spelshow op RTL 4 die hij wilde zien, is door ons met luid gejoel weggestemd. Daarna is hij een boek gaan lezen, terwijl hij ons vernietigende blikken bleef toewerpen. Niemand besteedde aandacht aan hem, Eva al helemaal niet.

'Ja, leuk!' Natasja veert overeind. Zij voelt zich ook niet helemaal op haar gemak, met een chagrijnige Herbert die de sfeer bepaalt. 'Ga je mee, Charlotte?'

'Natuurlijk.' De Dam is ongeveer de enige plek in de stad waar vanavond, oudejaarsavond, geen entree wordt geheven.

Eva staat op en werpt een blik op Herbert. 'Ga jij ook mee of blijf je hier zitten?' De spanning tussen die twee is te snijden en ik hoop dat Herbert ervoor kiest om het begin van het nieuwe jaar te vieren met uitsluitend zijn favoriete persoon op aarde om zich heen: zichzelf.

Maar helaas staat hij op van de bank. 'Ik ga wel mee.'

Eva negeert hem en trekt haar jas aan. Natasja en ik volgen haar voorbeeld. Niemand zegt iets.

Ik wilde vanavond om Eva's galajurk vragen, maar ik heb geen goede smoes voorhanden en bovendien lijkt dit me niet het goede moment. Gelukkig is het diner pas over tien dagen. Voor die tijd bedenk ik vast wel iets.

Eenmaal op de fiets zorg ik dat ik zo snel mogelijk naast Natasja kom te fietsen. Het laatste waar ik zin in heb, is de vier kilometer naar het centrum naast een geïrriteerde Herbert af te leggen.

Natasja zendt me een veelbetekenende blik. 'Gezellig', zegt ze, en we giechelen allebei.

'Arme Eva.' Ik kijk achterom. Eva en Herbert fietsen een heel eind achter ons. 'Ik begrijp niet dat ze een kind van hem wil', zeg ik. 'Ze heeft al een kind áán hem!'

Natasja schatert. 'En nu is hij op z'n pik getrapt dat hij zijn zin niet krijgt. Dus die baby zit er voorlopig helemaal niet in!'

'Goeie', grinnik ik.

'Zullen we een beetje doorfietsen?' Herbert haalt ons in-eens in en zendt ons een blik die verraadt dat hij ons het liefste rechtstreeks de Amstel in ziet fietsen.

Eva volgt hem, voorovergebogen over haar stuur. Ze zegt niets, maar haar gezicht spreekt boekdelen.

Natasja en ik trappen flink door, maar we verliezen hen al snel uit het oog. Pas vlak bij de Dam zien we ze weer, op de plek waar we altijd onze fietsen neerzetten. Eva kijkt reikhalzend naar ons uit, Herbert houdt zijn blik expres afgewend. De on-wil straalt van hem af, maar hij heeft nog net het fatsoen om te blijven staan.

'Hè hè', zegt Natasja als ze haar fiets op slot zet. 'Ik zweet me suf. De Tour de France is pas over zes maanden, hoor.'

Herbert reageert niet. Eva kijkt naar hem en maant Natasja dan met haar ogen tot stilte. Maar Natasja doet alsof ze het niet ziet.

'Als je vooraan wilt staan, had je er al om zeven uur moeten zijn', zegt ze. 'Nu sta je toch achteraan, dan maken die vijf mi-nuten ook niet meer uit.'

'Zullen we gaan?' vraagt Herbert afgemeten en we lopen met z'n vieren het plein op. Eva en Herbert gaan voorop, Natasja en ik volgen op afstand.

'Ik proost straks op het einde van hun relatie in het nieuwe jaar', zegt mijn vriendin. 'Dat is voor Eva alleen maar beter. Ze moet iemand zoeken die haar verdient.'

Eva is inderdaad veel te goed voor Herbert. Ik houd mijn hart vast voor de toekomstige baby. Na het kraambezoek met Harry gisteren, waar ik toch even honderd euro aan overhield, besef ik weer hoeveel werk een baby betekent. Ik zie Herbert nog niet zijn vrijheid opofferen voor zo'n kleintje. Eva zal on-getwijfeld een geweldige moeder worden, maar wat blijft er dan over van de vriendin die ik heb? Waarschijnlijk niets anders dan één bonk stress, die alles doet om het iedereen naar de zin te maken, maar zichzelf daarbij vergeet. Het probleem met Eva is dat ze veel te lief is.

Ze zou me kunnen helpen, schiet het dan ineens door mijn hoofd. Als ik Eva uitleg wat er is gebeurd, maakt ze vandaag nog al het geld dat ik nodig heb naar me over. Desnoods leent ze er zelf voor.

Maar ik druk de gedachte snel weg. Ik zit er nu al veel te lang in om nog om hulp te vragen. Ze ziet me aankomen!

Wanneer is dat gebeurd, zal haar eerste vraag zijn. En dan moet ik zeggen dat ik al sinds september op zwart zaad zit. Ik denk dat Eva diep beledigd zou zijn en daar zou ze niet eens ongelijk in hebben. Als het andersom zou zijn, zou ik me ook gekrenkt voelen.

Als het andersom zou zijn. Interessante gedachte. Stel dat Eva naar me toe zou komen met het verhaal dat ze door Herbert kaalgeplukt was en dat ze grote schulden had. Dan zou ik haar natuurlijk ook helpen. Die klootzak van een Herbert zou er nog toe in staat zijn ook!

Ik dwing mezelf om aan iets anders te denken. Het is te laat om om hulp te vragen, ook al heb ik mijn trots allang opzij gezet. En zelfs het idee dat iemand 'dat zei ik toch' zou zeggen, lijkt steeds minder angstaanjagend.

Ik schud mijn hoofd alsof ik daarmee de gedachte kan verjagen die heel even opspeelde. Ik zal niemand vragen om me te helpen. Je moet het zelf opknappen, zei mijn vader vroeger altijd. Daar leer je van. Altijd moesten Bastiaan en ik dingen zelf opknappen, want daar werden we zelfstandig van. En dus moest ik op een dag, toen ik een jaar of zes was, trillend van de zenuwen aanbellen bij de buren om ze te vertellen dat door mijn schuld hun konijn was weggelopen. Ik zou op het beest passen toen ze een weekendje weg waren en hoewel ik ervan overtuigd was dat ik het hok goed had dichtgedaan, stond het deurtje de volgende dag open en was het konijn in geen velden of wegen te bekennen. Ik was de enige die het gedaan kon hebben en dus moest ik in m'n eentje het slechte nieuws gaan vertellen en aanbieden dat we een nieuw konijn zouden kopen. Ik had mijn vader en moeder gesmeekt om mee te gaan – of liever nog, om zonder mij te gaan – maar ze weigerden. Het was mijn schuld, dus ik moest het oplossen. De buurman werd razend en ik ben huilend naar huis gevlucht. Mijn moeder vond het wel zielig voor me, maar mijn vader was alleen maar tevreden dat ik het zelf had geregeld en dat ik later in elk geval geen onzelfstandig mietje zou worden. Zo zei hij dat. Ik heb het altijd onthouden.

'Zeg, waar zit jij met je gedachten?' Natasja stoot me aan.

'Hè? Oh. Niks.' Ik toon mijn meest zorgeloze glimlach. 'Heb jij nog goede voornemens?'

'Minder eten', zegt ze. Ze grijnst. 'En meer seks.'

'Dat gaat allebei niet lukken. Verder nog iets?'

'Nee, verder niets. En trouwens, ik ben nu ook al heel gelukkig.' Ze haakt haar arm in de mijne. 'We hebben altijd elkaar nog.'

Ik krijg een warm gevoel van binnen en even verdwijnen al mijn problemen naar de achtergrond.


'Liefde is te koop.'

'Oh ja?' Ik kijk opzij naar Menno. Hij heeft beide handen op het stuur en kijkt niet naar mij.

'Ik denk het wel. Neem nou zo'n service als die van jou.'

'Ik verkoop geen liefde', verbeter ik hem. 'Ik verkoop gezelschap. In feite verkoop ik een dekmantel.'

'Ja, maar je verkoopt de suggestie van liefde.'

Daar moet ik even over nadenken. Misschien heeft Menno gelijk, maar ik vind het nogal hoogdravend klinken.

Ik haal mijn schouders op.

'Noem het hoe je wilt. Het gaat mij erom dat ik werk doe wat ik leuk vind en dat ik mensen kan helpen.'

'Nou, mij help je in elk geval behoorlijk', grijnst Menno.

'Vertel eens iets over je vrienden', zeg ik.

Menno gaapt. 'We zijn samen opgegroeid, maar daarna zijn we allemaal onze eigen weg gegaan. Of nee, dat is niet helemaal waar. Ik ben mijn eigen weg gegaan en dat geldt voor nog twee of drie van hen, maar de rest is altijd met elkaar blijven optrekken. Ze zijn meteen na de middelbare school gaan werken en zijn elkaar in de weekenden blijven zien in de kroeg. Tot ze allemaal gingen trouwen en kinderen kregen, toen werden ze saaie huispapa's die zwaar onder de plak van hun vrouw zitten en die maximaal eens per maand een avondje uit mogen. Maar uiterlijk om middernacht moeten ze thuis zijn.'

'Je hebt niet echt een hoge pet van ze op, hè?' vraag ik.

'We zijn uit elkaar gegroeid.' Menno schudt zijn hoofd en zegt een tijdlang niets. Ik durf de stilte niet te verbreken. Ik staar uit het raam, maar zie niets.

'Ze zijn best oké, maar we begrijpen elkaar niet meer', gaat Menno dan verder. 'Zij hebben gezinnen en verantwoordelijke banen en ze zijn elke dag om zeventien punt nulnul uur thuis, waar de avondmaaltijd op tafel staat, bereid door moeder de vrouw die zelf niet werkt.'

Hij schudt zijn hoofd. 'Dat is gewoon niet mijn manier van leven. Maar ze moeten het zelf weten. Ik heb niet zoveel met ze te maken. We drinken af en toe een biertje en daar blijft het bij. Eens in de twee jaar, zoals nu, is een mooi gemiddelde.'

'Dus dit is een soort reünie?' vraag ik.

Menno schiet in de lach. 'Zo zou je het kunnen zien. Eigenlijk is het hetzelfde als een vakantiereünie: je komt alleen maar bij elkaar om te herhalen wat zo leuk was, maar zo leuk als het was, wordt het toch niet meer. Vroeger is voorbij.'

Ik knik en weet niet wat ik moet zeggen. Menno zet een cd'tje op en we luisteren naar George Michael.

Dan zet Menno ineens de muziek zachter. 'Vertel eens iets over jezelf. Hoe ben je in dit vak terechtgekomen?'

Geinig dat hij het een vak noemt. Ik denk hard na over een opleiding die mijn opvallende werk zou kunnen verklaren, maar ik weet niets te verzinnen.

'Ach, je rolt erin, hè?'

Menno trekt zijn wenkbrauwen op. 'Oh ja?'

'Ik vertelde je toch al dat ik in het onderwijs werk? Nou, daar heb ik gemerkt dat er veel mensen zijn die opzien tegen feestdagen en andere speciale gelegenheden.'

Hoe merkte ik dat, vraag ik me af. Het is lastig om te praten en na te denken tegelijk, maar toch beantwoord ik mijn eigen vragen.

'Mensen vertellen je een hoop als je de juf van hun kinderen bent', zeg ik. 'Je straalt op een of andere manier vertrouwen uit, volgens mij. En voor je het weet huilen de ouders bij je uit.'

'Dus daar haal je ook de meeste klanten vandaan.'

'Nee!' Ik schud mijn hoofd. 'Ik houd mijn werk als kleuterjuf hier helemaal gescheiden van.'

'Huh?' Menno kijkt me even aan. 'Werk je nog steeds in het onderwijs dan? Ik dacht dat dit je enige werk was.'

De gedachten buitelen over elkaar heen. Ik probeer ze te ordenen, maar dat lukt niet.

'Nee,' zeg ik uiteindelijk, 'dit is niet mijn enige werk. Maar ik ben wel minder voor de klas gaan staan. Ik vind de combinatie nou eenmaal erg leuk.'

Dat klinkt redelijk, al zeg ik het zelf. Gelukkig vraagt Menno niet verder. Ik heb het gevoel dat ik de tijd moet volpraten.

'Gelukkig is het nog nooit gebeurd dat ik bijvoorbeeld een vader van school als klant kreeg. Dan zou ik aan de telefoon al nee zeggen, denk ik.'

Menno knikt. 'Het zou erg ongemakkelijk zijn. De vraag is alleen voor wie het erger is: voor jou of voor de vader in kwestie.'

Ik weet het niet en ik heb geen behoefte om erover na te denken. Het liefst stop ik zo snel mogelijk weer met dit werk, voor die situatie zich zou voordoen. Maar op dit moment ben ik bepaald niet in de positie om de eisen te stellen.

Ik vraag Menno naar zijn moeder en gelukkig laat hij zich makkelijk afleiden. Mijn verhitte wangen koel ik tegen het autoraam.

# 10

'WAAR HEB JIJ MIJN GALAJURK VOOR NODIG?'

'Iets van mijn werk', zeg ik snel. Deze verklaring heb ik thuis voor de spiegel geoefend, maar nu ik tegenover Eva zit en recht in haar gezicht moet liegen, sla ik mijn blik snel neer. 'We hebben een afscheid van iemand die er heel lang heeft gewerkt en het leek Frans een leuk idee als we een galadiner zouden organiseren. Ik heb alleen geen galajurk.'

'Je mag hem lenen en je mag hem houden', zegt Eva. 'Ik heb die jurk na die ene keer nooit meer aangetrokken. Volgens mij ga ik het ook nooit meer doen.'

'Dat moet je niet zeggen. Over een paar jaar ben je zijn naam vergeten en weer een paar jaar later vraag je je af hoe je toch aan die prachtige jurk komt en waarom je hem nooit draagt.'

'Dat denk ik niet', zegt Eva. Ze loopt naar de slaapkamer en komt terug met de jurk. Hij is nog mooier dan ik me herinnerde. Het zwarte fluweel glanst en de glimmertjes waarmee de randen zijn afgezet, versterken dat effect. Het decolleté is diep uitgesneden, maar wel zo dat het nog smaakvol is. Het is een kleine maat achtendertig, die moet ik wel passen.

Met tranen in haar ogen aait Eva over de stof. Ze vindt de jurk fantastisch, dat weet ik, maar ze durft hem niet te dragen. Ik weet zeker dat hij haar geweldig zou staan.

'Trek hem eens aan', zeg ik.

Eva kijkt me verschrikt aan. 'Nee, zeg. Trek jij hem eens aan, jij bent degene die hem moet passen.'

'Als ik hem aan heb, kan ik er niet naar kijken.'

Ik noem het bestaan van de spiegel niet. Ze gaat overstag en verruilt haar simpele donkerbruine jurkje voor het spectaculaire zwarte exemplaar. Heel voorzichtig rits ik hem dicht. Net op het moment dat Eva het elastiekje uit haar haar haalt en haar blonde krullen glanzend over haar schouders vallen, komt Herbert binnen.

Hij blijft staan en zijn adem stokt. Dit is het effect waarnaar ik op zoek ben, al zie ik het liever niet bij Herbert. Maar als Reinier ook maar een klein beetje zo reageert wanneer ik mijn entree maak, zit ik gebakken.

'Hoe kom je daar nou aan?' vraagt Herbert ademloos.

Eva glimlacht en slaat haar blik neer. 'Die had ik nog', zegt ze met een achteloosheid die duidelijk gespeeld is. Ik weet het zeker: de jurk is gered. De vloek is verdwenen.

'Charlotte gaat hem van me lenen', zegt Eva. 'Ze heeft een galadiner op haar werk.'

'Wat? Op die kleuterschool?' Herbert weet me altijd zo fijnzinnig duidelijk te maken wat hij van mijn werk vindt.

'Ja, op school', antwoord ik. 'Hoezo?'

'Nee, niks.' Hij loopt langs ons heen en verdwijnt naar de werkkamer. Ik probeer Eva's blik te vangen, maar ze kijkt naar beneden. Naar haar eigen lichaam in die geweldige jurk.

Een paar uur later doe ik precies hetzelfde. Ik sta in mijn slaapkamer en kan niet geloven dat het mijn lichaam is dat zo spec-
taculair door de prachtige stof wordt omhuld.

Ik haal mijn handen door mijn haar, dat ik voor de gelegenheid mooi heb geföhnd. Ik draag het eens los en niet in
een staart. Het resultaat is dat het in luchtige krullen op mijn
schouders danst. Ik schud een beetje met mijn hoofd en geniet
van het effect. Ik wist niet dat ik er zo uit kon zien. Het lijkt wel
alsof ik iemand anders in de spiegel zie. Tot mijn eigen verbazing vond ik het zelfs leuk om me op te doffen en ik kan mijn
blik bijna niet van mijn spiegelbeeld losmaken.

Met veel fantasie kan ik best voor een fotomodel doorgaan.
Met heel veel fantasie, dat wel.

Ik ben blij met mijn afgeslankte figuur. Binnenkort zal ik
wel in maat zesendertig passen. Misschien moet ik het geld
dat ik vanavond ga verdienen maar niet uitgeven aan chocolade en mijn lievelingskoekjes, al was dat wel mijn plan nadat ik
met ijzeren discipline het grootste deel van Menno's geld naar
de bank had gebracht. Ik zet mijn handen op mijn smalle heu-
pen en zend mezelf een zelfverzekerde blik in de spiegel. Om
mijn nek hangt het kettinkje dat ik voor mijn verjaardag heb
gekregen.

Nog een halfuur en dan komt Reinier me ophalen. Ik schik
mijn haar nog een beetje, al is dat niet nodig. Na nog een kritische blik in de spiegel knik ik tevreden. De afgelopen twee weken heb ik een foundation, een poeder, een mascararoller en
twee kleuren oogschaduw bij elkaar weten te sprokkelen door
niet alleen mijn vriendinnen, maar ook mijn moeder te beste-
len. Zelf had ik bijna niets aan make-up in huis en ik vind het
zonde om er geld aan uit te geven. Mijn plan was om alles na
gebruik terug te leggen, maar ik weet niet of ik nog een keer de
stress van het stiekeme aankan.

Met mijn tasje stevig onder mijn arm geklemd sta ik achter de deur te wachten tot de bel gaat. Reinier zou hier over twintig minuten moeten zijn.

Ik bestudeer mijn nagels en voor het eerst vallen me de witte vlekken op. Zou dat ook iets betekenen? Kalkgebrek?

Misschien moet ik bij Eva een flesje nagellak meenemen. Ze heeft vijftig verschillende kleuren en één daarvan mist ze vast niet. Er hoeft maar één iemand te zijn die me vraagt wat er met mijn nagels aan de hand is, en ik vestig weer eens de aandacht op mezelf. Vooral op mijn werk kan ik dat niet gebruiken. Ze vragen zich daar toch al af hoe ik zo veel ben afgevallen. Anneke is stikjaloers en begint er elke keer weer over.

Mijn gedachten worden onderbroken door de twee piepjes van mijn telefoon, die een nieuw sms'je aankondigen. Dankbaar voor de afleiding pak ik mijn mobiel. Ik heb een gemiste oproep en een voicemailbericht. Het nummer zegt me niets. Als het Reinier maar niet is.

'Hallo Lot', zegt een onbekende mannenstem. 'Met Michel. Eh... Van die e-mail. Je hebt me je nummer gestuurd, dus eh... Tja. Ik bel even. Kun je me misschien terugbellen? Ik wil je graag eh... Ik wil je graag reserveren. Voor 21 maart. Kun je dan? Oké. Doei.'

Ik glimlach tevreden. Als dit zo doorgaat, betaal ik straks lachend mijn schuld af en sjees ik daarna in mijn nieuwe bolide door naar de PC Hooft. Ik besluit hem morgen terug te bellen.

Tien minuten voor de afgesproken tijd hoor ik een auto voor de deur stoppen. Ik spits mijn oren en mijn hart begint te bonzen.

De bel gaat en ik haal diep adem. Net als bij Menno ben ik ook nu zenuwachtig. Vannacht heb ik urenlang liggen woelen, terwijl het ene na het andere doemscenario in me opkwam. Wat als ik genadeloos door de mand val? Wat als Reinier me bij de deur sprakeloos aanstaart en vervolgens woedend roept dat hij een fotomodel had besteld, waarna hij in zijn auto stapt en hard wegrijdt?

Mijn trillende vingers gaan langzaam richting het slot van de deur. Het kost me moeite het te openen. Ik zet de deur op een klein kiertje en haal eerst heel diep adem voor ik hem verder open.

'Hallo?' zegt iemand vertwijfeld.

'Ja. Ik ben er.'

Ik kan het niet langer uitstellen en stap achter de veiligheid van de deur vandaan. 'Hai. Ik ben Lot.'

De man die voor me staat is of een heel goede acteur, of zijn verwachtingen waren niet zo hoog gespannen, want op zijn gezicht verschijnt een brede glimlach.

'Hallo Lot. Je hebt geen woord te veel gezegd.'

Ik kijk hem aan. 'Oh. Dank je.' Ik schud zijn uitgestoken hand en speur zijn gezicht af naar tekenen dat hij me ongelooflijk in de maling aan het nemen is. Die vind ik niet. Wel zie ik dat hij prachtige blauwe ogen heeft, en perfect zittend donkerblond haar dat een beetje krult. Geen wonder dat hij een fotomodel aan de haak sloeg!

Ik weet dat ik er vanavond goed uitzie, maar een fotomodel ben ik natuurlijk niet. Maar op het gezicht van de man bespeur ik geen enkele spot. Hij lijkt het echt te menen.

'Ik ben Reinier. Zullen we gaan?' Hij biedt me zijn arm aan en ik leg mijn hand er aarzelend op. Reinier begeleidt me galant naar zijn auto.

En wat voor auto! Ik hap naar adem als ik zie welke peperdure sportwagen hij voor mijn deur heeft geparkeerd. Hij is niet zo groot, maar wel glimmend en strak en je hoeft echt geen expert te zijn om te weten dat dit wagentje een bedrag met een fiks aantal nullen waard is.

Reinier houdt de deur voor me open en ik laat me op het heerlijke, krakende leer van de stoel zakken. Alles in de auto ruikt nieuw, en duur. Heel voorzichtig strijk ik met mijn hand over het notenhouten dashboard.

Reinier is ingestapt en bekijkt met genoegen de ongelovige blik op mijn gezicht. 'Ik heb hem net drie weken en ik ben helemaal verliefd op deze auto. Hiervoor had ik zo'n SUV. Echt een onding. De helft van de parkeergarages kon ik links laten liggen omdat de auto te hoog was.' Hij schudt zijn hoofd. 'Dat nooit meer.'

Ik weet niet wat ik moet zeggen en dus staar ik uit het raam. Mijn hart klopt in mijn keel. Reinier is rijk, dat is meteen duidelijk. En daar zit ik dan naast, in mijn geleende galajurk en met gestolen make-up op mijn gezicht.

Ineens bekruipt me een onaangenaam gevoel. Misschien was dit wel een heel slecht idee. Ik weet niets over gala's! En ik heb geen idee hoe je kreeft eet. Of slakken. En eet je kaviaar eigenlijk met een lepel?

Ik dwing mezelf om mijn blik los te maken van het raam en naar Reinier te kijken. 'We moeten even wat dingen doornemen.'

'Oh ja?' Hij kijkt me geïnteresseerd aan, terwijl hij met een enorme dot gas wegrijdt bij het stoplicht. De banden piepen.

'Mooi, hè?' zegt hij met een grijns.

'Ja. Nóú.' Ik glimlach, al is het wat gespannen.

'Oh ja, sorry. Wat wilde je doornemen?'

'Waar we elkaar hebben ontmoet, bijvoorbeeld.'

Reinier knikt. 'Mijn medewerkers kennen het verhaal allemaal al. We doen namelijk gewoon alsof jij die vriendin bent die ik al maanden had. Jij heet vanaf nu Elisa, je bent vijfentwintig jaar en je bent al vanaf je zestiende model.'

Ik herhaal de informatie in gedachten.

'Ik heb je ontmoet op een feestje in het Amstel Hotel, vijf maanden geleden. Het was liefde op het eerste gezicht.'

'Wat voor feestje?' vraag ik, vooral uit nieuwsgierigheid naar de kringen waarin Reinier zich begeeft.

'Niets bijzonder, iets voor de top van het bedrijfsleven. Dodelijk saai, maar gelukkig zijn er altijd wel een paar mooie vrouwen te vinden. Anders komt er niemand.' Hij lacht hard.

'Na het feestje zijn we samen naar De Hogesluis gegaan, die kroeg vlak bij het Amstel Hotel. En daar zijn we tot sluitingstijd blijven hangen. Vervolgens ben je met mij meegegaan naar mijn huis en daar ben je eigenlijk niet meer weggegaan. Nou ja, behalve dan voor je opdrachten natuurlijk.'

'Duidelijk', zeg ik. Hoe zet ik in hemelsnaam overtuigend een fotomodel neer? Ik ben zelfs nog nooit in New York geweest.

Reinier parkeert de auto voor een statig grachtenpand. 'Hier is het.'

Ik stap uit en let er goed op dat ik mijn mond niet van verbazing open laat vallen. Het pand is echt prachtig. Wit gekalkt en met een sierlijke trap naar de voordeur is het het mooiste gebouw van de gracht. Naast de deur hangt een bord waar met krullende gouden letters op staat 'Van Deutekom Investments'.

Reinier ziet me kijken en zegt: 'Let maar niet te veel op al dat uiterlijk vertoon, hoor. Uiteindelijk ben ik maar een simpele bankier.'

Ik slik. Wat staat me verder nog te wachten?

Reinier houdt de deur voor me open en maakt aanstalten om mijn jas aan te pakken, maar ik doe alsof ik het niet zie en hang hem zelf op een hangertje. In de manshoge spiegel aan de muur vang ik een blik op van mezelf en ik heb automatisch de neiging om mijn buik in te houden.

'Kom je?' Reinier staat een paar meter verderop te wachten.

'Ik eh...' Ineens word ik bloednerveus. Ik durf echt niet naar binnen en kijk benauwd om me heen.

'Aha', zegt Reinier begrijpend. 'Jij wilt nog even je neus poederen. Dit gangetje in en dan de tweede deur rechts.'

Opgelucht vlucht ik naar het toilet. Daar laat ik koud water over mijn polsen lopen en verschik ik mijn haar een beetje. Gelukkig zit het nog steeds goed en mijn ademhaling wordt iets rustiger. Ik werk mijn make-up bij, maar schiet uit met de mascara. Ik vloek hartgrondig, net op het moment dat de deur opengaat.

Twee vrouwen kijken me misprijzend aan. Ze gaan allebei een hokje in en ik weet niet hoe snel ik me uit de voeten moet maken. Met een knalrood hoofd voeg ik me weer bij Reinier. Hij werpt een bevreemde blik op me, maar zegt niets. Ik probeer uit alle macht om niet in paniek te raken.

'Zullen we?' vraagt Reinier. Ik knik en leg mijn hand op zijn uitgestoken arm. Een klein mannetje in een te groot pak opent de statige deuren naar wat de eetzaal blijkt te zijn. Ik zie een lange, prachtig gedekte tafel en heel veel hoofden die onze kant op draaien als we binnenkomen.

Reinier glimlacht zelfverzekerd. 'Goedenavond allemaal, leuk dat jullie gekomen zijn. Dit is Elisa. Elisa, dit is al mijn personeel. Oh, op twee na, zie ik. Mijn twee gouden assistentes ontbreken nog.'

'Sorry, we zijn er al.' Achter me hoor ik twee stemmen. Ik kijk onopvallend over mijn schouder en zie de twee feeksen uit het toilet. Ze nemen me op met nauwelijks verholen minachting. Als ze zien dat Reinier kijkt, toveren ze synchroon een glimlach op hun gezicht. 'Jij moet Elisa zijn.'

Mijn hand wordt geschud en dat is het startsein voor alle andere aanwezigen om op te staan en zich een voor een aan me voor te stellen. Van de stroom namen onthoud ik alleen die van de assistentes, omdat ik het idee heb dat deze Nina en Marga alles op alles zullen zetten om me een lastige avond te bezorgen. De blik die ik ze net zag wisselen, belooft weinig goeds.

En ja hoor, zodra ik zit, zegt Nina: 'Dus jij bent model.'

Het is goed mogelijk dat ze met deze zin niets anders bedoelt dan wat ze zegt, maar tussen de regels door lees ik 'als jij model bent, dan ben ik de president van Amerika'.

Het lukt me om rustig te blijven en ik knik waardig. 'Dat klopt. Het zou kunnen dat je me kent uit Vogue.'

'Die leest ze niet!' roept een lolbroek vanaf de andere kant van de tafel. Eén-nul voor mij. Ik glimlach allerliefst en negeer de blik die ze terugzendt.

'Wauw, Vogue', zucht een jong meisje van wie ik de naam ben vergeten maar die erbij zei dat ze de stagiaire is.

'Ach ja, zelfs dat went.'

'Elisa heeft onlangs de show van Roberto Cavalli gelopen', zegt Reinier trots. 'In Milaan.'

Dát had hij me niet verteld!

'Cavalli?' Marga haalt haar schouders op. 'Die kent toch niemand? Nooit van gehoord.'

Haar poging om me onderuit te halen strandt op de man die rechts van Reinier zit. De onderdirecteur, herinner ik me. 'Dan heb je zeker sinds de jaren negentig je modekennis niet meer bijgespijkerd', zegt hij. 'Mijn vrouw loopt al die shows af en ze komt geheid thuis met iets van Cavalli. Ik zal eens vragen of ze je kent. Milaan, zei je?'

'Milaan, inderdaad.' Ik neem een gok. 'Zeg maar tegen haar dat het tijdens de Fashion Week was, dan weet ze genoeg.'

'Oh, daar is ze zéker geweest!' De man knikt heftig. Ik haal opgelucht adem. Milaan heeft dus inderdaad een fashion week.

'En Gucci, die show heeft ze ook gelopen', gaat Reinier nog even door. 'En Armani, Pucci en Dries Van Noten.'

Ik zit erbij en knik gedienstig. Hoe meer Reinier me ophemelt, hoe dodelijker de blikken die Nina en Marga me zenden. Ik heb allang door dat ze allebei smoorverliefd zijn op hun knappe baas en besluit om mezelf vanavond eens te ver-maken. Bezitterig leg ik mijn hand op die van Reinier. Hij re-ageert meteen met een verliefde blik in mijn richting. Ik groei met de minuut beter in mijn rol.

Tegen de tijd dat het voorgerecht op tafel staat, heb ik al vele fotoshoots met bekende fotografen bij elkaar gefantaseerd en is mijn zogenaamde aanwezigheid op de Oscaruitreiking breed uitgemeten. Ik ben helemaal in mijn element en Reinier kijkt me vol bewondering aan.

Aan het eind van de avond stap ik vrolijk en een tikje aan-geschoten in zijn sportauto. Ik had ooit een regel dat ik niet dronk onder werktijd, maar die heb ik laten varen na het twee-de feestje bij Menno. Een mens heeft íéts nodig om de avond door te komen. Ik heb ontdekt dat alcohol mijn werk stukken leuker maakt en bovendien kan ik maar beter van de gratis drank profiteren.

Ik giechel om een grap die iemand net maakte. Reinier kijkt me aan. Meteen word ik stil.

Hij leunt achterover zonder de motor te starten. 'Ik ben on-der de indruk.'

Ik slik. 'Oh ja?'

'Toen ik je belde, dacht ik: het zal mij benieuwen. Maar je hebt al mijn verwachtingen overtroffen. Je bent echt een pro-fessional, Lot.'

'Dank je.'

'Volgende week heb ik een etentje met onze tien belangrijk-ste klanten. Ga je dan weer mee?'

Overrompeld door deze vraag stamel ik: 'I-ik moet even in mijn agenda kijken.'

'Uiteraard.' Reinier kijkt me verwachtingsvol aan. Ik kijk te-rug en een paar seconden lang zitten we elkaar in de ogen te staren tot ik begrijp wat hij bedoelt.

'Oh ja, natuurlijk. Ik pak mijn agenda even.' Ik rommel in mijn handtas, hopend dat ik mijn agenda bij me heb. In verband met mijn tot een minimum beperkte sociale leven, laat ik hem meestal thuis.

Uiteindelijk pak ik mijn telefoon. 'Ah, hier is hij', zeg ik, alsof mijn prepaid modelletje een hypermoderne PDA is. Ik zie Reinier kijken, maar pareer zijn blik met een zelfverzekerde glimlach. 'Zeg het maar.'

'Volgende week donderdag om halfacht. Ik haal je om zeven uur op en je bent rond twaalven weer thuis, schat ik.'

Ik knik meteen, hoewel school dan weer begonnen is en ik niet graag na tien uur naar bed ga. Maar slaap voor geld lijkt me een goede ruil.

Later die avond, als Reinier me voor de deur heeft afgezet, zit ik op mijn bank naar het geld te staren. Ik laat het geen moment los, al is het laat en acht ik de kans dat Leo langskomt zeer klein. Driehonderdvijfenzeventig euro, dat was de prijs voor zevenenhalf uur gezelschap. En toen kwam dat mooie moment waarop Reinier zei dat hij zo tevreden was over mijn service, dat hij een kleine fooi wel op z'n plaats vond. Daar zit ik dan, met vijfhonderd euro in mijn hand en een grote grijns op mijn gezicht. De stapel onbetaalde rekeningen, aanmaningen en dreigbrieven doet me niets meer. Nu ik mezelf in de galajurk heb gezien, heb ik ineens zin om leuke kleren te kopen. Geen spijkerbroek of blouse, waarvan ik er al heel veel in de kast heb hangen, maar een leuk jurkje bijvoorbeeld. Of misschien wel een paar schoenen met hakken, die ik nu van Eva heb moeten lenen. Hoewel ik er nog steeds kramp in mijn kuiten van krijg, begrijp ik inmiddels wel waarom vrouwen zich heel erg sexy voelen op hakken. Heel erg sexy. Ik had nooit verwacht dat ik me nog eens zo zou willen voelen.

# LENTE

# 11

'IS HET IEMAND DIE WE KENNEN?'

Terwijl ik mijn mascara bijwerk, staat Natasja ongeduldig achter me heen en weer te springen.

'Nee.'

'Waarom wil je niet zeggen wie het is?'

'Omdat je hem niet kent.'

'Misschien wel.'

Ik slaak een zucht. 'Neem van mij aan dat je hem niet kent. En nu niet zo nieuwsgierig, je hoort het vanzelf.'

'Ik dacht dat wij vriendinnen waren', mompelt Natasja beledigd. 'Dan kun je toch op z'n minst aan elkaar vertellen wie de geheimzinnige man is met wie je een afspraakje hebt.'

Ineens klaart haar gezicht op en steekt ze haar vinger in de lucht. 'Oh, ik weet het al! Het is natuurlijk die van kerstavond. Toen had je ook al zo'n mysterieuze afspraak.'

Interessante gedachte. Maar toevallig is het niet Menno met wie ik vanavond heb afgesproken.

'Fout. En houd nou maar op, want ik vertel het toch niet. Eerst maar eens afwachten of het iets wordt.'

'Flauw, hoor', zegt mijn vriendin, maar haar aandacht wordt alweer afgeleid door het flesje Miss Dior Chérie op mijn planchet. 'Wauw, hoe kom je hieraan?'

'Gekocht', zeg ik achteloos. 'Hoezo?'

Ik doe moeite om niet al te breed te glimlachen. Na mijn laatste afspraak met een man op leeftijd die me dolgraag mee wilde nemen naar zijn biljartclub en die me tweehonderdvijftig euro betaalde, had ik ineens zin om iets heel duurs en nutteloos te kopen. Voor ik het wist, stond ik in de parfumerie. Ik, die voorheen zelden parfum gebruikte.

Achteraf had ik er spijt van, want het geld had eigenlijk in het potje 'nieuwe wasmachine' moeten belanden. Of in 'afbetaling van een miljoen rekeningen', mijn twee belangrijkste potjes die ik zo goed heb verstopt dat Leo ze nooit zal kunnen vinden. Nog driehonderd euro, dan moet ik een nieuwe wasmachine kunnen kopen.

'Lekker!' Natasja heeft zichzelf rijkelijk besprenkeld met mijn nieuwe parfum en ik moet op mijn tong bijten om er niets van te zeggen.

'Jij ook?'

Ze richt het flesje op mij en spuit vijf keer. 'Oké, genoeg!' roep ik uiteindelijk, als ik me echt niet meer kan inhouden.

Natasja zet het flesje terug. 'Je hoeft niet zo geïrriteerd te doen. Ben je nerveus of zo?'

'Nee, hoe kom je erbij?'

Maar ze negeert me. 'Wat jij nodig hebt, is wat Natasja's Rustgevende Kruidenthee. Heb je rooibosthee in huis? En groene thee? Of kamille?'

'Ik zal even kijken', zeg ik, omdat ik moeilijk kan zeggen dat ik mijn laatste kopje groene thee vorig jaar in september dronk.

'Nee, laat maar, doe ik wel.' Natasja is me te snel af en trekt een keukenkastje open. Ik bijt op mijn lip.

'Hé, wat is dit?'

'Nee, niks.' Ik klap het kastje met enveloppen voor haar neus dicht. Ze moet snel haar hand terugtrekken anders komt die tussen de deur. 'Ik moet nog wat administratie wegwerken.'

'Dat zie ik, ja.' Natasja komt overeind en kijkt me bevreemd aan. Ik lach zorgeloos en trek een ander kastje open. 'Kijk, hier bewaar ik de thee. Oh, ik moet nodig weer eens boodschappen doen, zie ik.'

Ik zoek koortsachtig naar een manier om van onderwerp te veranderen.

'Die man, hè...' begint Natasja, maar ik kap haar snel af.

'Laten we het voor de verandering eens even over jóúw liefdesleven hebben. Ik date tenminste nog, maar daar heb ik jou al heel lang niet meer over gehoord.'

Dat is een schot in de roos. Natasja bijt op haar lip en weet niet wat ze moet zeggen.

'Precies. Dat bedoel ik. Haal je nieuwsgierige neus uit mijn liefdesleven en ga eens iets aan dat van jezelf doen.'

'Tijd voor thee', kondigt mijn vriendin aan en daarmee heeft het onderwerp voor ons allebei afgedaan.

Het loopt al tegen tienen als eindelijk de bel gaat. Geïrriteerd loop ik de trap af. Tot een halfuur geleden stond ik achter de deur te wachten, omdat we om negen uur hadden afgesproken, maar uiteindelijk ben ik verkleumd boven gaan zitten. Ik heb nu al mijn bedenkingen bij Michel.

Toch zet ik een glimlach op als ik de deur open. 'Hallo. Jij bent zeker Michel.'

'Eh... ja.' De man kijkt om zich heen, alsof hij op zoek is naar een vluchtroute.

'Oké. Hoi. Ik ben Ch... Lot.' Ik steek mijn hand uit. Hij schudt hem pas na enige aarzeling.

'Aha', antwoordt hij.

Michel lijkt er niet echt zin in te hebben. Hij heeft mij toch zelf gevraagd om mee te gaan?

'Wat gaan we eigenlijk doen?' vraag ik, niet alleen om het ijs te breken. Bij het telefoongesprek dat ik met Michel voerde, heb ik niet de kans gehad om hem hiernaar te vragen.

Hij aarzelt. 'Niets, eigenlijk.'

'Oh.' Het koude zweet breekt me uit. 'Hoe bedoel je?'

'Nou, gewoon.' Hij haalt zijn schouders op. 'Een beetje chillen.'

Ik neem Michel eens goed op. Hij is eigenlijk een onopvallende verschijning in zijn bruine jasje en beige broek. Zijn haar is iets te lang en krult op zijn kraag. Zijn blauwe ogen staan achterdochtig, maar wel vriendelijk. Niet alsof hij kwade bedoelingen heeft. Hij neemt mij net zo nieuwsgierig op als ik hem en even zeggen we allebei niets.

'Maar wat –' begin ik.

'Ik zal –' zegt Michel op hetzelfde moment.

Ik lach. Hij niet. Hij kijkt vooral geschrokken.

'Sorry', zeg ik. 'Jij eerst.'

'Nee, laat maar. Wat wilde je zeggen?'

'Ik wilde vragen wat precies de bedoeling van vanavond is. Als er geen gelegenheid is waar we naartoe moeten, bedoel ik.'

'We gaan naar de kroeg', verklaart Michel. 'Ik heb afgesproken met mijn vrienden. Ik heb de laatste tijd wel gedaan alsof ik een vriendin had, maar dat was na twee weken al over en... Tja. Je begrijpt het wel. Maar nu blijven mijn vrienden vragen.'

Ik heb de indruk dat hij dit nooit eerder met iemand heeft besproken, want hij kijkt naar de grond en voelt zich duidelijk niet op zijn gemak.

Om hem gerust te stellen zeg ik: 'Dat begrijp ik heel goed. Je hebt even geen zin in lastige vragen. Laten we gaan. Welke kroeg is het?'

'Ik heb in Hesp afgesproken.'

Ik slik. Toevallig is Café Hesp de stamkroeg van Frans. Het is donderdagavond, een avond waarvan ik zeker weet dat hij met zijn vrienden afspreekt.

'Ken je dat?' vraagt Michel als mijn reactie uitblijft.

'Natuurlijk.' Ik glimlach om de toenemende paniek te overstemmen. 'Laten we gaan.'

Het is jammer genoeg maar tien minuten fietsen naar Hesp. Tien minuten waarin ik koortsachtig probeer een verklaring voor mijn aanwezigheid met Michel te verzinnen en ondertussen met hem overleg over de inmiddels vertrouwde vragen die we voorgeschoteld gaan krijgen. Waar kennen we elkaar van?

Michel staat erop dat we elkaar in het museum hebben leren kennen. Ik opteer voor een iets meer sexy plek, maar hij is de klant en dus de baas. Het museum voor stokoude planten en ander stoffig materiaal, ook dat nog. De naam ben ik meteen weer vergeten, hopelijk vraagt niemand me ernaar.

Alsof Michel mijn gedachten kan lezen, zegt hij: 'Als iemand er vragen over stelt, moet je je maar een beetje op de vlakte houden. Mijn vrienden hebben namelijk allemaal biologie gestudeerd, net als ik, en zij weten heel veel van deze materie af.'

'Dan zeg ik wel dat ik nog nooit in het museum was geweest en dat ik alleen maar mee was met mijn neefje die er een spreekbeurt over moet houden.'

'Goed idee', knikt Michel. 'En wat doe je voor werk?'

'Wat wil je dat ik voor werk doe?' vraag ik en ik hoor zelf hoe plat dat klinkt. Het is dat ik dik ingepakt in mijn winterjas op de fiets zit, anders kon dit makkelijk voor een goedkope pornofilm doorgaan.

Michel trapt stevig door en ik raak een beetje achterop. Hij haalt zijn schouders op. 'Weet ik veel', mompelt hij, nauwelijks verstaanbaar.

'Ik werk in het onderwijs', zeg ik. 'Ik heb groep 1.' Met de mogelijkheid dat Frans er is in mijn achterhoofd, blijf ik liever dicht bij de waarheid.

'Oké.' Hij staat nu bijna boven op de trappers. Ik trap de benen uit mijn lichaam om hem bij te houden.

Als we bij Hesp aankomen, doen mijn longen pijn en heb ik een hoofd als een tomaat. 'Is er iets?' hijg ik.

Michel kijkt me aan. 'Nee, hoezo?'

'Laat maar.' Ik heb het idee dat hij zich schaamt, maar het laatste waar ik nu op zit te wachten is een annulering voor de deur van het café. Zelfverzekerd volg ik hem naar binnen.

'Oh ja', zegt hij, en hij draait zich abrupt naar me om waardoor ik bijna tegen hem op bots. 'Ik heb mijn vrienden alvast over je verteld. Ze kunnen soms een beetje lomp doen.'

Een beetje lomp, wat heet. Als we de groep bereiken, stijgt er een luid gejoel op. Alsof we op een schoolfeest voor brugklassers zijn beland.

'Dit is Lot', stelt Michel me schuchter aan zijn vrienden voor. Ik schud vijftien handen en onthoud maar een paar van de bijbehorende namen. Schaamteloos nemen de mannen me op. De zes vrouwen uit het gezelschap kijken me nieuwsgierig aan.

Ze vragen zich waarschijnlijk af wat Michel na zijn jarenlange zoektocht aan de haak heeft weten te slaan.

'Iets drinken?' biedt een van de mannen me aan. Toevallig heb ik onthouden dat hij Sven heet en als ik me niet vergis, hoort hij bij de vrouw met kort, rood haar en een bril die haar toch al grove gelaatstrekken nog eens extra bouwvakkerachtig doet uitkomen. Een slechte keuze, meen ik, maar ik lach allerliefst naar haar en ik krijg zowaar een glimlach terug.

Ik bestel een witte wijn en kijk onopvallend om me heen. Frans heb ik nog niet gesignaleerd en dat hoop ik vanavond zo te houden. Het is immers al bijna halfelf en morgen is ook voor hem een werkdag.

'Dank je', zeg ik als Sven me een glas in handen duwt.

'Zo', zegt dan een van Michels vrienden van wie ik de naam vergeten ben. Hij heeft zijn arm losjes om de schouders van zijn vriendin gehangen, die een jaar of twaalf jonger is dan hij en erbij staat alsof ze zich voortdurend afvraagt hoe ze hier toch beland is.

'Ja?'

'Vertel eens. Hoe is het zo gekomen?'

Ik kijk naar Michel, maar hij heeft het te druk met zijn biertje, dat nu via zijn hand zijn mouw in druipt.

'We kennen elkaar uit het museum', zeg ik uiteindelijk. 'Ik ben de naam alweer vergeten, maar ik was daar met mijn neefje. Hij moest een spreekbeurt houden.'

'Over het museum?' vraagt de man. Er bekruipt me een onaangenaam gevoel. Weer kijk ik nadrukkelijk naar Michel, maar hij is naar de bar gelopen om een vaatdoek te vragen.

'Nee, niet over het museum', zeg ik langzaam, om tijd te rekken. 'Over het thema van het museum natuurlijk.'

De man blijft me uitdrukkingsloos aankijken. 'Ja?'

'En het thema was natuurlijk eh...'

'Botanische tuinen.' Michel duikt ineens naast me op en doet uiteindelijk toch wat hij moet doen.

'Oh, werkelijk?' Zijn vriend kijkt hem en mij nu onderzoekend aan. Ik knik en glimlach. Gelukkig neemt Michel het van me over. Hij weidt tot in detail uit over onze ontmoeting in het museum en ik sta werkelijk paf over hoeveel woorden hij achter elkaar blijkt te kunnen zeggen. Wij waren nog niet verder gekomen dan tien, maar hij zet hier toch een heel plausibel verhaal neer.

'Wat romantisch', zucht een van de vrouwen als Michel uitverteld is. 'Ik ben echt blij voor je. Wees maar zuinig op hem, Lot. Hij is een geweldige man.'

Ik lach en beloof het plechtig. Natuurlijk ben ik zuinig op hem, ik heb dringend behoefte aan nieuwe kleren.


'Je ziet er moe uit.' Jorien bestudeert mijn gezicht. 'Ben je laat naar bed gegaan gisteren?'

'Nee hoor', lieg ik. 'Ik heb slecht geslapen, dat is alles. Sorry, ik moet echt nog heel veel klaarzetten.'

Ik vlucht snel mijn lokaal in en sluit de deur achter me. Jorien blijft op de gang achter en het laatste wat ik zie, is dat ze nieuwsgierig probeert mijn lokaal in te kijken.

Als alles weer normaal is, moet ik hard gaan werken aan de band met mijn collega's. Ik weet zeker dat er inmiddels over me geroddeld wordt. Ik zak nu al door de grond van schaamte als ik bedenk wat mijn collega's straks te horen zullen krijgen. Frans kan natuurlijk niet wachten tot hij zijn nieuws met ze kan delen.

Ik rekende me te vroeg rijk gisteravond. Na een paar uur met Michel en zijn vrienden in de kroeg was ik ervan overtuigd dat Frans bij wijze van hoge uitzondering zijn wekelijkse Hespavond had afgezegd. Terugkijkend kan ik me niet herinneren hoe ik op zo'n bizarre gedachte ben gekomen, want deze avond is heilig voor Frans en hij heeft hem voor het laatst overgeslagen toen hij in 1992 met een blindedarmontsteking in het ziekenhuis lag, zo heeft hij eens verteld.

Hij was er dus. En ik moet mijn regel dat ik geen alcohol drink tijdens werktijd maar weer gaan invoeren. Althans, niet te veel alcohol. Dan had ik vast niet nét op het moment dat Frans voorbij liep om Michels nek gehangen als een soort extra service om zijn vrienden te laten zien hoe blij we met elkaar waren. Waren het niet míjn regels die bepaalden dat dergelijke intimiteiten niet tot de mogelijkheden behoorden?

Ik hoef er niet op te rekenen dat Frans me niet gezien heeft. Hij kwam weliswaar niet naar me toe, maar de blik in zijn ogen sprak boekdelen. De combinatie van herkenning en nieuwsgierigheid maakt dat ik zeker weet dat het slechts een kwestie van tijd is voor hij om opheldering komt vragen. Frans is de grootste roddeltante van de school, en dat wil wat zeggen met Jorien en Anneke als concurrenten.

Ik hang vellen op waar de kinderen straks op kunnen schilderen. Mijn hoofd bonkt wanneer ik te ver vooroverbuig en ik zie zo veel witte flitsen dat ik moet me vasthouden. Ik ben duidelijk niet meer gewend aan grote hoeveelheden alcohol. Met mijn hand voor mijn mond check ik of ik een kegel heb en constateer dat mijn hoofd niet het enige is wat aan gisteravond herinnert.

Als ik net bezig ben de poppen in de poppenhoek te fatsoeneren, gaat de deur van het lokaal open. Ik verstijf als ik de krakende schoenzolen van mijn baas herken.

'Goedemorgen, Charlotte', zegt hij.

Ik draai me uiterst langzaam om. 'Hallo, Frans.'

'Ik heb koffie voor je meegenomen. Die kun je vast wel gebruiken.' Hij zet een dampende mok op mijn bureau. Hoewel ik smacht naar een beetje cafeïne, zet ik geen stap in zijn richting.

Frans gaat op mijn bureaustoel zitten en kijkt me afwachtend aan. Als ik niets zeg, verbreekt hij uiteindelijk de stilte.

'Ik wist niet dat je iemand had. Ik bedoel, verkering of zo.'

Ik heb vanochtend nagedacht over de beste tactiek en ik kies voor de weg van de ontkenning. 'Dat heb ik ook niet.'

'Oh.' Frans denkt na. 'Ik dacht dat ik je gisteravond met iemand in Hesp zag. Zeg maar eh... Snap je?'

'Nee.'

'Je had het nogal leuk.'

'Dat is mijn broer.'

'Oh.' Nu is Frans even uit het veld geslagen. 'Dat wist ik niet. Het zag er eerder uit alsof... Nou ja, laat maar.'

'Ja.'

'Ik moet weer eens gaan.' Frans staat op. Hij werpt een laatste, onderzoekende blik op me en verlaat dan mijn lokaal.

Ik haal diep adem, me ervan bewust dat mijn verklaring totaal ongeloofwaardig is.

De deur gaat weer open. 'Wat hoor ik nou?' zegt Anneke schel. 'Heb jij verkering?'

'Dat was mijn broer', antwoord ik vermoeid.

'Heb je verkering met je broer?'

'Wie heeft er verkering met jouw broer?' vraagt Jorien, die Anneke op de voet is gevolgd.

'Nee, Charlotte heeft verkering met haar broer!' Anneke klapt in haar handen. 'Jemig, wat een verhaal. Ik heb nog nooit zoiets gehoord! Maar dit is de eenentwintigste eeuw. Ik vind het heel goed van je dat je er gewoon voor uitkomt, meid.'

'Ik heb helemaal geen verkering, niet met mijn broer en ook niet met iemand anders', zeg ik geïrriteerd. 'Het is een misverstand.'

'Maar Frans zei...' protesteert Anneke.

'Frans heeft het fout. Ik was gisteren met mijn broer in Café Hesp en Frans was daar toevallig ook.'

'Maar je stond te zoenen!' roept Jorien uit. 'Toch niet met je broer?'

Ik zucht. 'Frans overdrijft. Ik was niet aan het zoenen, ik was gewoon gezellig uit met mijn broer en wat vrienden. En ik omhelsde mijn broer toen ik wegging, dat is alles. Frans heeft dat toevallig gezien. En hij heeft er meer van gemaakt dan het was.'

Wat Frans kan, kan ik natuurlijk ook. Ik loop naar mijn collega's toe en laat mijn stem dalen als ik zeg: 'Ik weet ook waarom Frans het niet goed heeft gezien.'

'Oh ja?' Jorien en Anneke zijn een en al oor.

'Hij was, om het voorzichtig uit te drukken, kacheltjelam. Als je het mij vraagt, heeft hij vandaag een verschrikkelijke kater.'

'Meen je dat?' Jorien kijkt van mij naar Anneke en weer terug.

Ik knik. 'Ik moet me wel heel erg vergissen als Frans geen alcoholprobleem heeft. Is jullie niets opgevallen?'

'Ja, nu je het zegt.' Anneke steekt haar hand in de lucht. 'Ik vind dat hij zich de laatste tijd nogal vreemd gedraagt. En toen ik laatst zijn kamer binnenliep, stopte hij net iets in zijn la. Dat zou zomaar een fles drank geweest kunnen zijn!'

'Rook hij ook naar drank?' vraagt Jorien.

Anneke schudt haar hoofd. 'Maar wodka ruik je niet.'

'Dat bedoel ik maar', zeg ik. Ik kan er nog van alles bij fantaseren, maar ik houd me in. Het is niet nodig om Jorien en Anneke van meer input te voorzien. Ze maken zelf het verhaal wel af.

Als ze weglopen, hoor ik ze op de gang praten over die ene keer, drie weken geleden, dat Frans 's middags eerder wegging.

Dat moet voor de AA zijn geweest, concluderen ze. Ik knik tevreden.

In mijn tas piept mijn telefoon. Opgetogen kijk ik naar het envelopje dat in het scherm is verschenen. Ik heb Natasja en Eva vanochtend ge-sms't met de vraag of we morgen gaan shoppen. Ik wil nieuwe kleren kopen, en nu eens een paar dingen die niet bestand zijn tegen vieze kinderhandjes, maar waarmee ik op een afspraakje wel voor de dag kan komen.

Ik open het berichtje en verwacht een enthousiaste reactie van een van mijn vriendinnen. Maar het sms'je is niet van Eva of Natasja. Een onbekend nummer verschijnt in het schermpje. Ik onderdruk een giechel als ik de tekst lees.

*Ik weet wat je aan het doen bent. Houd daar onmiddellijk mee op. Dit is een waarschuwing.*

Is dit een grap? Ik lees het berichtje een paar keer, maar snap niet wat er bedoeld wordt. En het nummer zegt me ook al niets.

Het zal wel iemand zijn die het verkeerde nummer heeft ingetoetst, denk ik, en ik stop mijn telefoon terug in mijn tas. Het is tien voor halfnegen. Zo meteen komen de eerste kinderen en ik ben nog niet klaar met opruimen. Snel keer ik terug naar de poppenhoek.

Ik probeer het berichtje uit mijn hoofd te zetten, maar dat lukt niet. Als het niet voor mij is bedoeld, voor wie dan wel? En verkeert diegene in gevaar?

Misschien heb ik te veel spannende films gekeken, maar in mijn hoofd ontwikkelt zich een scenario waarin een vrouw met een telefoonnummer dat veel op het mijne lijkt, vermoord en verminkt in haar huis wordt gevonden. En de dader gaf slechts één waarschuwing: het sms'je.

Wat moet ik doen? Na de vorige keer dat ik door een agent werd weggehoond, heb ik er weinig trek in om met een vaag

verhaal aangifte te doen. Maar ik kan moeilijk het berichtje de-
leten en doen alsof ik nooit iets heb ontvangen. Straks ben ik
nog medeplichtig aan moord.

Ineens huiver ik, alsof er een windvlaag door het lokaal gaat
– maar de ramen zitten potdicht.

# 12

IK WORD WAKKER MET EEN OPGETOGEN GEVOEL. LANGZAAM dringt het tot mijn door slaap vertroebelde brein door dat vandaag de dag is waarop ik bij een winkel naar binnen mag gaan, iets moois uit het rek mag pakken en zonder angst naar de kassa kan lopen om het daar gewoon te betalen.

Cash, natuurlijk. Mijn banksaldo is nog altijd een ramp, maar ook daarover ben ik optimistisch gestemd. Mijn agenda loopt over van de afspraken met Reinier, Menno en een paar andere, eenmalige klanten en hoewel ik van Michel niets heb gehoord, verwacht ik hem ook nog wel terug.

Vooral Reinier is een goede klant, met drie boekingen in de komende twee weken. Zijn fooien zijn fantastisch. Soms betaalt hij het dubbele tarief omdat hij zo enthousiast is over mijn service. En ik moet toegeven dat de avonden met hem me allang niet meer tegenstaan. Ik heb het naar mijn zin in zijn gezelschap en verdien er bovendien grof geld mee. Ik vind het ook steeds leuker worden om mooi en vrouwelijk voor de dag te komen.

Voor het eerst sinds lange tijd ben ik tevreden met de wending die mijn leven neemt. Vanaf volgende week ga ik de helft van wat ik verdien op de bank zetten, heb ik met mezelf afgesproken. De andere helft gebruik ik dan heel netjes voor boodschappen – uitspattingen zoals ik die vandaag ga doen, moeten een zeldzaamheid blijven.

Alhoewel ik natuurlijk de kleren wel echt nodig heb voor mijn afspraakjes. Mijn budget van honderdvijftig euro is niet al te groot, maar ik moet er toch wel iets leuks van kunnen kopen.

Ik heb even overwogen om de volledige zeshonderd euro te spenderen die ik heb verdiend door Reinier vorige week zaterdag naar een oersaaie conferentie te vergezellen. De timing was slecht, want de avond ervoor bracht ik met een nieuwe klant door, Ben, en zijn familie. Een oudtante werd negentig en de oude bes wist nog een behoorlijk feest te bouwen. Ben daarentegen was een saaie sok. Die zie ik hopelijk niet meer terug. Hij voelde zich hoogst ongemakkelijk in mijn gezelschap en heeft hooguit drie woorden met me gewisseld.

Maar het feestje was wel geslaagd, en ik lag pas om twee uur in bed, terwijl om acht uur Reinier voor de deur stond. Slechts met veel Red Bull lukte het me om tijdens de droge lezingen wakker te blijven.

Ik stap rillend uit bed en sla snel mijn badjas om. De lente is weliswaar begonnen, maar het is behoorlijk koud in huis. Hoewel Nuon me wonder boven wonder elke keer opnieuw de kans geeft om te betalen voor ze de knop écht om zetten, wil ik hun geduld niet te veel op de proef stellen en laat ik de verwarming uit. Ik trek dikke skisokken aan en loop naar de keuken.

Mijn telefoon ligt op het aanrecht. Als ik ernaar kijk, bekruipt me een onaangenaam gevoel. Ik schud echter ferm met mijn hoofd. Ik moet me niet gek laten maken door één debiel berichtje.

Na een snelle, koude douche schiet ik in een oude spijkerbroek en een min of meer schone blouse. Mijn haar hangt in natte strengen over mijn schouders en ik probeer het te fatsoeneren met een restje gel uit een fles die ik uit Eva's prullenbak heb gered. Ongelooflijk dat mensen verpakkingen weggooien waar nog genoeg in zit! Als je maar hard genoeg knijpt, krijg je er nog verrassend veel uit. Maar fabrikanten maken de flessen moeilijk om in te knijpen, wat een heel slim verkooptrucje is dat ik allang heb doorzien.

De mascararoller van mijn moeder is wat aan de droge kant, maar nog zeer bruikbaar. Eigenlijk zou ik het restje mascara moeten gebruiken voor als ik een date heb, maar ik vind mijn gezicht zonder make-up de laatste tijd zo saai.

Vijf minuten later ben ik redelijk tevreden over mijn uiterlijk. Ik kan niet langer wachten en dus stap ik vast op de fiets. De honderdvijftig euro brandt in mijn tas en een beetje vooronderzoek in de etalages kan helemaal geen kwaad. Vandaag kan ik me geen miskopen permitteren, ik zal zeer zorgvuldig te werk moeten gaan.

Terwijl ik door de frisse lente naar het centrum fiets, denk ik aan hoe ik tot een halfjaar geleden altijd ging winkelen. Alles wat je niet op zestig graden kon wassen, liep ik in de winkel voorbij. Als ik kleding niet naar mijn werk kon dragen, vond ik het zonde om het te kopen. Maar vandaag ga ik het heel anders aanpakken. Kleding die ik wél naar mijn werk kan dragen, zal ik voorbij lopen. Die voldoet niet voor een afspraakje.

Ik parkeer mijn fiets en loop in mijn eentje alvast de Kalverstraat in. Voor iedere etalage blijf ik uitgebreid staan kijken, genietend van het gevoel van de drie briefjes van vijftig in mijn tas.

Een kwartier later wacht ik op de afgesproken plek op Natasja en Eva. Zoals altijd zijn ze te laat, maar er is vandaag niets wat mijn humeur kan verpesten. Ik ga op een paaltje zitten, draai mijn gezicht naar het aarzelende zonnetje en sluit mijn ogen.

'Hé, slaapkop!' Een por in mijn zij haalt me uit mijn gedachten. 'Koud, hè?'

Natasja staat voor me, stevig ingepakt in een winterjas, muts, wanten en een dikke sjaal. Ik kijk naar mijn eigen jas, waarvan de rits niet meer dicht wil. In de afgelopen winter heb ik mijn maatstaven van 'koud' en 'warm' bijgesteld tot het punt waarop ik het pas onder de tien graden fris vind.

'Valt wel mee', zeg ik. 'Is Eva er al?'

'Nee. Ze is de laatste tijd wel vaker te laat.'

'Als Herbert maar niet irritant doet. Straks mag ze de deur niet meer uit of zo.'

Natasja grinnikt. 'Het probleem is dat Eva hem ondanks zijn onuitstaanbare gedrag wel heel erg leuk schijnt te vinden. We kunnen misschien maar beter aan hem wennen.'

'Aan wie moeten jullie wennen?'

Natasja en ik draaien ons verschrikt om. We kijken recht in het lachende gezicht van Eva, dat betrekt als ze onze blik ziet. 'Is er iets?'

'Nee, niks. We hadden het over een nieuwe collega van me', verzint Natasja snel. 'Mijn collega's en ik moeten aan hem wennen, maar hij is nogal een raar type. Een beetje dominant.'

Ik moet lachen, maar weet me in te houden.

Eva knikt. 'Oh ja, irritant is dat. Volgende week begint er bij ons op school een nieuwe juf in groep twee. Ik heb al gehoord dat ze er op haar vorige school niet rouwig om waren dat ze afscheid nam.'

'Zullen we?' vraag ik. Ik kan niet langer meer wachten.

Eva kijkt me bevreemd aan, maar knikt. 'Ik heb écht een nieuwe winterjas nodig.'

Ik kijk naar haar jas, die er nog splinternieuw uitziet. 'Je hebt toch een goede jas?'

'Dit oude lel?' Eva pakt de dikke stof vast en kijkt er afkeurend naar. 'Dat kan echt niet meer. Vind je hem leuk?'

'Ja, prachtig. Ik snap niet dat je 'm weg doet.'

'Als ik vandaag een nieuwe jas koop, mag je hem hebben', zegt ze gul.

Ik kijk vol ongeloof naar de jas. 'Wil je hem zelf niet houden?'

'Welnee', zegt ze achteloos. 'Ik trek hem toch niet meer aan. En als jij hem mooi vindt.' Ze werpt een kritische blik op mijn eigen, versleten winterjas. 'Die kan inderdaad echt niet meer.'

Tien minuten later is het geregeld. Eva werd verliefd op de eerste jas waar ze tegenaan liep en nadat we mijn oude jas in de prullenbak hebben gedumpt, lopen we allebei trots de winkel uit. Haar jas zit me als gegoten en lijkt, op een paar kleine vlekjes na, als nieuw.

'H&M?' stelt Natasja voor. Eva en ik volgen haar meteen.

Eenmaal binnen beginnen mijn vriendinnen meteen aan hun vertrouwde ritueel. Binnen een mum van tijd staan ze allebei met een arm vol kleding. Ik heb slechts een beige jurkje en een zwarte top in mijn hand.

'Wat is er met jou?' vraagt Eva verbaasd. 'Een jurkje in plaats van een broek? Wat een revolutie.'

Ik weet niet zo goed wat ik moet zeggen, maar gelukkig loop Eva door naar de paskamer. Ik neus nog wat rond in de schappen. Net als ik wil gaan passen, valt mijn oog op een donkerblauw, strapless jurkje. De halslijn is afgezet met zwarte pailletjes die lijken te dansen als het licht erop valt.

Ik ben op slag verliefd.

Voorzichtig pak ik het jurkje uit het rek. Mijn nieuw verworven taille zal er mooi in uitkomen, en ik kan de blik op Reiniers gezicht al zien wanneer ik mijn entree zal maken in deze outfit.

Ik schrik van mijn eigen gedachten. Waarom denk ik nu aan Reinier?

Het zal wel komen doordat hij een goede klant is, en goede klanten moet je koesteren. Hij zal onder de indruk zijn en dat leidt weer tot extra fooi, waarvan ik dit jurkje ruim kan betalen. Het kost nog geen veertig euro.

Ik pas alles uitgebreid. Het zwarte topje trekt bij mijn borsten, dus dat gaat terug.

De twee jurkjes staan geweldig en ik blijf maar rondjes draaien voor de spiegel.

Ik neem beide jurkjes en reken af. Daarna leun ik een tijdje verveeld tegen een muur. Eva en Natasja zijn nog altijd aan het passen.

'Gaan we nog?' vraag ik, als Eva voorbij loopt op sokken en in een broek die niet dicht kan.

'Ja, zo. Even een andere maat proberen.' En weg is ze weer. Een man die een paar meter verderop staat, zendt me een begrijpende blik. Hij is opgezadeld met een grote stapel kleding, en zijn vriendin komt af en toe langs met een hand vol hangers. Bij elk kledingstuk dat ze op de stapel gooit, zucht hij net even dieper.

'Zullen we gaan?' vraag ik als Natasja de winkel inloopt in een slobberige jurk. 'Ik heb het wel gezien hier.'

'Deze is te groot', zegt ze, mijn vraag straal negerend. 'Ik hoop dat ze nog een 40 hebben.' Even later komt ze terug, met dezelfde jurk in een andere kleur. 'Deze dan maar.' En ze verdwijnt weer in het pashokje.

Pas twintig minuten later laten Eva en Natasja zich weer zien. Ze begeven zich met een arm vol kleding naar de kassa.

Als we weer buiten staan, vraagt Natasja: 'Waar gaan we nu heen?'

We lopen verder de Kalverstraat in en mijn oog valt op het bord 'Sale' bij Manfield. Een paar nieuwe schoenen...

We duiken de winkel in en ik loop meteen door naar de rekken met uitverkoop. Er is nog best veel in maat veertig en mijn oog valt direct op een paar zwarte, platte schoenen. Die zijn lekker praktisch en kan ik ook naar mijn werk aan.

Nee, zeg ik in gedachten streng tegen mezelf. Vandaag gaat het niet om praktisch. Vandaag gaat het om mooi.

Ik zie een paar prachtige laarzen. Ze zijn donkerbruin en hebben een mooie, dunne hak die misschien een beetje wiebelig zal zijn, maar ik leer steeds beter lopen op hakken. Het suède maakt dat de laarzen er ontzettend luxe uitzien. Ik weet zeker dat ze perfect combineren met het beige jurkje dat ik net heb gekocht. Het enige wat ik nog nodig heb, is een mooie panty. Het is jaren geleden dat ik een panty heb gedragen.

Ik pak de linkerlaars uit het schap en trek hem aan. Hij sluit mooi om mijn voet en om mijn kuit.

'Mag ik de rechter van deze?' vraag ik aan een verkoopster. Achteloos kijkt ze naar de geweldige laars en ze loopt weg.

'Mooi', zegt Eva. 'Heel mooi. Maar niets voor jou.'

'Ik wil wel eens iets anders', zeg ik.

'Goed idee. Zijn ze duur?'

'Ja, veertig euro, maar dat zijn ze wel waard.'

Eva kijkt me bevreemd aan. 'Vind jij veertig euro duur? Dit is de eenentwintigste eeuw, hoor. Het is een koopje.'

Nu vind ik de laarzen nog leuker. De rechterlaars zit ook goed en trots paradeer ik door de winkel. 'Ik neem ze', zeg ik opgetogen tegen het vervelde winkelmeisje. Ze knikt en wacht tot ik mijn eigen schoenen weer aan heb. Daarna loopt ze naar de kassa. Ik volg haar.

'Zullen we een broodje eten?' stelt Eva voor als we weer buiten staan. 'Het is lekker weer. We kunnen wel een terrasje pakken.'

'We kunnen ook een broodje halen en in het Vondelpark gaan zitten', zeg ik. Allicht goedkoper dan lunchen op een terras.

Natasja is meteen enthousiast. 'Oh ja, leuk! Dat we dat niet vaker doen!'

We lopen een broodjeszaak binnen en staan even later buiten met een tas vol lekkere dingen. Eenmaal in het Vondelpark blijkt dat we niet de enigen zijn die van het waterige zonnetje willen genieten. We strijken neer tussen twee groepen toeristen in en Eva begint de broodjes uit te stallen.

'Lekker zeg', zegt Natasja met een mond vol waldkorn tonijnsalade. 'Ik hoop echt op een mooie zomer. Elke vrijdag rosé op een terrasje, en daarna lekker eten.'

Dat is inderdaad onze mooie zomeravondtraditie, al lijkt het eeuwen geleden. Ik moet alvast geld opzij gaan leggen om die avondjes straks te kunnen bekostigen.

Alhoewel, als het zo doorgaat met de afspraken, bestel ik deze zomer de duurste rosé van de kaart.

Eva en Natasja bespreken een Italiaanse toerist die al een tijdje naar Natasja zit te lonken. Eva denkt dat hij een maffiabaas is, maar Natasja ziet hem wel zitten en likt zogenaamd achteloos aan haar lippen. De Italiaan grijnst.

Hun gebabbel gaat langs me heen. Ik pak mijn telefoon uit mijn tas. Ik wil geen oproep missen, want het kan altijd een nieuwe klant zijn. Er heeft niemand gebeld, maar ik heb wel een sms'je.

*Jij denkt dat ik het niet meen, hè? Maar ik meen het wel.*

Met een kreet gooi ik mijn telefoon van me af. Ik kegel Natasja's sinaasappel-banaansmoothie omver. Ze schiet overeind.

'Jezus, wat doe jij nou?'

'S-sorry. Ik zag een wesp.'

Eva kijkt om zich heen. 'Ik zie niets. Hij is al weg, denk ik.' Ze draait het kleed om en legt een plastic tas over de natte plek.

Natasja staart alweer dromerig naar de Italiaan, en Eva doet net zo hard mee. Ik probeer mijn ademhaling weer onder controle te krijgen, maar ik voel een paniekaanval opkomen.

'Wat is er?' Natasja, die haar blik van de Italiaan heeft weten los te scheuren, kijkt me verwonderd aan. 'Je kijkt alsof je zojuist een spook hebt gezien. Je bent helemaal wit!'

Ik wil al mijn gebruikelijke niets-aan-de-hand-blik opzetten, maar om een of andere reden aarzel ik. Waarom zou ik ze niet vertellen wat er aan de hand is? Het zal me een beter gevoel geven als ik mijn angst kan delen, en bovendien zijn mijn vriendinnen hartstikke nuchter. Ze komen vast met een plausibele verklaring voor de berichtjes op de proppen.

'Nou ja', begin ik nog wat aarzelend. 'Het is vast niets, maar...'

'Maar wat?' Eva kijkt me onderzoekend aan.

'Maar ik heb een vreemd sms'je gekregen. Twee, eigenlijk.'

Eva fronst. 'Oh ja? Wat stond erin?'

Ik laat ze het eerste sms'je lezen. Natasja slaat haar hand voor haar mond en giechelt. 'Oh, sorry. Dit lijkt wel een slechte detective.'

'Ja, lach er maar om. Maar dan heb je dit nog niet gelezen.' Ik laat het meest recente berichtje zien. Natasja fronst.

'Volgens mij moet je dit niet zo serieus nemen', zegt Eva. 'Het is vast een of andere grappenmaker die naar willekeurige nummers dit soort sms'jes heeft gestuurd.'

Natasja knikt. 'Het is een misplaatste grap, inderdaad. Zet het van je af.'

'Maar wat als het voor iemand anders is bedoeld?' vraag ik. 'Een vrouw die misschien binnenkort wel wordt aangevallen of vermoord, en die alleen dit sms'je als waarschuwing kreeg? Maar dat kreeg ze dus niet, omdat ik het heb gekregen.'

'Jeetje.' Eva wrijft over haar kin. 'Je maakt je er wel druk om, hè?'

'Je kent dit nummer zeker niet, hè?' vraagt Natasja, die het schermpje van mijn telefoon nauwgezet bestudeert.

Ik schud mijn hoofd.

'Er is maar één manier om erachter te komen van wie dit is', zegt mijn vriendin dan. 'En dat is bellen.'

'Nee joh, doe normaal', zeg ik snel. 'Straks krijg je hem nog aan de telefoon en dan?'

'Dan vraag ik waarom hij zo'n sms'je stuurt. Even kijken, hoe zet ik je nummerherkenning uit?' Ze drukt op wat knopjes en heeft het al voor elkaar.

'Oké...' Natasja zet een spannend stemmetje op. 'Ik ga de moordenaar bellen...'

'Doe normaal', zeg ik zenuwachtig.

Natasja steekt haar vinger in de lucht als de telefoon overgaat. 'Het zal mij benieuwen', mompelt ze. Dan kijkt ze teleurgesteld. 'Voicemail.'

'Hoe klinkt zijn stem? Laat eens horen!' Eva trekt de telefoon uit haar handen.

'Nee, het is zo'n telefoonstem die het nummer noemt.'

'Hang nou maar op!' Ik word nu echt nerveus. Straks spreken we nog per ongeluk zijn voicemail in.

'Oh, de piep!' Eva verbreekt snel de verbinding. 'Nou, daar schieten we niet echt iets mee op.'

'Misschien moeten we zijn voicemail inspreken', zegt Natasja peinzend. 'Ik ben wel benieuwd of hij terugbelt.'

'Echt niet.' Ik pak mijn telefoon terug voor ze het plan kan uitvoeren. 'Straks traceert hij ons nog en dan verplaatst hij zijn aandacht naar ons.'

'Volgens mij heb jij te veel van die detectiveseries gekeken', zegt Natasja. 'Maar als je je zo'n zorgen maakt, waarom ga je dan niet naar de politie?'

'Die zien me aankomen! Hallo agent, ik heb een raar sms'je gekregen en nu dacht ik, misschien wordt er wel iemand vermoord.'

Eva grijnst. 'Misschien beter van niet.'

'Dan hoef jij je in elk geval niet schuldig te voelen als het wel gebeurt', zegt Natasja.

Maar Eva schudt haar hoofd. 'Je ziet spoken. Je moet het gewoon van je afzetten, Charlotte. Iemand heeft een slechte grap met je uitgehaald en ik weet zeker dat hij zich rot zou lachen als hij jou zo zou zien.'

Maar haar geruststelling kalmeert me niet. Ineens voel ik de overweldigende behoefte om mijn vriendinnen het hele verhaal te vertellen. Dan kunnen ze pas écht oordelen over het sms'je.

Ik haal diep adem, maar houd toch mijn mond dicht. Het is gewoon te ingewikkeld.

En dan is het moment ook weer voorbij.

'Hij kijkt weer naar je', zegt Eva en ze geeft Natasja een por. Die giechelt en zwaait een beetje verlegen naar de knappe Italiaan.

'Oh, hij komt hierheen! You go, girl!'

'Sst', sist Natasja geïrriteerd. 'Dat kan hij natuurlijk verstaan!'

'Hello', zegt de Italiaan, terwijl hij naast Natasja neerknielt.

Ik sta op. 'Tijd om te gaan. Tot later.'

'Hé!' roept Eva nog. 'Waar ga je nou heen?'

# 13

GEROUTINEERD GA IK LANGS DE LIJST MET NAMEN. ALLE KIN-
deren zijn er, op Vivian van Heusden na. Ik zal zo meteen bij
Frans navragen of zij is ziek gemeld. Stiekem hoop ik van wel,
dat zou echt heel goed uitkomen. En niet alleen omdat Vivian
een onuitstaanbaar krengetje is.

'We gaan deze week allemaal een verhaal maken', kondig
ik aan. 'We gaan eigenlijk ons eigen prentenboek maken. Jullie krijgen van mij een leeg boekje en aan het eind van de week
staan daar allemaal tekeningen in die met elkaar een verhaal
vertellen.' Ik pak de stapel lege boekjes die ik in elkaar heb geniet en deel ze uit. Dan laat ik alle kinderen aan een tafeltje
plaatsnemen, voorzie ze van kleurpotloden en viltstiften en leg
aan de helft die het niet begrijpt nog een keer uit wat de bedoeling is. En dan nog een keer aan de kinderen die het ook
de tweede keer niet hebben begrepen. Nu het schooljaar vor-
dert, kan ik altijd voorspellen welke kinderen dat zullen zijn.

De tweeling Ronny en Danny bijvoorbeeld, die na de derde uitleg aarzelend aan de slag gaan. Ik weet dat ik aan het eind van de week een serie tekeningen van ze krijg waarin ik niets herkenbaars zal zien en die al helemaal niet met elkaar samenhangen. Maar ze doen wel hun best. En Laura begrijpt het ook niet, maar zij is onlangs getest op een hele serie ontwikkelingsstoornissen, omdat ze over het algemeen heel weinig begrijpt.

Als alle kinderen aan het werk zijn, loop ik rond om vragen te beantwoorden, hier en daar te sturen en complimentjes te geven. Het klikkende geluid van mijn nieuwe laarzen op het marmoleum doet mijn hart zo nu en dan sneller slaan. Ik voel me mooi en aantrekkelijk, al bestaat mijn publiek uit vierjarigen. Onbewust strijk ik over mijn beige jurkje. De ceintuur om mijn middel maakt dat mijn taille er ongelooflijk slank uitziet. Ik kon het zelf bijna niet geloven toen ik het vanochtend in de spiegel zag en ik heb Anneke en Jorien heus wel jaloers zien kijken. Voor het eerst sinds tijden ben ik vanochtend tot het laatste moment in de lerarenkamer gebleven. Eindelijk heb ik niet meer het gevoel dat ik een slons ben en dat ik me moet verstoppen. Wat een leuk jurkje en een paar schoenen al niet voor je kunnen doen!

De deur van het lokaal gaat open en ik verwacht Frans die komt zeggen dat Vivian er vandaag niet is. Maar als ik me omdraai, kijk ik recht in het gezicht van Leo.

'Sorry,' zegt hij, 'we hadden ons verslapen. Maar we zijn er.'

Ik weet niet wat ik moet zeggen.

'Zo.' Hij laat zijn blik ongegeneerd over mijn lichaam gaan. 'Nieuwe kleren?'

'Eh... Ik moet weer aan de slag. Kom maar, Vivian, we zijn al begonnen. We gaan deze week een boekje maken.' Ik praat tegen het kind, maar het lukt me niet mijn blik los te maken van die van Leo. Zijn staalgrijze ogen nemen me op.

'Goed', zegt hij uiteindelijk. 'Ik ga er weer eens van tussen. Tot snel, Charlotte. Trouwens, mooie ketting.'

Dat laatste klinkt zo onheilspellend dat het koude zweet me uitbreekt. Ik voel met mijn hand aan mijn zilveren kettinkje. Dat mag hij me niet afpakken! De huid onder mijn kleding prikt en ik voel mijn gezicht rood worden.

De gedachte aan het sms'je dringt zich aan me op. Zou Leo...?

Nee, ik moet nu geen spoken gaan zien. Resoluut draai ik me om en zet Vivian aan het werk. Langzaam vervaagt het beeld van Leo's ogen, maar ik kan niet zeggen dat ik ernaar uitzie om vanmiddag naar huis te gaan. Hij staat vast snel weer op de stoep.

Als alle kleuters aan het werk zijn, bekijk ik onopvallend mijn mobieltje. Er is één nieuw bericht. Nieuwsgierig open ik het; nadat ik mijn vriendinnen over het vreemde sms'je heb verteld, geloof ik zelf ook dat het niets te betekenen heeft. Ik heb daarna ook niets meer gekregen, en dat zegt genoeg.

Het berichtje is van Menno. Hij herinnert me aan onze afspraak van aanstaande donderdag en ik glimlach. Hoewel ik liever niet beroofd was, vind ik mijn service steeds leuker worden. Ik verheug me soms zelfs op de afspraken en niet meer alleen op het geld. Alhoewel het geld natuurlijk niet vervelend is. Als ik het naar de bank breng, kan ik eindelijk een serieuze afbetaling doen. Dat wil zeggen: áls ik het naar de bank breng. Misschien breng ik het wel regelrecht naar de winkel en neem ik een mooie nieuwe wasmachine mee naar huis. En wasmiddel. En nieuwe kleren om te wassen. Ja, dat ga ik doen. Mijn volgende salaris staat helemaal in het teken van 'wassen'. Ik had nooit kunnen vermoeden dat ik me daar nog eens zo op zou kunnen verheugen.

Ik open de voordeur en raap de post op. Het stapeltje enveloppen brengt niets nieuws: wat rekeningen, een paar nieuwe aanmaningen, een paar aanmaningen van aanmaningen, niks wat ik niet eerder heb gezien. Ik berg ze op in mijn keukenkastje, sla het deurtje nonchalant dicht en trakteer mezelf op een blikje cola light. Het is belachelijk wat je voor zo'n sixpack betaalt en daarom ben ik zuinig met de blikjes, maar ik heb er nu wel eentje verdiend.

Met het blikje in mijn hand staar ik naar buiten, bang dat elk moment Leo's glimmende zwarte suv de straat in komt. Gelukkig gebeurt er vooralsnog niets. Misschien laat hij me deze keer met rust. En als hij wel komt, ben ik goed voorbereid. In mijn beha zitten twee briefjes van vijftig. Als Leo ze weet te vinden, doe ik hem een proces aan.

Mijn hart mist een slag als er een zwarte auto de straat in rijdt, maar gelukkig is het niet die van Leo. In mijn beha jeukt het geld. Ik moet het eigenlijk in het potje 'nieuwe wasmachine' doen, maar ik ben bang dat hij mijn geheime voorraad vindt. Op de bank storten is alleen ook niet echt een optie. De keren dat ik dat heb gedaan verdween het geld rechtstreeks naar iedereen die er aanspraak op kon maken . En hoewel dat natuurlijk zinvol is, levert het me geen nieuwe wasmachine op.

Er zit maar één ding op: ik moet het potje 'afbetaling van een miljoen rekeningen' plunderen en vandaag nog een nieuwe wasmachine kopen. En dan moet ik daarna een manier bedenken om die te verbergen voor Leo.

Met het geld uit alle potjes die ik kan vinden, plus de honderd euro uit mijn beha, kom ik op vijfhonderddrieënzestig euro en dertien cent. Dat moet genoeg zijn.

Ik schraap al het geld bij elkaar, prop het in mijn portemonnee en ga de deur uit. Terwijl ik op mijn fiets stap en naar een witgoedspecialist rijd die een paar straten verderop zit, zet ik op een rijtje wat ik nodig heb. Om te beginnen natuurlijk een wasmachine, en ook iemand om hem naar boven te tillen en de oude mee te nemen. Tot slot heb ik een manier nodig om de nieuwe machine precies op de oude te doen lijken. Leo heeft die een keer geprobeerd en toen hij tot de conclusie kwam dat het apparaat het echt niet deed, heeft hij hem laten staan. Ik zal meteen mijn nieuwe machine van krassen en deuken moeten voorzien en ik ben genoodzaakt om een Whirlpool te kopen, hetzelfde merk als ik nu heb. Verder kan ik alleen maar hopen dat het Leo niet opvalt.

Om kwart voor zes stap ik de zaak binnen. Het verkopend personeel, dat waarschijnlijk op een vroegertje had gerekend, kijkt niet blij. Uiteindelijk maakt iemand zich los uit het groepje en loopt naar me toe. 'Kan ik u helpen?' vraagt hij en zijn enorme grijze baard beweegt mee. Ik kan mijn blik er maar moeilijk van losmaken.

Ik ben niet van plan om me met een haastig verhaaltje te laten afschepen. 'Ik zoek een nieuwe wasmachine. Een Whirlpool. Mijn budget is vijfhonderddrieënzestig euro en... Nou ja, laat maar. Hebben jullie zoiets?' Ik kijk al langs de verkoper heen naar de rij wasmachines. Op het eerste gezicht zie ik er niet één die op de mijne lijkt.

'Ik kijk even in het systeem.' Hij loopt naar de computer en typt wat dingen in. 'Wat u zoekt, bestaat wel, maar die machine staat in ons magazijn. Dat is op het industrieterrein Spaklerweg. Ik kan een machine voor u bestellen en dan wordt die direct vanuit het magazijn geleverd. Deze kost vijfhonderdveertig euro.'

'Perfect!' zeg ik opgetogen. 'Doet u dat maar.' Ik pak mijn portemonnee uit mijn tas.

De man typt nog wat dingen in. 'Plus vijftien euro verwijderingsbijdrage, maar dan nemen we uw oude wasmachine wel gratis mee. Totaal komt het op vijfhonderdvijfenvijftig euro.'

'Oké.' Ik tel het geld voor hem uit. 'En dan bezorgen jullie hem ook, neem ik aan.'

'Oh, u wilt bezorging? Woont u op de begane grond?'

'Nee, op twee hoog.'

'Dan wordt het in totaal vijfhonderdtachtig euro.'

'Maar ik heb u gezegd dat mijn budget vijfhonderddrieën- zestig is.'

De verkoper staart me glazig aan. 'Tja.' Hij krabt in zijn baard. 'Dan moet u de machine niet laten bezorgen.'

Eenmaal op de fiets denk ik moedeloos aan het moment waarop ik zei dat ik dat inderdaad maar niet moest doen. Hoe ga ik die nieuwe wasmachine in godsnaam zelf ophalen? Mijn auto is nooit groot genoeg en staat bovendien al maanden zon- der benzine. Ik heb hulp nodig. Maar wie moet ik vragen?

Als eerste denk ik aan mijn vader. Hij heeft een aanhanger, maar hem om hulp vragen, is geen optie. Mijn vriendinnen dan. Ze willen me ongetwijfeld helpen als ik dat vraag en ik kan waarschijnlijk ook nog wel een plausibele verklaring ver- zinnen waarom ik de machine niet laat bezorgen, maar Eva rijdt een Opel Corsa en Natasja een Peugeot 201.

Dan blijft over: mijn broer. Enigszins tot mijn schaamte moet ik toegeven dat ik hem al weken niet heb gesproken, maar hij vindt het vast niet raar als ik ineens bel en hem vraag of hij met zijn bestelbus even een wasmachine wil ophalen. Hem vragen heeft twee voordelen: hij zegt ja en hij heeft de juiste auto.

Zodra ik thuis ben, pak ik mijn telefoon en zoek zijn num- mer op.

'Bastiaan van Rhijn.'

'Bas, met Charlotte. Herkende je mijn nummer niet?'

'Oh, hai zussie. Heb je een nieuw nummer dan?'

Ai, misschien heb ik hem wel langer dan een paar weken niet gebeld.

'Ja. Bas, ik heb je h...' Wacht even. Na al die tijd is het misschien wel aardig om niet meteen met de deur in huis te vallen. God, met mijn geld zijn ook mijn sociale omgangsvormen verdwenen.

'Hoe is het met je?' vraag ik mijn broer.

'Ja, goed. Goed, hoor. Z'n gangetje. En jij?'

'Ook z'n gangetje. Niets bijzonders. Ik heb een nieuwe wasmachine.'

'Goh.'

'Ja. Eigenlijk bel ik daar ook voor.'

'Oh.'

'Bas, ik heb je hulp nodig.'

Er valt even een stilte. Het is ook niet gebruikelijk dat ik Bastiaan bel met zo'n vraag.

'Wat is er dan?' vraagt hij. 'Zit je in de problemen of zo?'

'Nee, dat niet, maar ik heb een wasmachine gekocht en ik eh... Ze kunnen hem niet thuisbezorgen en hij staat in het magazijn. En nu dacht ik, jij hebt toch een bestelbus?'

'Af en toe, ja.'

'Zou jij die machine van het magazijn naar mijn huis kunnen brengen?'

'Eh... Tja. Ja, waarom niet? Dat moet wel lukken. Maar dan moet ik wel eerst de bus hebben. Die is niet van mij, maar van een maat van me.'

'Kun je dat regelen?'

'Ehm...' zegt Bastiaan langgerekt. Ik wilde alweer dat ik het hem niet had hoeven vragen, omdat hij al die extra moeite moet doen. Maar hij is de enige die me kan helpen.

'Oké', zegt mijn broer dan. 'Ik zal hem wel bellen. Wanneer moet ik die wasmachine dan ophalen?'

'Wanneer kun je?'

'Donderdag, is dat goed?'

'Ja, natuurlijk! Graag!' Ik roep het overdreven enthousiast uit, om mijn gemengde gevoelens te overstemmen. Het voelt onnatuurlijk om iemand anders met mijn problemen op te zadelen.

Met diezelfde gemengde gevoelens sta ik die donderdagmiddag op de uitkijk. Bastiaan zou er om halfvijf zijn, maar het is nu al tien over half en hij is nergens te bekennen.

Als mijn telefoon gaat, wil ik al nijdig opnemen, maar dan zie ik dat het Menno is. We gaan vanavond uit eten met zijn ouders.

'Ik vroeg me af of we iets eerder kunnen afspreken', zegt Menno. 'Mijn ouders zijn hier al om halfzes en niet om zeven uur.'

'Oh. Ja. Natuurlijk, geen probleem.'

Als ik ophang, klopt mijn hart in mijn keel. Als Bastiaan nu niet heel snel komt, moet ik hem straks nog aan Menno voorstellen. Geen idee wat ik dan moet zeggen.

Een paar minuten later rijdt Bastiaan de straat in. Hij put zich meteen uit in verontschuldigingen.

'Als de brug niet open had gestaan, was ik echt op tijd geweest.'

'Ja, het is al goed, rijd nou maar.'

'Wat een haast', mompelt mijn broer. Als ik naast hem in de auto stap en hij gas geeft, kijkt hij me een beetje bevreemd aan.

'Nieuwe kleren?'

Ik knik. 'Ja.'

'Ik heb jou nog nooit in een jurk gezien.'

Ik probeer luchtig te antwoorden. 'Oh nee? Toch draag ik er erg vaak een, hoor.'

Bastiaan zegt verder niets. Ik kijk zenuwachtig op het klokje in het dashboard van de bestelbus. Gelukkig heeft mijn broer een nogal sportieve rijstijl. Ik moet me goed vasthouden om niet van hot naar her te worden geslingerd, maar ik moet toegeven: we schieten lekker op.

'Hier moet het zijn', zegt Bastiaan even later. 'Wat een troosteloze bende.'

Ik volg zijn blik. We staan voor een vervallen loods die in het verleden best eens wit geweest zou kunnen zijn. 'Laten we opschieten, straks zijn ze dicht.' Ik spring uit de auto en loop naar de ingang.

Als we niet te maken zouden hebben gehad met een hoogbejaarde magazijnmedewerker met een leesprobleem, zouden we ongetwijfeld al eerder op weg zijn geweest, maar nu kunnen we pas om kwart over vijf vertrekken. Nerveus kijk ik op mijn horloge als we weer in de bestelbus zitten.

'Ik moet om halfzes weg. Redden we dat?'

'Tuurlijk. Het is tien minuten rijden naar jouw huis.'

Die tien minuten lijken wel een uur te duren, maar uiteindelijk parkeert Bastiaan om vijf voor halfzes de bestelbus voor mijn deur. We laden de wasmachine uit.

'En nu nog even naar boven, zeker.' Bastiaan kijkt peinzend naar mijn Frans balkonnetje. 'Heb je een katrol en een touw?'

'Eh... Dat is echt niet nodig', zeg ik snel. 'Ik red me wel. Bedankt voor je hulp, Bas. Je kunt nu wel gaan.'

'Maar je kunt dat ding toch niet op straat laten staan?'

'Nee, dat doe ik ook niet. Diegene die om halfzes komt, komt juist om te helpen', verzin ik. 'Dus dat hoef jij niet te doen. Ik wilde niet te veel misbruik maken van het feit dat je me wel wilde helpen.'

Bastiaan kijkt me bevreemd aan, maar aan zijn gezicht zie ik dat het idee dat hij dan niet meer hoeft te sjouwen hem wel aanstaat. 'Oké. Dat is aardig van je. Veel succes.'

'Bedankt. Ook voor je hulp.'

Ik kijk onopvallend op mijn horloge. Het is precies één minuut voor halfzes als Bastiaan instapt en de straat uit rijdt. Op hetzelfde moment rijdt vanaf de andere kant van de straat de auto van Menno de straat in. Hij parkeert in het vak dat Bastiaan net vrij heeft gemaakt.

Ik voel het zweet in mijn handen staan.

'Hai', zegt Menno als hij uitstapt. 'Wat heb jij daar nou?'

'Een wasmachine.'

'Oké.' Hij trekt zijn wenkbrauwen op.

'Mijn oude is stuk en deze is net bezorgd.'

'Had je niet verteld dat je twee hoog woont?'

Ik schud mijn hoofd. 'Ik had het wel gezegd, maar het is niet goed doorgekomen. En dan weigeren ze ook om hem de trap op te dragen.'

Hoewel Menno het duidelijk niet ziet zitten om te sjouwen, biedt hij toch aan om te helpen en een kwartier later staan we boven aan de trap uit te hijgen. Ondanks het vele fietsen is mijn conditie belabberd.

Menno kijkt me bezorgd aan. 'Gaat het wel?'

'Ja, ja. Niets aan de hand. Zullen we weer?' De wasmachine moet ook nog mijn huis binnen en dan kom ik er niet onderuit om de oude meteen naar beneden te transporteren. Nu Menno er toch is.

'Moet die weg?' vraagt hij, als hij de oude, verroeste machine ziet. 'Belachelijk dat je wel verwijderingsbijdrage betaalt, maar dat ze hem niet voor je meenemen. Als ik jou was, zou ik een klacht indienen.'

'Ga ik ook zeker doen', knik ik zo overtuigend mogelijk.

Het loopt al tegen zessen als we de oude wasmachine aan de straatkant zetten. 'Die wordt vast wel door iemand meegenomen', zeg ik. 'Kom, we gaan.'

'Weet je zeker...' begint Menno, maar ik loop resoluut naar zijn auto.

'Kom nou maar. Anders neemt de gemeentereiniging hem wel mee.'

We stappen in. 'Je ouders zullen zich wel afvragen waar we blijven', zeg ik.

Menno haalt zijn schouders op. 'Ze stonden in de file, dus ze zijn er zelf ook nog maar net. En anders nemen ze vast een wijntje, dan vergeten ze vanzelf de tijd.'

'Da's waar', grinnik ik. Het voelt al vertrouwd om met Menno op deze manier over zijn ouders te praten. Een beetje alsof we echt een relatie hebben.

# 14

IK DRAAI EEN RONDJE VOOR DE SPIEGEL EN KNIK GOEDKEU-rend. Over mijn schouder werp ik mezelf een uitdagende blik toe, en daarna grinnik ik een beetje gegeneerd. Als mijn vriendinnen me zo konden zien...

Vanavond wil ik met mijn strapless jurkje indruk maken op Reinier, omdat dat de hoogte van de fooi over het algemeen goed doet. Ik ben nog een paar kilo afgevallen en de jurk staat daardoor alleen maar beter. Met dank aan mijn nieuwe shampoo valt mijn haar glanzend over mijn schouders.

Nou ja, misschien doe ik het niet alléén voor de fooi.

'Wauw', zegt Reinier als hij me een halfuurtje later ophaalt. Het is precies waarop ik had gehoopt. Ik glimlach bescheiden, maar voel me prachtig.

'Dank je.'

Hij mag er zelf ook zijn. Reinier gaat vanavond gekleed in een donkergrijs maatpak, een geblokt shirt en een gestreepte stropdas. Sommige mensen zouden er in zo'n combinatie uitzien als een clown, maar hij kan het hebben.

'Heb je er zin in?' vraagt hij, als we samen in zijn auto plaatsnemen. Het is heel erg, maar ik moet toegeven dat het al begint te wennen om vervoerd te worden in zijn sportwagen.

Ik knik. 'Natuurlijk. Jij?'

Reinier trekt een gezicht. 'Het is zaterdagavond en we gaan naar een zakendiner. Ik had meer zin om in een spijkerbroek op de bank te hangen en een goed boek te lezen.'

'Welnee. Zaterdagavond is een prachtige avond om uit te gaan. Ik vind het heerlijk.'

'Ach, je hebt ook wel gelijk.' Hij werpt een snelle blik opzij. 'Bedankt dat je me er even aan herinnert. Zonder jou zou ik een saaie oude man worden.'

Die woorden hangen even tussen ons in. Ik weet niet wat ik moet zeggen en mompel iets onverstaanbaars.

Dan verbreekt Reinier de stilte. 'Weet je, soms vraag ik me af hoe jij het allemaal volhoudt. Er zijn toch wel dagen dat je geen zin hebt om te werken, maar dan moet je je toch weer motiveren om je mooi te maken en de deur uit te gaan, én vrolijk te zijn. Heb je eigenlijk veel klanten?'

'Ik mag niet klagen.'

Reinier werpt een peinzende blik opzij. 'Jij hebt echt een gat in de markt ontdekt. Eigenlijk zou ik je een baan moeten aanbieden. Creatieve geesten als jij kun je in een bedrijf niet genoeg hebben. Als je ze niet hebt, roest je vast.'

'Nee, dank je', zeg ik. 'Het werk dat ik heb, bevalt me prima. En trouwens, ik weet niets van cijfers.'

Reinier grinnikt. 'Wat maakt het uit? Een groot deel van onze klanten ook niet. Zeker de mensen met wie we vanavond aan tafel zitten. Hij is een omhooggevallen mannetje, dat carrière heeft gemaakt door veel te bluffen en zo nu en dan een concurrent handig uit te schakelen. En zij is zijn derde vrouw, twintig jaar jonger en vooral van de partij om mooi te zijn. Zo nu en dan trekt ze haar mond open, maar daar zit niemand op te wachten. Ze kraamt uitsluitend onzin uit.' Hij steekt zijn vinger in de lucht als hem iets te binnen schiet. 'Ze kan niet wachten om je te ontmoeten, trouwens. Ze is dol op mode en vindt dat ze er veel verstand van heeft.'

'Ze kan niet wachten om Elisa te ontmoeten', verbeter ik.

'Oh ja.' Reinier grijnst breed. 'Dat vergat ik even. Maar volgens mij klets je haar zo onder tafel, want ze kan nog geen Gucci van een Prada onderscheiden.'

Ik ook niet. Maar ik weet het aardig te verbergen.

We stoppen voor het restaurant. Reinier opent het portier.

'Mag je hier wel parkeren?' vraag ik onzeker. 'Volgens mij blokkeer je de deur een beetje.'

Reinier kijkt me bevreemd aan. 'Kom nou maar mee. Over parkeerproblemen hoef jij je mooie hoofdje toch niet te breken?'

Hij stapt uit en gooit een man in een zwart pak en met een hoed op de sleutels toe. De man knikt en gaat achter het stuur zitten. Ik voel me een sul. Valetparking. Natuurlijk.

Reinier steekt zijn arm uit en ik leg mijn hand erop.

'Ze zijn er al', zegt hij als we het restaurant binnenkomen en iemand onze jassen aanneemt. 'Zie je die grijze man met al dat haar? Dat is meneer Zweghel. Naast hem zit dus Cynthia, een van de domste mensen die je ooit zult ontmoeten.'

Ik werp een zelfverzekerde blik in hun richting. 'Laten we gaan.'

We lopen samen tussen de tafels door. Ik voel dat mensen naar ons kijken en heb het idee dat ik een paar centimeter boven de grond zweef.

'Goedenavond. U moet Elisa zijn.' De grijze man staat op, pakt mijn hand en drukt er een kus op. Ik bloos.

'Hallo, Elisa', zegt zijn vrouw. Ik krijg drie luchtzoenen. Wat achterblijft, is een wolk Chanel No. 5. 'Wat leuk om je eindelijk te ontmoeten. Jij en ik hebben een heleboel gemeen. Het wordt vast een geweldige avond.'

Reinier knijpt zachtjes in mijn hand en ik tover een stralende glimlach tevoorschijn. 'Dat denk ik ook, Cynthia.'

De grijze man, die Cor blijkt te heten en erop staat dat ik hem ook zo noem, gaat weer zitten. Hij kijkt Reinier aan. 'Terwijl de dames over de geneugten des levens filosoferen, moeten wij het hebben over manieren om de middelen voor diezelfde geneugten bij elkaar te sprokkelen, nietwaar?' Hij lacht hard en grommend. Reinier doet mee, maar je ziet van een kilometer afstand dat het gespeeld is.

'Hoe maak je het?' vraagt Reinier. 'Alles goed met de kinderen?'

Kans om het gesprek verder te volgen krijg ik niet. Cynthia trekt aan mijn arm. 'Ben je net terug uit Milaan?'

'Eh... Nee. Hoezo?'

'De shows!' Ze gooit met een dramatisch gebaar haar armen in de lucht. 'Ik kon helaas niet gaan, maar ik kan niet wachten tot de collecties in Nederland zijn.'

Vanwege mijn verschijning als Elisa heb ik me de laatste tijd wat meer in mode verdiept en ik weet één ding zeker: de Fashion Week van Milaan is niet onlangs gehouden.

'Welnee!' Cynthia schudt wild met haar hoofd. 'Die was vorige week. Dat zou jij toch moeten weten.'

'Ik was in Tokio', verzin ik snel. 'Daar gebeurt het op modegebied. Maar dat zul jij wel weten, natuurlijk.'

Nu is ze uit het veld geslagen. 'Tokio? Echt?'

'Ja, er zijn een paar heel succesvolle Japanse ontwerpers die het ook in de rest van de wereld gaan maken.'

'Japanse ontwerpers?' Cynthia kijkt me ongelovig aan. Ze

hoeft het ook niet te geloven, want het is niet waar. Maar ik ben vandaag de autoriteit op modegebied, dus zal ze me wel geloven.

Dan verandert ze snel van onderwerp. 'Jij hebt een prachtige baan. Ik wil er alles over horen. Ik heb me verheugd op deze avond!'

Ze wrijft over mijn arm alsof we de dikste vriendinnen zijn. Vervolgens leunt ze achterover en kijkt me verwachtingsvol aan. Er zit voor mij weer niets anders op dan een bestaan als topmodel bij elkaar te verzinnen. Ik zucht onopvallend en ga van start.

Vijfenhalf uur later heb ik het idee dat de blaren op mijn tong staan. Ik heb liters water gedronken om mijn droge keel te smeren en het enige dat ik nu nog wil, is stil zijn.

Maar die kans gunt Cynthia me niet. Ze blijft maar vragen stellen en dus blijf ik antwoorden verzinnen. Tot overmaat van ramp hebben de heren zeven gangen besteld, die nu allemaal achter de kiezen zijn. Maar er moet nog koffie komen en ik kan alleen maar hopen dat we daarna weggaan. Het enige voordeel is dat mijn portemonnee zich vult.

Ik werp een blik op Reinier, die zich prima lijkt te vermaken. Ondanks het geklets van Cynthia is het me gelukt om zo nu en dan wat van het gesprek tussen de mannen op te vangen en wat ik eruit opmaakte, was dat Reinier bij zijn tafelgast de nodige miljoenen heeft losgepeuterd om investeringen mee te doen, die voor hen allebei gunstig zullen uitpakken. Waarin hij precies gaat investeren, is mij een raadsel.

'Oh, en Etro en Marni, natuurlijk. Dat draag ik ook vaak.' Cynthia hamert op mijn arm.

De koffie wordt gebracht en ik drink de mijne snel op. Het bijbehorende likeurtje verdwijnt nog sneller. Ik heb me vanavond ingehouden met de wijn, omdat ik bang was dat ik anders Cynthia op een onbewaakt ogenblik zou vertellen hoe ik echt over haar dacht. Maar nu de avond zijn einde nadert, hoef ik met de alcohol niet meer rustig aan te doen.

'Zullen we er een eind aan breien?' stelt Reinier een paar minuten later voor. 'Het heeft me allemaal erg goed gesmaakt.'

'Anders mij wel.' Cor wrijft over zijn tamelijk omvangrijke buik. 'Wat jij, schat?'

Zijn vrouw knikt, maar ik weet dat ze niet over het eten kan oordelen. Ze heeft hooguit drie muizenhapjes genomen.

Zelf heb ik me de zeven gangen goed laten smaken. Ik heb zo veel gegeten, dat mijn maag bijna uit elkaar klapt, maar ik denk genietend aan de uren van pure luxe terug.

Als Reinier met zijn creditcard de rekening heeft voldaan, staan we allemaal tegelijk op. Het afscheid verloopt zoals de begroeting: drie in de lucht geplaatste zoenen van haar en een kus op mijn hand van hem. Ik wil Cor sterkte wensen, omdat hij het moet uithouden met zijn vrouw, maar ik ben bang dat hij dan zo beledigd is dat hij zijn miljoenen niet meer aan Reinier toevertrouwt.

Als we in de auto zitten, werpt Reinier een grimmige blik naar de deur van het restaurant, waar Cor en Cynthia nog staan. 'Ik pluk hem kaal', zegt hij onheilspellend. 'Tot op de bodem, desnoods.'

Ik weet even niet wat ik moet zeggen. Uiteindelijk vraag ik: 'Heeft hij je iets misdaan?'

'Hij bestaat en dat is genoeg. Ik zal ver gaan om hem kapot te maken.'

Er loopt een rilling over mijn rug. Reinier maakt geen grapje, de blik in zijn ogen is ijskoud. 'Tot op de grond. Hij zal bloeden en me smeken of hij mag betalen, en zelfs dan ga ik door. Ik maak hem af.'

Net als ik me heel ongemakkelijk begin te voelen, verandert zijn blik. Ineens is de charmante Reinier terug. Hij grinnikt.

'Dat gezicht van jou. Fantastisch.'

Ik ben verward over de plotselinge stemmingswisseling. 'Welk gezicht?'

'Toen Cor je die handkus gaf. Je keek naar hem alsof hij een zielig hondje was dat je aan een handelaar toevertrouwde.'

Shit, kan hij gedachten lezen?

'Dat dacht ik helemaal niet', zeg ik.

'Jawel. En dat is ook logisch, want dat mens is werkelijk stomvervelend. Ik vind dat je je weer geweldig hebt geweerd, Lot. Ik sta elke keer weer verbaasd over je.'

'Oh ja?' vraag ik, nog steeds een beetje op mijn hoede.

'Ja.' Reinier draait een beetje naar me toe. 'Als ik je niet als mijn vriendin had ingehuurd, zou ik je op straat straal genegeerd hebben. Maar de laatste tijd heb ik gemerkt dat het leven leuker is als je niet alleen maar omgaat met mensen die miljoenen op de bank hebben. Zal ik je eens een geheim vertellen?'

'Hm-hm.'

'Die zijn vaak heel vervelend.'

'Oh ja? Ik ken ze niet.'

Reinier glimlacht. 'Jawel. Er zit er een naast je.'

Ik slik. Dat Reinier wat te besteden heeft, was me al opgevallen. Maar miljoenen? Mijn schuld moet voor hem een bedrag zijn dat hij op zijn chippas heeft staan.

'Maar goed,' gaat hij verder, 'daar word je dus meestal geen leuker mens van. Daarom vind ik het ook zo leuk om met gewone mensen om te gaan. Ze houden je zo lekker normaal.'

Die zit. Maar ik denk dat Reinier het niet vervelend bedoelt en dus zeg ik niets.

Hij raakt heel even mijn knie aan. Mijn hart mist een slag.

'Laten we gaan', zegt hij dan, maar hij onderneemt geen actie. Ik realiseer me dat we nog steeds voor de deur bij het restaurant staan, op de plek waar de portier de auto heeft geparkeerd. 'Moeten we niet...?' vraag ik, als achter ons alweer een nieuwe auto verschijnt.

'Ja.' Reinier draait het sleuteltje om, laat de auto loeien en rijdt dan met piepende banden weg. We zeggen niets tot we voor mijn huis staan. Hoewel het logisch zou zijn om nu uit te stappen, blijf ik zitten.

'Ik ben blij dat ik je heb leren kennen', zegt Reinier. Hij zendt me een blik die me een warm gevoel bezorgt. Zie je wel, hij is helemaal niet hard en meedogenloos, zoals ik net even dacht. Ik heb het natuurlijk verkeerd begrepen, omdat ik niet eerder in de zakenwereld heb verkeerd.

'Ik eh...'

'Sst.' Hij legt zijn vinger over mijn lippen. 'Je hoeft niets te zeggen. Ik weet dat hierover iets in de voorwaarden van je bedrijf staat. Wees maar niet bang, ik zal de bedrijfsregels niet overtreden.' Hij trekt zijn hand terug. 'Ik wilde het gewoon even zeggen.'

Als mijn bedrijf voorwaarden had, zou het er ongetwijfeld in staan. Maar aangezien ik de directeur ben, mag ik ze ook wijzigen als ik daar zin in heb. Misschien begin ik daar wel een beetje zin in te krijgen.

Maar het moment is voorbij. Reinier heeft zijn portemonnee tevoorschijn gehaald en telt de briefjes af. 'Da's zeven uurtjes keer vijftig euro', mompelt hij. 'Driehonderdvijftig euro. En een beetje fooi.'

Hij drukt een stapel briefjes in mijn handen. Mijn hart maakt een sprongetje. Er zit er niet één bij van minder dan honderd euro.

Ik heb het afgeleerd om te zeggen dat het veel meer is dan de prijs. Dat deed ik de eerste twee keer, omdat ik dacht dat Reinier een fout maakte. Maar met geld maakt hij geen fouten en dat is waarschijnlijk precies de reden waarom hij er zo veel van heeft.

'Welterusten', zegt Reinier. Hij buigt zich naar me toe en zijn lippen raken heel even mijn wang. Dan leunt hij achterover in zijn stoel en start de motor. Ik stap uit en zoek in mijn tasje naar mijn sleutels.

Reinier rijdt pas weg als ik de deur heb geopend. De gentleman.

Onderzoekend kijkt mijn moeder me aan. 'Is er iets?'

'Nee, hoezo?'

'Je kijkt zo... anders. Je ziet er ook anders uit. Met hoge hakken.'

'Is dat zo raar?'

'Nee. Maar wel anders. Nou ja, laat maar. Nog koffie?'

'Ja.'

Ik kijk toe terwijl ze naar de keuken loopt. Het is vier weken geleden dat ik hier voor het laatst ben geweest, maar er is niets veranderd. Net als in de afgelopen twintig jaar.

Ik ben degene die veranderd is, denk ik. Ineens zie ik dat de meubels een beetje sleets zijn en dat de planten dode punten hebben.

'Je bent nogal afwezig', zegt mijn vader. Ik was bijna vergeten dat hij er ook nog was.

'Vind je?'

'Ja. Je zegt ook bijna niets.'

Gelukkig komt Bastiaan binnen en wordt de aandacht weggeleid van mij. Hij begroet onze ouders en slaat daarna mij vriendschappelijk op mijn schouders. 'En, hoe bevalt de wasmachine?'

'Wasmachine?' vraagt mijn moeder.

'Ja, ik heb een nieuwe.'

'Daar heb je niets over verteld.'

'Nee. Het is niet belangrijk.'

'Was de oude stuk?' vraagt mijn vader.

Ik knik. Iedereen zwijgt.

'Al een tijdje', zeg ik dan.

'Oh.' Mijn moeder neemt een slok van haar koffie. 'En hoe moest je dan wassen?'

'Niet. Ik heb een beetje een lastige tijd achter de rug.' Ik weet niet waarom, maar nu het eindelijk beter met me gaat, heb ik de behoefte om mijn ouders te vertellen wat er is gebeurd. Niet alles, maar een klein deel, zodat ze weten dat hun dochter het moeilijk heeft gehad, maar dat ik het allemaal overleefd heb.

'Oh ja?' Mijn moeder kijkt me aan. 'Dat is vervelend.'

'Ja, ik...'

'Gaat het nu beter?' vraagt mijn vader.

Ik knik. 'Ja, veel beter. Het was even moeilijk, maar ik ben er alweer aardig bovenop.'

'Dat is dan mooi', zegt hij. 'Heel goed. Zullen we eten?'

En daarmee is het onderwerp wat hem betreft afgesloten. Mijn moeder loopt naar de keuken om de laatste hand te leggen aan de lunch.

Na het eten weet ik niet hoe snel ik weg moet gaan. Ik ben boos en voel me gefrustreerd. Na al die maanden groeit de behoefte om met iemand te praten over wat ik heb meegemaakt, maar bij mijn eigen familie hoef ik niet aan te kloppen.

Nou, dan red ik het zelf ook wel. Maar het wordt wel tijd om serieus over het afbetalen van mijn schulden na te gaan denken, nu ik het geld heb om dat ook te doen.

Zodra ik thuis ben, pak ik een schrijfblok en een pen en maak een prioriteitenlijstje. De behoefte om met de vijfhonderd euro van Reinier de stad in te gaan is groot, maar als ik dat blijf doen, ben ik binnenkort mijn elektriciteit ook nog eens kwijt. En daarna ongetwijfeld mijn huis.

'Nuts', schrijf ik boven aan het lijstje. En daarna: 'kabel'. Het betalen van alle rekeningen is belangrijker dan de leningen.

Onder 'kabel' schrijf ik 'hypotheek' en daar weer onder 'leningen'. Dit is voorlopig mijn top vier. Je moet ergens beginnen.

Mijn telefoon piept en dankbaar zoek ik het toestel. Een beetje afleiding kan ik op dit moment wel gebruiken.

Maar mijn adem stokt.

In het schermpje staat een nummer dat ik eerst niet herken. Maar als ik het sms'je open, weet ik het ineens weer. Het is van hem. Van De Gek.

*Jij denkt dat dit een grap is, Charlotte? Dan heb je het fout. Houd hiermee op. Ik waarschuw niet nog een keer.*

Er loopt een rilling over mijn rug en ik kijk schichtig om me heen. Wie stuurt me dit? Hij gebruikt nu zelfs mijn naam. De berichtjes zijn dus niet per ongeluk naar de verkeerde persoon verzonden.

Ik heb het gevoel dat mijn keel wordt dichtgeknepen en ik gooi mijn telefoon op tafel. Ineens ben ik zo rusteloos dat ik rondjes door de kamer begin te lopen. Wie doet dit? Wie heeft het op me gemunt?

Mijn telefoon piept opnieuw. Ik adem scherp in. Zou het De Gek weer zijn? Ik durf haast niet te kijken, maar open uiteindelijk met trillende handen het berichtje.

Het is hem weer.

*Je bent prachtig als je bang bent. Hoe ik dat weet? Ik ben overal om je heen.*

Ik gil en laat mijn telefoon op de grond vallen. Ik ren naar het raam, kijk naar buiten en trek dan met een ruk de gordijnen dicht. Houdt hij me in de gaten? Is hij binnen?

Panisch doorzoek ik mijn slaapkamer en daarna de werkkamer. Ik kijk onder mijn bed en zelfs in de kast en achter alle deuren. Er is niemand. Ook het balkon en de badkamer zijn leeg.

Ik kalmeer een beetje. Hier in huis ben ik veilig.

Plotseling begint mijn telefoon te rinkelen. Ik schreeuw. Hijgend van angst pak ik mijn mobiel van de grond. Als het hem is, neem ik niet op.

Maar het is Michel. 'Met Lot', zeg ik met trillende stem.

'Hai. Met Michel. Ehm... Stoor ik?'

'Nee. Nee, helemaal niet.' Ik wil hem door de telefoon trekken en op wacht zetten voor mijn huis, maar ik zeg: 'Alles goed?'

'Ja, en met jou?'

'Ook. Niets bijzonders. Je kent dat wel.'

'Oké, mooi. Zeg, waar ik voor bel... Wacht even, Lot, gaat het echt wel goed met je?'

'Ja, hoezo?' Ik probeer mijn trillende stem onder controle te krijgen.

'Je klinkt nogal raar. Nogal eh... opgefokt. Stoor ik echt niet?'

'Oh, is dat zo?' vraag ik, zijn vraag negerend. 'Nee, niets aan de hand, hoor. Alles kits hier. Echt. Puik.' Ik praat te snel en te veel, maar ik kan er niets aan doen.

'Nou, dan is het goed.' Michel klinkt niet erg overtuigd, maar gelukkig houdt hij erover op. 'Zeg, ik wilde je graag reserveren. Kan dat?'

In principe wel, maar dan zal het bij mij thuis moeten. Ik durf voorlopig de deur niet meer uit. Maar ik zeg: 'Natuurlijk. Voor wanneer?'

'Het is wel een beetje kort dag. Voor aanstaande woensdagavond. Een vriend van me viert zijn verjaardag en hij vroeg expliciet of jij ook mee kwam. Ik heb al ja gezegd, eigenlijk.'

'Woensdag is geen probleem. Hoe laat?'

'Vanaf acht uur. Om een uur of elf wil ik weer thuis zijn.'

'Oké, staat genoteerd.' Ik kan het niet opbrengen om nog een kletspraatje te houden en zeg: 'De bel gaat. Ik moet ophangen.'

'Oké, ik haal je woensdag op. Dag, Lot.'

Ik zeg niet eens iets terug en verbreek de verbinding. Daarna zet ik mijn telefoon helemaal uit. Trillend van angst laat ik me op de bank zakken. Ik ben in een heel slechte horrorfilm beland.

Mijn hart begint in mijn keel te bonken. Wie is degene die mij knettergekke sms'jes stuurt? Ik kan niemand bedenken, en tegelijkertijd ook weer zo veel mensen.

Misschien is het Kars wel, de eerste gestoorde ziel die in mijn hoofd opkomt. Als je in staat bent om iemand te bedriegen en te beroven zoals hij dat met mij heeft gedaan, moet het sturen van een paar bedreigende sms'jes vast ook geen probleem voor je zijn.

Maar als het Kars is, wat probeert hij dan te bereiken? Hij heeft me nu toch wel genoeg te grazen genomen, waarom zou hij me ook nog eens doodsbang willen maken?

Het zou kunnen dat ik in de verkeerde richting denk. Want het kan ook Leo zijn, die zijn trukendoos opentrekt om mij aan mijn betalingsverplichtingen te laten voldoen. Wil hij me op deze manier nog banger maken? Maar deurwaarders leggen toch een soort eed af? Ik kan me niet voorstellen dat freaky sms'jes sturen iets is wat volgens de beroepscode is toegestaan.

Uiteindelijk zet ik mijn telefoon toch maar weer aan. Als hier zo meteen een gestoorde gek binnenvalt, moet ik wel de politie kunnen bellen. Ik check drie keer of mijn deur op slot zit en schuif ook nog een stoel onder de klink.

Daarna pak ik een mes uit de keukenla en ga op de bank zitten. Niemand kan zeggen dat ik niet voorbereid ben.

Maar na een uur waarin er niets is gebeurd, leg ik het mes toch maar terug.

# 15

'HET RUIKT HEERLIJK!' IK TIL HET DEKSEL VAN DE PAN OP EN snuif genietend. 'Wat is het?'

'Pastasaus.' Natasja klapt het deksel dicht. 'Het moet nog even pruttelen en dan is het klaar.'

'Zelfgemaakt?' vraagt Eva.

'Natuurlijk.' Natasja trekt haar neus op. Ze heeft een grote afkeer van alles wat uit een pot of pakje komt. In tegenstelling tot Eva, die niet zou weten hoe ze van een paar tomaten pastasaus zou moeten maken.

'Nog wat wijn?' vraagt Natasja en zonder op ons antwoord te wachten, schenkt ze de glazen bij. Gulzig neem ik een slok. Na de kraamvisite die ik vanmiddag heb afgelegd met een babyhater genaamd Gernand, kan ik wel een lekker wijntje gebruiken. Ik denk dat ik de meest lelijke baby van het westelijk halfrond heb mogen aanschouwen, die ook nog eens een uur in de wind stonk.

Gelukkig klikte het met Gernand en ik hoop dat hij nog eens belt.

'Lekker.' Eva drinkt ook van haar wijn. 'Dit is de enige reden waarom ik blij ben dat ik niet zwanger ben.'

'Oh ja! Hoe gaat het daar eigenlijk mee?' Natasja gaat overeind zitten.

Eva schudt moedeloos haar hoofd. 'Nog steeds niets. En nu zegt Herbert dat hij het niet meer aankan. We hebben het al twee weken niet meer gedaan! Zo schiet het natuurlijk helemaal niet op.'

'Dat hij het niet meer aankan?' herhaalt Natasja ongelovig. 'Weet je zeker dat hij een man is?'

Eva glimlacht mismoedig. 'Laten we er maar over ophouden. Ik word er horendol van. Als je het mij vraagt, wil Herbert ineens geen kind meer.'

Ik wissel een snelle blik met Natasja. Natuurlijk gunnen we Eva haar baby als dat haar grootste wens is, maar we gunnen haar ook een geweldige vader voor haar baby. En die vader is niet Herbert.

'Weet je zeker dat hij...' zegt Natasja, maar ze maakt haar zin niet af.

'Het niet buiten de deur doet?' vult Eva moeiteloos aan. Ze laat haar hoofd hangen. 'Nee, dat weet ik niet zeker.'

'Waarom vraag je het hem niet? Als hij jou bedriegt, is het toch heel snel einde oefening!'

'Denk je?' Eva houdt haar hoofd schuin en kijkt ons aan.

'Natuurlijk!' roept Natasja. Ze dimt een beetje als ze Eva's gezicht ziet. 'Je laat je toch niet bedriegen?'

Eva haalt haar schouders op. 'Het gebeurt zoveel. Volgens mij is het niet meer van deze tijd om uit elkaar te gaan omdat iemand is vreemdgegaan. Eén op de drie doet het.'

'Wat jij wilt,' zegt Natasja, 'maar als iemand mij ooit bedriegt, ben ik vertrokken. Als trouw zijn al te veel moeite is...'

'Je hebt ook wel gelijk, maar wat moet ik dan? Herbert en ik willen een kind, nota bene! Dan kan ik toch niet zomaar bij hem weggaan?' Eva schudt haar hoofd.

'Die volg ik even niet', zeg ik.

'Zeg eens eerlijk, blijf je alleen bij hem omdat jullie een kind willen?' Natasja kijkt Eva aan.

Ik verwacht een heftige ontkenning van Eva's kant, maar het blijft angstvallig stil. Ik zie haar gezicht vertrekken en dan rollen er tranen over haar wangen.

'Ik weet het soms gewoon niet meer', huilt Eva tegen mijn schouder. 'Dan is Herbert ineens weer uren weg en als hij terugkomt, zegt hij dat hij ruimte nodig heeft.'

'Ruimte waarvoor?' vraag ik.

'Weet ik veel! Dat zegt hij dus niet.'

Natasja kijkt me veelbetekenend aan. Een man die met dit soort oneliners thuiskomt, is bij voorbaat al verdacht.

'Benauwt het idee van een baby hem?' vraag ik.

Eva schokschoudert en maakt zich los uit mijn omhelzing. Haar ogen zijn gezwollen en haar gezicht vertoont rode vlekken. 'Dat heb ik hem ook gevraagd', snikt ze. 'Maar dan zegt hij dat hij het niet weet. Hij weet sowieso niks.'

'Misschien moeten jullie elkaar even wat vrijheid gunnen', stelt Natasja voor. 'Een soort proefscheiding, zeg maar.'

Eva draait met een ruk haar hoofd opzij. 'Proefscheiding?'

Om een nieuwe huilbui te voorkomen zeg ik snel: 'Nou ja, misschien geen scheiding. Gewoon een kleine pauze. Om allebei op adem te komen en daarna op een andere, betere manier verder te gaan.'

Eva knikt langzaam. 'Tja. Misschien moet dat maar.'

'Het komt heus wel weer goed', zeg ik bemoedigend.

Mijn vriendin recht haar rug. 'Ja. En nu wil ik het er niet meer over hebben. Ik verpest jullie avond. Laten we ergens anders over praten.'

'Oh!' Natasja steekt haar hand in de lucht. 'Dat heb ik jullie nog niet verteld. Het is echt te eng voor woorden, maar gisteren hebben ze hier achter een lijk gevonden. Eén straat verderop.'

Eva is dol op politieseries en roept: 'Spannend! Een zwerver of zo?'

Mijn vriendin laat haar stem wat dalen. 'Nee, een jonge vrouw, ongeveer van onze leeftijd. Ze is dood in haar huis gevonden. Vermoord met drieënzestig messteken.'

Eva en ik kijken haar geschokt aan. 'Jezus', mompel ik.

'Erg, hè?' Natasja roert in de pan met rode saus en ik moet kokhalzen. Ze knippert met haar ogen en kijkt me aan. 'Wat is er?'

'Laat maar. Hebben ze de dader al?'

'Er schijnt wel iemand gearresteerd te zijn, maar de politie wil er niet zo veel over zeggen. Het stond trouwens gewoon op NU.nl, dus jullie hebben het misschien wel gelezen.'

'Oh ja!' roept Eva uit. 'Dat heb ik inderdaad gelezen. Was dat hier achter?'

Ik heb helemaal niets gelezen, maar knik toch. 'Ja, erg hoor', zeg ik vaag. 'Eng ook, dat dat zomaar kan.'

Eva opent direct Natasja's laptop om het nieuwsbericht op te zoeken. 'Ze denken dat het iemand uit haar directe omgeving is. Dat hoor je vaak. Ik begrijp niet dat je heel lang met iemand kunt samenleven en dan toch niet ziet dat hij een gestoorde gek is.'

Natasja kijkt peinzend. 'Misschien wist ze het wel, maar bleef ze toch, omdat ze dacht dat hij zou veranderen. En er zijn natuurlijk ook mensen die heel goed hun ware aard kunnen verbergen. Als je echt een pathologische leugenaar te pakken hebt, heb je gewoon niets door.'

Het verhaal over Kars brandt op mijn tong, maar ik zeg niets.

Eva kijkt mij aan. 'Hoe is het eigenlijk met jouw moordenaar?'

Ik verslik me in mijn wijn. Na een hoestbui vraag ik hees: 'Moordenaar?'

'Die van het sms'je', zegt Eva. 'Heeft hij nog contact opgenomen?'

Hoewel ik de laatste maanden zo ongeveer mijn hele leven bij elkaar heb gelogen, lukt het me nu niet om snel met een antwoord op de proppen te komen. Ik aarzel te lang en als ik begin te praten, haper ik.

'Hij heeft weer ge-sms't, hè?' vraagt Natasja, die me doorheeft.

'Oh shit', zegt Eva. 'Zo bedoelde ik het niet. Hij is vast geen moordenaar. Het was een grapje. Een misplaatst grapje, dat ook nog. Sorry, ik wilde niet...'

Ik wuif haar excuses weg. 'Het is al goed. Ik begrijp dat je me niet bang wilde maken, maar ik moet zeggen dat ik toch niet heel gelukkig word van die berichten.'

'Laat eens lezen, die sms.'

Ik geef haar mijn telefoon. Ze leest de berichtjes en kijkt me met grote ogen aan. 'Dit is echt niet tof. Je moet naar de politie gaan.'

'Laat eens zien.' Eva pakt het toestel uit haar handen. Ze wordt een beetje bleek als ze het leest. 'Natasja heeft gelijk. Dit is niet grappig meer.'

Natasja knikt heftig. 'Hij kent je naam. Die berichtjes zijn niet verkeerd verzonden, ze zijn echt voor jou bedoeld.'

'Laten we meteen gaan', stelt Eva voor en ze maakt al aanstalten om op te staan. 'Hoe eerder je aangifte doet, hoe beter. Ik denk dat je politiebescherming nodig hebt.'

Ik wimpel haar af. 'Die krijg je tegenwoordig echt niet voor een paar sms'jes, hoor.'

'Maar ze kunnen wel het nummer traceren. Wij gaan wel met je mee naar de politie, als je het eng vindt om alleen te gaan.' Natasja staat al klaar om haar jas te pakken. Ze draait het gas onder de pastasaus uit.

'Ik ga morgen wel', zeg ik. Het laatste wat ik kan gebruiken is een agent die in het bijzijn van mijn vriendinnen even begint over de laatste aangifte die ik heb gedaan.

'Weet je het zeker?' Eva kijkt me onderzoekend aan. Ik knik zelfverzekerd. Mijn vriendinnen ontspannen een beetje.

'Ik vind het knap dat je er zo rustig onder blijft', zegt Eva. 'Als ik jou was, zou ik me doodsbang in mijn huis opsluiten en eisen dat er dag en nacht een politieauto voor de deur kwam te staan.'

Ik doe me stoerder voor dan ik me voel. 'Niet overdrijven. Iemand die sms'jes durft te sturen, is nog niet iemand die met een broodmes onder zijn jas naar mijn huis komt.'

'Gadverdamme', zegt Natasja. 'Wil je niet van die enge dingen zeggen?' Ze verdeelt de pasta en de saus over drie borden en zet die voor ons neer.

'Laten we het over iets gezelligers hebben', stel ik voor, omdat ik anders met geen mogelijkheid de pastasaus weg kan krijgen, hoewel mijn maag knort.

Maar Natasja tikt met haar vinger tegen haar lippen. 'Zou dit misschien iets met Kars te maken kunnen hebben?'

Voor de tweede keer verslik ik me in de wijn. 'Welnee! Doe niet zo gek. Kars, die naam was ik al bijna vergeten. Het is meer dan een halfjaar geleden!'

Natasja haalt haar schouders op. 'Nou ja, je weet het niet. Misschien heeft hij in het afgelopen halfjaar bedacht dat jij de liefde van zijn leven bent en heeft hij spijt gekregen.'

'Dan zou hij toch beter naar me toe kunnen komen en dat vertellen', zeg ik. 'Lijkt mij effectiever dan zieke berichtjes sturen.'

Eva knijpt haar ogen tot spleetjes. 'Wat ik niet begrijp, is wat hij bedoelt met dat hij weet wat je aan het doen bent. Wat kan dat toch zijn? Je doet toch niets anders dan anders. Je gaat naar je werk, doet je boodschappen, gaat eens op visite – dat lijkt mij allemaal vrij onschuldig.'

Natasja steekt haar vork in de lucht. 'Goed punt. Dat is zeker vreemd. Tenzij Charlotte er een geheim tweede leven op nahoudt!' Ze lacht hard en Eva doet met haar mee. Ik hoop dat ze mijn rode wangen aan het effect van de alcohol zullen wijten.

'Doe niet zo raar', zeg ik gekunsteld. 'Ik doe niets anders dan anders. Misschien heeft het iets met school te maken.'

Mijn afleidingsmanoeuvre werkt en Natasja en Eva fantaseren er lustig op los over vaders die verliefd op mij zijn en moeders die met bloedige wraakplannen rondlopen.

'Pas goed op jezelf', zegt Natasja als ik later die avond op mijn fiets stap. Het is donker en ik moet nog tien minuten fietsen. Hoewel ik niet bang wil zijn, trap ik toch de longen uit mijn lijf om zo snel mogelijk thuis te zijn. Ik sla de voordeur achter me dicht en blijf even staan uithijgen.

# 16

'DAT WAS GEZELLIG.'

Menno slaat het portier van de auto dicht en kijkt me aan. 'Mijn familie is al doller op jou dan op mij, als je het mij vraagt.'

'Denk je?'

'Ja, ze zijn voortdurend... Oh, wacht even.' Zijn telefoon gaat. Hij stapt weer uit en gaat op straat staan bellen. Ik versta niet wat hij zegt.

Ik laat me achterover in mijn stoel zakken. Als ik stop met dit werk, zal ik de Corries echt missen. Ik voel me schuldig dat ik tegen ze lieg, terwijl ze met mij juist het beste voor hebben. Maar dat is mijn werk.

Hoewel het eind april is, is het best fris en ik buig me over Menno's stoel heen om het portier te sluiten. Hij lacht en is in een geanimeerd gesprek verwikkeld, dat nog wel even kan duren. Op de heenweg heeft hij me toevertrouwd dat hij een nieuwe vriend heeft en als het de vriend in kwestie is die belt, gaan we voorlopig niet naar huis.

Ik zet het contact aan en draai aan de volumeknop van de radio. De nieuwe single van Alain Clark vult de auto en ik neurie zachtjes mee.

Ineens hoor ik een vreemd geluid en ik spits mijn oren. Het begint als een zacht belletje, maar zwelt aan tot een luid gepiep. Ik klop op mijn zakken. Is dat mijn telefoon?

Ik haal mijn mobiel uit mijn zak, maar het schermpje is leeg. Als ik de radio uitzet, hoor ik pas dat het geluid uit het dashboardkastje komt. Ik trek het open en daar ligt hij: een oud mobieltje dat de Nokia-ringtone monotoon afspeelt.

Grappig, want Menno staat buiten te bellen. Van wie is deze telefoon dan? Ik pak het mobieltje en kijk ernaar. De beller geeft het op.

Plotseling dringt het besef tot me door, en het raakt me als een mokerslag. Als Menno buiten staat te bellen met zijn eigen telefoon, is dit dan...?

Plotseling wordt het portier open gerukt. Ik gil en laat de telefoon vallen.

Een man stapt in, groot en dreigend. Ik durf niet langer te kijken, knijp mijn ogen dicht en wacht op wat er komen gaat.

Niets dus.

Als ik door twee spleetjes gluur, zie ik Menno's gezicht met een verbaasde uitdrukking. 'Is er iets?'

'O-oh. Jij bent het.'

'Ja, natuurlijk ben ik het. Wie had je dan verwacht?'

'Nee. Niks. Laat maar.' Ik kijk argwanend naar Menno. 'Je telefoon ging.' Ik vis het telefoontje bij mijn voeten vandaan.

Menno kijkt er vluchtig naar. 'Oh, dat oude ding. Geef maar.'

'Heb jij twee telefoons?'

'Ja.' Hij drukt zenuwachtig op de knopjes. 'Kan toch?'

Ineens leunt hij over me heen en trekt het dashboardkastje open. Ik houd mijn adem in. Maar Menno gooit de telefoon erin, klapt het kastje dicht en gaat weer rechtop zitten.

'We gaan', zegt hij. Hij start de motor en geeft flink gas.

Ik begin te trillen. Dit heeft niets meer met toeval te maken, dit is een regelrechte aanwijzing!

Ik moet nu even heel goed nadenken. Iedere overhaaste handeling kan mijn ondergang betekenen. Als ik het bij het rechte eind heb, zit ik op dit moment in de auto met een behoorlijk verknipte geest.

'Hoe durft hij?' briest Menno dan opeens.

Ik duik in elkaar. 'Wat bedoel je?' Ik durf alleen maar te fluisteren. Menno negeert me.

De auto suist in hoog tempo over het asfalt. Menno zit een beetje voorovergebogen en heeft nog altijd een verbeten trek om zijn mond. Ik schat mijn kansen om te vluchten in, maar die zijn nihil. Ik zit in de val en Menno kan met me doen wat hij wil. Ik probeer de gedachte aan de sms'jes te verdringen, maar dat lukt niet. Als hij ze heeft gestuurd, ben ik verloren.

Uiteindelijk begint Menno met zijn hoofd te schudden. 'Ik geloof het niet. Het is gewoon niet waar.'

'Wat?' vraag ik voorzichtig. Ik moet hem nu niet boos maken.

Hij kijkt met een ruk opzij alsof hij zich nu pas herinnert dat ik er ook nog ben. 'Hij zegt dat hij voor ons geen toekomst ziet. We zijn net begonnen. Verdomme!' Hij ramt met zijn vuist op het stuur.

Ik ontspan een beetje. 'Wie zegt dat?'

'Tristan.'

'Wie?'

'Tristan, mijn vriend. Ik dacht echt dat het wat kon worden, maar nu belt hij ineens om dit te zeggen. Dan vraag ik me af: waarom?'

Ik durf weer rechtop te gaan zitten. Dit heeft helemaal niet met mij te maken. Opgelucht zeg ik: 'Tja. Misschien heeft hij nagedacht?'

Menno zendt me een uiterst treurige blik. 'Denk je?'

'Hij is je vast niet waard.'

'Nee, vast niet.' Menno zegt een tijdje niets. Maar dan kijkt hij ineens met een ruk opzij. 'Ik ben zo boos op hem. We zijn al serieus aan het worden en dan belt hij doodleuk op om te zeggen dat hij er geen zin meer in heeft!'

'Dat is niet erg netjes, nee.'

'Niet erg netjes?' Menno trapt het gaspedaal dieper in. Ik zie het naaldje van de snelheidsmeter in rap tempo richting de honderdveertig gaan. En eroverheen. Mijn hart klopt in mijn keel.

'Menno, ik...' begin ik.

'Huh?'

'Misschien hoef je niet zo hard te rijden?'

'Hè?' Hij kijkt opzij. 'Oh, sorry. Ik let niet eens op.' Hij mindert vaart en ik durf weer een beetje te ontspannen.

Ik raap al mijn moed bij elkaar. Ik móét dit vragen. Langs mijn neus weg zeg ik: 'Wat is dat trouwens met die telefoons?'

'Welke telefoons?'

'Die ene in het dashboardkastje en die ene waarmee je belt.'

'Goed dat je het zegt.' Menno vist met één hand zijn mobiel uit zijn broekzak. 'Ik heb een nieuwe telefoon en een nieuw nummer. Bel jezelf er even mee, dan heb je het ook.'

Ik toets mijn eigen nummer in en kijk dan op het schermpje van mijn telefoon. Er verschijnt een nummer dat me niet bekend voorkomt. Dit is in elk geval niet de telefoon van de sms'jes. Nu kan ik pas echt ontspannen achteroverleunen. Gegeneerd kijk ik naar Menno. Ik moet echt ophouden mezelf zo hysterisch te maken. Er is vast niets aan de hand, gewoon een flauwe grap. Trouwens, het is alweer even geleden dat ik een berichtje heb ontvangen. Misschien is de lol eraf, omdat ik me niet gek laat maken.

Als ik eindelijk thuis ben, is het al na enen en gelukkig houdt de gedachte aan de berichtjes me niet wakker. Toch zit ik met een ruk rechtop in bed als mijn telefoon midden in de nacht twee keer kort piept. Ik ben meteen klaarwakker. Heb ik te vroeg gejuicht?

*Charlotte toch, je bent zo ondeugend. Je gaat maar door. Ik vind het niet meer leuk.*

# ZOMER

# 17

‘EN IEDEREEN DIE NIET WEET HOE EEN PAARD ERUITZIET, moet maar heel hard aan het paard van Sinterklaas denken.’

Vivian trekt een nuffig gezicht en steekt haar vingertje in de lucht. ‘Juhuf’, zegt ze langgerekt. Als ze zo praat, weet ik al dat er een of andere betweterige opmerking komt.

‘Sinterklaas is in Spanje. En iederéén weet toch hoe een paard eruitziet? Anders ben je echt dom.’

‘Ik wil niet dat je dat soort dingen zegt over andere kindjes. Natuurlijk weet iedereen hoe een paard eruitziet, maar dat betekent niet dat je het ook zomaar kunt tekenen. En nu, hup, aan de slag.’ Als je het dan zo goed kunt, voeg ik er in gedachten aan toe. Vivian kan voor geen meter tekenen en ik heb zin om haar tekening flink af te kraken omdat ze zo vervelend is. Nou ja, vooruit, en een beetje omdat Leo haar vader is. Drie dagen geleden stond hij ineens weer voor de deur. In een moment van onvoorzichtigheid had ik honderd euro in een keukenla gelegd en jawel, Leo's radar vond die meteen. Er was één voordeel: hij bleef in elk geval af van het kettinkje waar hij al een tijdje op aast. En gelukkig wist hij niets van de achthonderd euro onder mijn matras. Die heb ik de dag erna meteen op de bank gestort en vervolgens direct overgemaakt naar de diverse schuldeisers. Het laatste wat ik Leo gun, zijn de incassokosten.

Ik heb heel goed op hem gelet, maar hij gedroeg zich niet anders dan anders. Of hij is een heel goed acteur, of hij heeft niets met de sms'jes te maken. Toch vertrouw ik hem niet.

Gelukkig hoefde ik niet in te zitten over het tekort aan cash. Het werd dezelfde avond nog aangevuld door Michel, die me meenam naar een verjaardag van een vriend. Het geld was welkom, maar ik huiver nog als ik aan de avond terugdenk. De sms'jes zijn tegenwoordig geen moment uit mijn gedachten, en iedereen is verdacht. Ook die arme Michel, die vast de onschuld zelve is. Ik schaam me als ik aan gisteravond terugdenk.

Eerst was er niets aan de hand, tot het moment dat Michel opstond en naar de wc ging. Hij had de deur van de huiskamer nog maar net achter zich dicht geslagen, toen mijn telefoon trilde in mijn broekzak.

Zo onopvallend mogelijk pakte ik mijn mobiel. Een nieuw bericht. Van Dat Nummer.

*Speel geen spelletjes met me. Daar krijg je spijt van.*

Direct had ik het gevoel dat mijn keel werd dichtgeknepen. Als ik niet op een stoel had gezeten, zouden mijn knieën het begeven hebben.

Ik schrok me dood toen hij plotseling voor me stond. Michel bood aan me naar huis te brengen omdat hij dacht dat ik ziek was geworden, maar dat weigerde ik met veel bombarie. Misschien heb ik me daarna een beetje aangesteld.

'Je telefoon', eiste ik hijgend. 'Laat zien.'

Hij haalde aarzelend zijn mobiel uit zijn zak en gaf die aan mij. 'Moet je iemand bellen?'

Met trillende vingers drukte ik op de knopjes. Ik belde mezelf en vergeleek het nummer op het scherm. Het was inderdaad Michels eigen nummer.

Daarna zei ik dat ik zijn andere telefoon wilde zien. Michel wist niet wat hem overkwam en stond er hulpeloos bij. Ik deed een uitval naar zijn broekzak. Hij bleef gewoon staan. Ik voelde ook aan zijn borstzak. Niets. Toen liet ik mijn handen over zijn hele lichaam gaan, gadegeslagen door een verbaasde Michel en zijn nog veel meer verbaasde vrienden. Maar ik kwam niets tegen wat op een extra telefoon leek.

Gek genoeg leek Michel niet boos, eerder bezorgd. Toen iedereen naar z'n stoel was teruggekeerd en de gesprekken weer wat op gang kwamen, pakte hij mijn hand en streelde die met zijn duim.

Ik besef pas dat ik met mijn eigen duim mijn hand streel, als de schelle stem van een ongeduldige vierjarige inbreekt in mijn gedachten. 'Juf Charlotte! Koen heeft een roze streep door mijn paard gezet!'

'Dat is dan jammer voor je.'

Ik kijk toe hoe Vivian verongelijkt afdruipt. Ik heb even geen zin in haar eeuwige gezeur. Maar ze moet dit niet tegen haar vader zeggen, want hij kan het me knap moeilijk maken.

In de middagpauze luister ik mijn voicemail af. Er is een bericht van mijn hypotheekbank. Mijn accountmanager, waarvan ik nog niet wist dat ik die had, wil met me om de tafel om te kijken hoe we mijn betalingsproblemen kunnen oplossen. Ik denk dat ik dit nog maar even uitstel. Mijn huis is het laatste wat ik wil kwijtraken.

Het tweede bericht is van een nieuwe klant, Peter Smits. Zijn naam komt me bekend voor, maar het is dan ook niet de meest originele naam van het land. Peter Smits, waar heb ik dat nou eerder gehoord?

Hij heeft een feestje met wat oude vrienden en vraagt of ik woensdag over twee weken kan. Ik kijk in mijn agenda, deze dag is nog helemaal leeg. Nu de zomervakantie eraan komt, hoop ik mijn agenda elke dag met afspraken te kunnen vullen. Met een beetje geluk kan ik het grootste deel van mijn schuld nog voor de herfst afbetalen.

Ik toets het nummer in en wacht. Het duurt lang voordat er wordt opgenomen. Uiteindelijk klinkt een licht hijgende mannenstem. 'Met Peter.'

'Dag Peter, je spreekt met Lot. Je had mijn voicemail ingesproken.'

'Ja, dat klopt. Alleen ehm... Kun je later terugbellen? Ik heb net mijn dochter uit school gehaald en ik... Laura, niet doen! Kom eens hier!'

Laura? Laura Smits?

Shit! Daar ken ik Peter Smits dus van. Ik weet donders goed dat hij net zijn dochter uit school heeft gehaald. Ik heb die dochter de hele ochtend in de klas gehad!

Het wordt me iets te heet onder de voeten. Hoewel ik nooit nee zeg en iedere opdracht aangrijp, moet ik hier de grens trekken. Trouwens, ik weet heel zeker dat Peter getrouwd is. Ik mag zijn vrouw Joanne heel graag.

'Ik kan niet', zeg ik snel. 'Ik heb dan al wat. Sorry, hartstikke druk. Tot ziens.'

Snel hang ik op. Hopelijk belt hij niet meer.

Dan begin ik te grinniken om de absurde situatie. Die Peter. Dat had ik toch niet achter hem gezocht.

Ik knip mijn bedlampje aan en pak mijn telefoon. Die twee piepjes hoor ik overal doorheen, zelfs door een heftige droom waarvan ik nu alweer ben vergeten waarover hij ging. Misselijk van de slaap en de spanning open ik het berichtje. Ik weet zeker dat ik moet overgeven als het van hem is. Ik slik moeizaam.

Maar het is niet van hem, het is van Eva. *Slaap je al?*

Ik kijk op de wekker. Het is twee minuten over drie. Natuurlijk slaap ik al. En voor zover ik weet, moet Eva morgen ook werken. Samen met de zomer is weliswaar ook de laatste week voor de grote vakantie aangebroken, maar dat betekent niet dat ik op dinsdagnacht eens lekker in de kroeg ben gaan zitten.

Sms'en duurt me te lang en dus bel ik Eva. Ze neemt meteen op.

'Oh gelukkig', zegt ze. 'Je bent wakker.'

'Nu wel, ja. Wat is er aan de hand?'

Het valt me op dat het bij Eva niet stil is. Ik hoor auto's en wind. Ze is buiten.

'Waar ben je?' vraag ik als ze geen antwoord geeft. 'Gaat het wel goed?'

'Nee', zegt mijn vriendin. 'Ik... I-ik...' En dan begint ze heel hard te huilen.

'Eva!' roep ik een paar keer. 'Wat is er? Waarom huil je?'

Maar ik kom er niet tussen. Minutenlang is haar gesnik, afgewisseld met lange uithalen, het enige dat ik hoor. Het is al 3:15 uur op mijn digitale wekker als ze eindelijk een beetje kalmeert.

De slaap is nu helemaal weg. 'Wat is er in godsnaam aan de hand? Waar ben je en waarom huil je?'

'Ik ben op het Rembrandtplein en ik huil omdat ik blijk samen te wonen met de grootste klootzak en be-bedrieg-bedriege...' Ze komt niet uit haar woorden, omdat ze opnieuw begint te huilen. Ik hoor haar snikken en ik wilde dat ik mijn arm om haar heen kon slaan.

Ik bal mijn vuisten. Het is maar goed dat Herbert er niet is, want ik zou hem iets aandoen dat heel hard en heel pijnlijk zou zijn. Misschien zou er een bankschroef bij betrokken zijn, al heb ik die niet.

'Stil maar', zeg ik sussend. 'Waarom kom je niet hier naartoe? Dan kun je rustig vertellen wat er is gebeurd.'

'Kun je me ophalen? Er rijden geen trams meer.'

'Dat eh... wordt een beetje lastig.' Ik denk razendsnel na. 'Ik heb namelijk eh... gedronken! Te veel om nog te kunnen rijden. Maar je hebt toch wel een tientje bij je voor de taxi?'

'Weet ik niet. Wacht even.' Ik hoor gerommel. 'Oh ja, dat heb ik wel.'

'Tot zo dan. En doe maar rustig, het komt allemaal goed.'

Ik hang op en ga razendsnel door het huis om te zorgen dat alles wat duidt op mijn financiële crisis, onzichtbaar is. Er lagen nog wat onbetaalde rekeningen, die ik in het inmiddels uitpuilende kastje mik. Ik sla het deurtje dicht, maar bedenk me. Als Eva hier morgenochtend nog is en ze trekt het kastje open, gaat ze vragen stellen.

Op mijn balkon vind ik een kartonnen doos die net groot genoeg is. Ik gooi alle rekeningen, aanmaningen, brieven van incassobureaus en nog veel meer post die ik niet heb geopend in een doos en berg die op in de meterkast. Vorige week ontving ik van Nuon de zoveelste dreigbrief dat ze de stroom nu écht gaan afsluiten en ik ben naar het hoofdkantoor gegaan om cash de rekening te betalen. Dat maakt de meterkast een heel goede bergplek voor spullen die niet gevonden mogen worden, want de stroom zal het voorlopig blijven doen. Van water ben ik niet zo zeker, maar ik heb ook dat geld bijna bij elkaar.

Ik controleer snel of alles in huis is wat een mens in huis hoort te hebben, zodat Eva daarover geen vragen kan stellen. Gelukkig is er tandpasta, en zeep en shampoo en zelfs brood voor morgenochtend. Qua beleg heb ik alleen pindakaas uit de aanbieding, maar ik kan altijd nog een pindakaasverslaving voorwenden. Tevreden kijk ik rond in mijn huis. Ik gris nog snel de driehonderdvijftig euro uit een keukenla, die ik heb verdiend door zaterdag met Reinier te lunchen in Hotel de l'Europe. Het geld stop ik in de zak van mijn pyjamabroek.

De bel gaat en ik stuif in mijn badjas en op sloffen naar beneden. Voor de deur staat Eva, maar ze ziet er zo beroerd uit dat ik haar bijna niet herken. Haar haar zit door de war, haar make-up is doorgelopen en de rode vlekken op haar gezicht maken het er al niet veel beter op.

Ik zoek naar iets om tegen haar te zeggen, maar zij valt me om mijn nek en begint opnieuw te huilen. 'Het is zo erg', snikt ze. 'Het komt nooit meer goed.'

Ik wrijf over haar rug. Eva duwt me haar rugzak in handen en klost de trap op. Ik loop achter haar aan. 'Wat ziet hier in?'

Ze haalt haar schouders op. 'Spullen. Ik heb het er snel in gesmeten en ben weggegaan.'

Eva gaat op mijn bank zitten en met haar hoofd in haar handen snikt ze: 'Hij is vreemdgegaan.'

'Oh jezus.' Ik smijt de rugzak op de grond en sta in twee stappen naast haar. Ik heb geen idee wat ik moet zeggen en sla daarom mijn arm maar om haar heen.

Na een paar minuten begint Eva te praten. 'Ik wist al een tijdje dat er iets aan de hand was, maar ik geloof dat ik het nog niet wilde inzien. Ik dacht dat hij het echt druk had op zijn werk en dat hij inderdaad heel veel moest vergaderen.'

'Maar?' vraag ik, als ze weer een tijdje zwijgt.

'Maar zijn kantoor was donker toen ik er vanavond langsreed. Toen ik hem een halfuur later aan de telefoon had, beweerde hij doodleuk dat hij nog in vergadering zat. Op kantoor.'

'Ontkende hij het nog?'

'Ja, natuurlijk. De stroom was zogenaamd uitgevallen en ik moest zeker nét op dat moment langsgereden zijn. En dat hij zo opvallend fris en naar aftershave rook, had hij natuurlijk gedaan voor mij. En dat zijn haar nat was, kwam van de regen. Afijn, je kent dat wel.'

Ik luister ademloos.

'Maar uiteindelijk heeft hij bekend', zegt Eva. 'En ik heb hem verzocht te vertrekken. Maar hij wilde praten en excuses aanbieden en zeggen dat het niet was wat ik dacht, maar dat is juist het probleem.' Ze kijkt me aan en ik zie de groeiende paniek in haar ogen. 'Ik denk helemaal niets!'

'Hoe bedoel je?'

'Ik wilde dat ik kon denken, maar het lukt niet. Ik probeer te bedenken hoe het nu verder moet, of ik hem moet vergeven, of we nu nog wel een baby krijgen, of we het huis moeten verkopen, waar ik dan moet wonen, of ik die slet ken, of Herbert dit al lang doet en nog heel veel meer dingen, maar het lukt niet. Ik kan niet meer denken.'

'Dat is toch niet erg', zeg ik sussend. 'Het is logisch dat je nu even niet kunt nadenken. Wat jij nodig hebt, is een wijntje.'

Eva pakt bibberig een glas van me aan. 'Wat moet ik nou?'

In een opwelling zeg ik: 'Hier blijven. Als je niet terug wilt naar Herbert, kun je zo lang blijven als je wilt.'

'Echt?' vraagt Eva.

Ik negeer de alarmbel die heel licht in mijn hoofd begint te rinkelen. 'Natuurlijk. Neem zo veel tijd als je nodig hebt.'

En stoor je vooral niet aan mijn dubbelleven. Als pop-ups komen er smoesjes in mijn hoofd op die ik kan gebruiken om mijn vele avondjes weg te verklaren.

'Ik ga niet naar hem terug', zegt Eva stellig. 'Hij zoekt het maar uit met die slet. De secretaresse van zijn baas, ook dat nog! Het is te goedkoop voor woorden.'

'Dat is het zeker! Heeft hij het echt met de secretaresse gedaan?'

'Onder andere', zegt Eva grimmig. 'Hij zegt dat hij het het meest met haar heeft gedaan. Waarmee hij maar wilde aantonen dat hij eigenlijk best trouw was!'

'De klootzak.'

'Precies. Volgens mij heeft hij het ook met Debby gedaan.'

'Wie is Debby?'

'Geen idee, maar toen ik vorige week zijn telefoon controleerde, zag ik dat hij Debby zeker vijftien keer in één week had gebeld. Ik denk dat het iemand van kantoor is.'

Ik ben er even stil van. Uiteindelijk zeg ik: 'Jeetje. Die Herbert. Denk je dat dit al lang aan de gang is?'

Eva knikt. 'Dat overwerken is een halfjaar geleden al begonnen. In de tijd dat we besloten voor een baby te gaan.' Ze kijkt verschrikt op. 'Denk je dat dat er iets mee te maken heeft?'

'Welnee', zeg ik, maar ik denk eigenlijk van wel. Eva's enorme kinderwens zal bij Herbert wel de bindingsangst hebben aangewakkerd. Dat Eva een lichte obsessie voor baby's begon te ontwikkelen, was zelfs Natasja en mij opgevallen.

'Denk je dat ik hem bang heb gemaakt?' vraagt Eva.

'Misschien, maar dat mag nooit een excuus zijn. Hij wilde het toch zelf ook?'

Eva haalt haar schouders op. 'Niet echt, eigenlijk. Ik heb hem overgehaald. Maar ik wist niet dat de permissie om dan ook maar meteen andere vrouwen te bezwangeren *part of the deal* was.'

'Heeft hij...?' vraag ik geschokt.

'Nee. Althans, ik hoop het niet. Ook voor hem, want ik denk dat een kind wel het laatste is waarop hij zit te wachten. Zowel bij mij als bij die kantoormeisjes.'

'Misschien', zeg ik opnieuw en ik schenk onze glazen nog eens bij. We proosten, maar geen van ons zegt waarop.

'Dat méén je niet!' Natasja's stem klinkt zo schel dat mijn oor meteen dicht zit. 'Oh, wat een verhaal! Dus die ploert heeft uiteindelijk zelf bewezen dat hij een onbetrouwbare zak is. Goh.'

'Ja.' Ik moet toegeven dat ik het heerlijk vind om de boodschapper van het nieuws te zijn. Voor Eva is het misschien niet leuk dat haar relatie voorbij is, maar daar komt ze wel overheen. En dan zal ze inzien dat ze alleen maar blij moet zijn dat ze van Herbert af is. Tot dat inzicht zijn Natasja en ik allang gekomen.

'Dus toch', zegt mijn vriendin, nog steeds in shock. 'Jemig. Wat zei je toen je het hoorde?'

'Ik heb natuurlijk geen "zie je wel" gezegd, maar ik moest me inhouden. Ik heb gezegd dat ik het heel erg voor haar vind.'

'Tja, dat is het ook wel. Die arme schat had al haar dromen aan hem opgehangen. Te beginnen met een baby.'

Ik tuur naar buiten en leg mijn voeten op mijn bureau als ik zie dat er nog geen kinderen zijn. 'Ja, maar ze is gisteren zelf al tot de conclusie gekomen dat Herbert nog helemaal niet klaar is voor een kind. In dezelfde tijd dat ze besloten voor een baby te gaan, is hij begonnen met vreemdgaan.'

'Bindingsangst', concludeert Natasja.

'Moet je niet zeggen', giechel ik. 'Misschien werd hij ineens overvallen door een enorme oerdrang naar een baby dat hij het niet kon helpen dat hij iedere vrouw in de omgeving probeerde zwanger te maken.'

'Oh!' Natasja probeert geschokt te klinken, maar grinnikt. 'Het zou natuurlijk kunnen. Misschien moeten we het hem vragen.'

'Zeg, wil je even ophouden? Ik hoop die man nooit meer te spreken. Behalve om hem te vertellen dat ik het hem nooit zal vergeven dat hij Eva zo veel pijn heeft gedaan.'

'Ja.' Natasja klinkt nu weer serieus. 'Was ze erg van slag?'

'Eerst wel, maar na een tijdje ging het beter. Later kon ze zelfs weer lachen.' Dat daar een hele fles wijn voor nodig was, vertel ik maar even niet. Ik zit met een kater op mijn werk en het zal Eva niet veel anders vergaan.

'Mooi zo. En hoe gaat het nu verder? Heeft ze al aangekondigd dat ze hem gaat verlaten?'

'Min of meer. Maar ik heb het idee dat Herbert haar met één simpel telefoontje, een zielig verhaal en duizend excuses zo terug kan winnen.'

'Dat zou dan meer moeite zijn dan hij ooit voor haar heeft gedaan', zegt Natasja droog. 'Ik acht die kans klein.'

'Ik ook. Misschien moeten we met z'n drieën naar dat huis gaan om haar spullen op te halen.'

'Goed idee. Ik stel het vanmiddag nog aan haar voor.' Ik signaleer de eerste kinderen op het schoolplein. 'Oh, ik moet ophangen. Spreek je later!'

# 18

'NOG STEEDS NIETS! HE-LE-MAAL NIETS!' EVA HOUDT DEMON-
stratief haar telefoon omhoog en smijt hem daarna op de bank.
Cynisch zegt ze: 'Ach, ja. We zijn nog maar vijf jaar bij elkaar.
Dan is het ook niet nodig dat je even wat dingen doorspreekt
als je uit elkaar gaat.'

'Oh, jullie gaan uit elkaar? Daar was je gisteren nog niet zeker van.' Natasja, die geconcentreerd de vis fileert, kijkt op.

Eva pakt haar telefoon weer en laat hem zenuwachtig door
haar handen gaan. 'Nu wel. Moet ík dan bellen? Moet ík zoals
altijd weer de eerste stap zetten? Volgens mij is híj degene die
iets goed te maken heeft, hoor.'

'Je moet zeker niet bellen', zeg ik.

'Precies', zegt Eva en ze knikt heftig. 'Dat vind ik dus ook. Ik
ben niet van plan om de eerste stap te zetten.'

'Zet je telefoon dan uit', zegt Natasja. 'Oh, Charlotte, wil jij
het vuur even laag draaien?'

Eva briest verontwaardigd. 'Telefoon uit? Dan ben ik niet meer bereikbaar voor andere mensen. Alsof ik nooit door iemand anders dan Herbert word gebeld. Alsof ik verder geen leven heb!'

'Ja, zo ja.' Natasja beweegt wat pannen heen en weer. 'En wil je de dille erbij gooien in die pan met saus?'

'Hé hallo!' roept Eva achter ons. 'Kan het misschien even over míj gaan?'

Natasja draait zich om. 'Lieverd, het gaat de hele tijd over jou. Het gaat eigenlijk al drie dagen over jou. Maar ik probeer hier een maaltijd te bereiden en daarvoor moet ik af en toe even iets zeggen. Mag het misschien?' Ze blijft aardig, maar ik hoor de licht geïrriteerde ondertoon maar al te goed.

Eva ook. 'Sorry', mompelt ze.

Natasja knikt. 'Het geeft niet, maar je moet wel beseffen dat je al drie dagen aan het klagen bent over Herbert en dat er nog helemaal geen schot in de zaak zit. Stel een daad! Laat hem zien wat je van hem vindt. Al haal je al je spullen maar op, dan ziet hij in elk geval dat je verder gaat met je leven.'

Eva denkt even na over die optie en begint dan te knikken. 'Da's een verdomd goed idee. Dat gaan we doen. Vanavond nog.'

'Oké.' Natasja giet uiterst zorgvuldig saus over de vis en zet vervolgens drie borden op tafel. 'We eten eerst even en dan gaan we.'

'Eh... We?' informeer ik voorzichtig. 'Als in: met z'n drieën?'

'Natuurlijk. Eva heeft meer spullen dan ze in haar eentje kan dragen en met z'n drieën zijn we sneller klaar.' Natasja haalt haar schouders op.

'Maar moet je niet even met hem praten of zo?' vraag ik. Ik heb niet zo veel zin om vanavond in een ruzie tussen Eva en Herbert te belanden over de spullen die Eva wil meenemen.

Herbert kennende wordt hij bloedlink als je aan zijn spullen komt, en nu de betrekkingen tussen hem en Eva behoorlijk bekoeld zijn, zal hij zelfs de meest onbenullige vaas willen claimen als zijn eigendom. Dit kan heel onaangenaam worden.

'Ik heb jullie nodig', zegt Eva. 'In m'n eentje begin ik niets tegen Herbert. Maar als jullie erbij zijn, sta ik sterker.'

'Misschien is hij er wel niet', zegt Natasja. 'Hij heeft nog een hele serie vriendinnetjes die hij tevreden moet houden, nietwaar? In dat geval nemen we niet alleen jouw spullen mee, maar ook een deel van de zijne.'

'Al zijn spullen', verbetert Eva haar met een boosaardig lachje. 'Inclusief zijn creditcards.'

Dit wordt me te gortig. 'Nee', zeg ik fel. Mijn vriendinnen kijken verbaasd naar me.

'Wat heb jij ineens?'

'Ik vind dat gewoon niet kunnen.'

'En ik vind het niet kunnen dat hij me heeft bedrogen', zegt Eva. 'Het minste wat ik dan mag doen, is mijn verdriet wegshoppen op zijn kosten. Hij zal er echt niet failliet aan gaan, hoor.'

Ik doe er verder het zwijgen toe. Eva en Natasja kijken me nog steeds bevreemd aan. Ik concentreer me op het eten.

'Goed', zegt Natasja, nadat ze het laatste stukje vis in haar mond heeft gestoken. 'Ik heb nog een zelfgemaakte tiramisu in de koelkast staan, maar laten we die voor straks bewaren. Eerst maar eens bij Herbert op de koffie.'

Even later zitten we met z'n drieën in Natasja's Peugeot. 'Dit werkt niet', zegt Eva. 'Als we zo meteen ook nog spullen moeten meenemen, kunnen we beter met twee auto's gaan. Ik neem mijn eigen Corsa en ik zie jullie bij het huis.'

Ze stapt weer uit. Als Eva het portier heeft dichtgeslagen, schudt Natasja haar hoofd. 'Het zal mij benieuwen', zegt ze.

'Wat?'

'Of Herbert gaat proberen om haar terug te krijgen. Ik hoop het niet, want één keer "sorry" van zijn kant en ze is om.'

'Denk je dat?' Ik heb de afgelopen drie dagen met Eva in één huis gewoond en na die eerste huilbui heb ik haar niet meer horen zeggen dat ze ook maar in de verste verte de intentie had om bij hem te blijven.

'Ja, natuurlijk', zegt Natasja zelfverzekerd. 'Ze doet nu stoer en ze wil ons op de mouw spelden dat ze heel boos op hem is en dat hij het heeft verbruid bij haar, maar daar kijk je zo doorheen. Ze is nog veel te gek op hem om echt zo te kunnen redeneren. Natuurlijk is haar ego gekwetst, maar ze is bereid om zich daar overheen te zetten voor Herbert.'

'Ik denk het niet. Eva heeft toch genoeg zelfrespect om zich niet te laten bedriegen door hem?'

Natasja klakt met haar tong. 'Ik hoop het. En ik hoop vooral dat Herbert vanavond niet probeert om haar terug te winnen.'

Even later parkeert ze voor het huis van Herbert en Eva. Er brandt licht op de derde etage, hun etage.

'Of Eva is er al, of we hebben het genoegen Herbert tegen te komen', zegt Natasja. Als we uitstappen kijken we allebei om ons heen. Eva's Corsa rijdt net de straat in. Ik trek een gezicht. 'Shit. Tenzij Herbert timers op zijn lampen heeft, vrees ik dat we hem inderdaad tegen gaan komen.'

Eva stapt uit en zwaait met de sleutel. 'We hoeven in elk geval niet aan te bellen.'

Twee minuten later heb ik spijt dat we dat niet hebben gedaan. Ik kijk naar Eva, die naast me staat. Haar mond hangt open en er staat voornamelijk ongeloof in haar ogen te lezen. Haar blik is recht op de bank in de huiskamer gericht.

Herbert staart terug met een mengeling van ongeloof en schrik. Er is er maar één die het waagt om te glimlachen en dat is het schaars geklede meisje dat half onder hem verscholen gaat. Ik moet me wel heel sterk vergissen als dat geen triomf is wat ik in haar blik zie.

'Eva...'

'Herbert.' Ongeloof heeft plaatsgemaakt voor ingehouden woede.

'Eva, ik...'

Eva draait zich op haar hakken om en loopt naar de slaapkamer. Natasja en ik volgen haar. Herbert komt binnen. Hij heeft snel zijn overhemd aangeschoten. Het zit binnenstebuiten.

'Wat kom je doen?' vraagt hij geïrriteerd.

'Mijn spullen pakken. Dit is ook míjn huis, weet je nog?'

De blik in Herberts ogen verhardt zich. 'Nee, dat is het niet. Jij hebt hier vijf jaar mogen wonen, maar dit is míjn huis. Dat jij midden in de nacht hysterisch naar buiten stormt, dat moet je zelf weten. Maar dat je een paar dagen later doodleuk binnenwandelt en die –' Hij werpt een misprijzende blik op ons. '– dat bezoek meeneemt, dat vind ik ronduit onbeschoft!'

Eva draait zich met een ruk om. 'Weet je wat ik onbeschoft vind? Dat jij ligt te vozen op de bank die voor de helft van mij is!'

'Oh, gaan we zo beginnen?' Herbert slaat zijn armen over elkaar. 'Als die bank voor de helft van jou is, dan is deze kledingkast voor de helft van mij!'

'Mooi.' Eva knikt. 'Dan weet ik het goedgemaakt. Jij neemt de bank, ik de kast. Verder nog iets?'

Herbert is even uit het veld geslagen. Maar dan zegt hij: 'Ja, ik wil mijn auto terug.'

Eva ademt scherp in. 'Jouw Audi staat voor de deur.'

'Die bedoel ik niet. Ik bedoel mijn Corsa.'

'Dat was een cadeau!' roept ze uit.

'Ik heb hem betaald.'

'Het was mijn verjaardag!' Ze spuugt de woorden bijna uit.

Herbert haalt irritant kalm zijn schouders op. 'Tja. Je bent er zelf over begonnen.'

'Oké, oké.' Eva steekt haar handen in de lucht. 'Jij krijgt de Corsa terug.' Ze gooit de sleutels naar hem toe. Ze vallen voor Herberts voeten op de grond. 'Maar dan neem ik ook mijn cadeau aan jou mee.'

Nu verschijnt er enige onrust in Herberts ogen. 'Wat bedoel je?'

Eva loopt met grote stappen naar de huiskamer en nog voor Natasja, Herbert en ik haar gevolgd zijn, heeft ze de grote plasmatelevisie al van de muur gehaald. Ze duwt hem Natasja in handen. Die blijft er ongemakkelijk mee staan.

'Deze is van mij', zegt Eva triomfantelijk. Dan loopt ze naar de bank en begint tussen de kussens te graaien. Herberts scharrel moet opspringen en zichzelf in veiligheid brengen. Slechts gekleed in een zijden niemendalletje probeert ze zich achter hem te verschuilen, maar hij wimpelt haar af. Eva haalt triomfantelijk de afstandsbediening tevoorschijn.

'Dat kun je niet maken', zegt hij. 'Hang dat ding terug, Eva. Ik waarschuw je!'

'Ik heb hem betaald', zegt ze echter kalm, waarna ze terugloopt naar de slaapkamer en verder gaat met inpakken.

Met een klap slaat ze de koffer dicht en zeult hem naar de gang. 'We gaan.'

Ik draag de rugtas met schoenen en een plastic zak vol toiletspullen de trap af. Achter mij komt Eva met de koffer en daarachter Natasja met de loodzware televisie. Het is maar goed dat we niet meer hebben meegenomen, want het moet ook nog eens allemaal in één auto worden vervoerd.

'Laten we gaan.' Natasja gaat achter het stuur zitten.

'Wacht even', zegt Eva, en ze loopt weg. Ik draai me om en zie Eva bij de Corsa staan. Ze legt haar hand op het portier en loopt een rondje om de auto.

Terwijl ik denk dat Eva met een bizar afscheidsritueel bezig is, joelt Natasja: 'Way to go, girl!' Ze draait zich om naar mij. 'Ze maakt een enorme kras op die auto!'

'Zo', zegt Eva, als ze weer instapt. 'Tijd om te gaan.'

Als Natasja de motor start, zien we nog net Herbert in zijn boxershort op het balkon verschijnen. Eva draait het raampje open en steekt haar middelvinger naar hem op. Dan geeft Natasja gas en zijn we vertrokken.

'Waar gaan we heen?' vraagt ze aan het eind van de straat.

Eva haalt haar schouders op. 'Jouw huis?'

'Is het niet handiger om die spullen meteen naar hun plek te brengen?'

'Oh ja.' Eva aarzelt. Dan vraagt ze: 'Waar moet ik eigenlijk heen? Ik heb helemaal geen huis meer.'

'Je mag best bij mij blijven,' zegt Natasja, 'maar ik heb eigenlijk geen ruimte. Charlotte heeft een logeerkamer.'

'Natuurlijk', zeg ik. 'We gaan naar mijn huis. Geen probleem.'

'Ik ga zo snel mogelijk op zoek naar iets voor mezelf', belooft Eva.

Ik zeg nog dat ze van mij geen haast hoeft te maken, maar van binnen groeit de paniek. Als Eva langere tijd bij mij blijft, hoe moet het dan met al mijn afspraken? Ik kan moeilijk iedere keer een smoes verzinnen. En wat als ik weer van die enge sms'jes krijg?

Maar ik mag een vriendin in nood natuurlijk niet in de steek laten. Ze heeft me nodig, en dus ben ik er voor haar. Een uurtje later zitten we met z'n drieën bij mij thuis. Natasja is snel langs de avondwinkel gereden en heeft een fles prosecco gehaald. We proosten op Eva, en op de vrijheid.

'Oh, sorry', zeg ik als mijn telefoon gaat. Ik kijk naar het schermpje. Reinier belt me. 'Deze moet ik even nemen.'

Ik vlucht snel naar de slaapkamer en hoop dat het mijn vrien-dinnen niet opvalt dat ik een knalrode kop krijg. 'Met Lot.'

'Hai, met Reinier. Stoor ik?' Zijn stem is warm en zacht.

'Nee, natuurlijk niet. Leuk dat je belt.'

'Ja, en de reden is nog veel leuker. Ik heb je weer nodig.'

'Oh, wat geweldig. Wanneer?'

Hij negeert mijn vraag. 'Eigenlijk heb ik je twee keer nodig. Waarvan één keer zelfs 's nachts.'

Ik weet niet wat ik moet antwoorden. Hakkelend zeg ik: 'Reinier, ik...'

Zijn gelach onderbreekt me. 'Rustig maar. Je hoeft niet te schrikken. Albert Zwiers heeft me uitgenodigd om een nacht door te brengen op zijn landgoed. Beetje eten, beetje golfen, beetje zwemmen – je kent dat wel. Om de goede banden goed te houden. Hij vroeg of jij ook meekwam en ik heb gezegd dat ik het zou vragen. Dus ik vraag het aan je. Je hebt hem wel eens gezien op een feestje. Hij is dik, grijs en heeft een enor-me snor.'

Ik heb massa's dikke, grijze mannen met een snor gezien op Reiniers feestjes, maar toch zeg ik: 'Ah ja, hij. Het lijkt me heel leuk om met je mee te gaan. Wanneer is het?'

'Dat weekendje is volgende week. We gaan vrijdagavond bij hem eten, blijven vervolgens slapen en dan gaan we zaterdag aan het eind van de middag weer weg.'

'Perfect. Top. Staat genoteerd.' Hoe ga ik dit in vredesnaam aan Eva uitleggen? Kan ik zeggen dat ik weer iets van mijn werk heb?

'En dan het andere', zegt Reinier. 'Het is een beetje kort dag, maar dat is morgenavond. Het gaat om een etentje bij La Rive. Niets bijzonders dus. Van zeven tot elf, schat ik. Ik hoop dat je kunt, want ik ben natuurlijk veel te laat met boeken.'

'Je hebt geluk, ik kan wel.'

'Mooi, dan haal ik je op.'

'Nee!'

'Hoezo niet?'

Ik schraap mijn keel en herstel me snel. 'Ik ben tot laat op school. Je kunt me beter daar ophalen.'

'Oké, ook goed. Wat is het adres?'

Ik geef het hem, terwijl ik in gedachten al bezig ben met de praktische organisatie. Ik moet een goed verhaal hebben om tegenover Eva op te hangen en bovendien moet ik aan Frans uitleggen waarom ik tot halfzeven op school wil blijven.

'Goed, ik pik je morgen op. Dag, Lot. Welterusten.'

Ik word warm vanbinnen en wil iets terugzeggen, maar Reinier heeft al opgehangen.

Even blijf ik op de rand van mijn bed zitten. Een heel weekend met Reinier! Ik bedenk wat ik allemaal moet meenemen. Ik wil een verpletterende indruk op hem maken. De bewonderende blik die in zijn ogen verschijnt, is vreselijk verslavend. Mijn hart klopt nu al in mijn keel als ik eraan denk. Het is jammer dat ik dit gevoel met niemand kan delen, want ik heb het gevoel dat ik uit elkaar klap van... Ja, van wat eigenlijk?

Voor het eerst komt het woord 'verliefd' in me op, maar ik schud heftig met mijn hoofd.

Doe niet zo onnozel, spreek ik mezelf streng toe. Verliefd, nee. Maar ik kan het gevoel in mijn buik toch niet negeren.

'Wie was dat?' vraagt Natasja ongegeneerd, als ik de huiskamer weer binnenkom.

'Niemand. Iets van m'n werk.'

''s Avonds?' Ze kijkt naar mijn verhitte gezicht. 'Dat was dan zeker een moeilijk gesprek.'

Ik zucht. 'Een ouder die vindt dat het op school niet goed gaat. Heel vervelend allemaal.' Ik krijg ineens een geweldig idee. 'Ze wil morgenavond een gesprek met me.'

'Hè, bah', zegt Eva. 'Dat heb je toch wel afgewimpeld, hoop ik.'

Ik schud mijn hoofd. 'Helaas lukte dat niet. Dus ik ben er morgenavond niet. Het kan nog wel eens laat worden, want er moet heel wat worden besproken.'

Eva haalt haar schouders op. 'Balen. Maar dan ben je er wel in één keer vanaf, als je een beetje mazzel hebt.'

'Ja, ik hoop het ook. Ik kom tussendoor niet naar huis, denk ik. Het is makkelijker om op school te blijven.'

'Ook saai', zegt Eva. 'Maar ik vermaak me wel, hoor. Kan ik eens even lekker in jouw kasten neuzen!'

Ik verslik me in de prosecco en Eva en Natasja lachen hartelijk. Natasja hamert op mijn rug. 'Rustig maar, hoor. Volgens mij was het een grapje.'

Als ik weer een beetje ben bijgekomen zeg ik: 'Dat wist ik heus wel.' Maar ergens in mijn achterhoofd blijft een stemmetje hoorbaar dat zegt dat ik heel goed moet oppassen.


'Mogge.'

Ik schrik me rot en draai me zo snel om dat ik even met mijn ogen sta te knipperen tot ik weer normaal kan zien.

'Oh, dag.'

'Alles goed?'

Ik haat die praatjes die Leo 's ochtends nog wel eens aanknoopt. Waarom kan hij niet gewoon weggaan?

'Ja, prima. Bijna vakantie, hè?'

'Oh ja.' Hij tikt met zijn vinger tegen zijn kin alsof hij het zich nu pas realiseert. 'Goh, dan zien we elkaar een tijdje niet.'

'Denk je?'

'Misschien vind ik wel een manier.'

Ineens schiet me iets te binnen. Ik kijk of Vivian in de buurt is, maar zij zit met haar vriendinnetjes in de poppenhoek. Ik buig me een beetje naar Leo toe en laat mijn stem dalen.

'Laten we er niet langer omheen draaien,' zeg ik ongewoon ferm, 'we weten allebei dat je binnenkort weer bij me op de stoep staat. En jij weet dat ik daar niet op zit te wachten. Wat ik nodig heb, is een lijst.'

'Sorry?'

'Een lijst met iedereen die nog geld van me krijgt. Ik ben het spoor een beetje bijster.'

Leo grijnst vals. 'Dat is niet zo raar als je nooit je post open maakt. Ik weet natuurlijk alleen wie de schuldeisers zijn die via ons bureau hun geld proberen te krijgen.'

'Jij bent de enige deurwaarder die ik te zien heb gekregen, dus ik neem aan dat de grote bedragen via jullie lopen. Nou, kan ik een lijst krijgen of niet?'

'Wat ben jij ineens behulpzaam. Bedoel je dat je gaat afbetalen?'

Ik kijk hem uitdagend aan. 'Dat heb ik niet gezegd. Volgens mij ben ik jou geen verklaring schuldig. Ik wil gewoon even weten welke bedragen ik nog moet afbetalen en aan wie. Is dat nou zo veel gevraagd voor een incassobureau?'

'Natuurlijk niet.' Leo kijkt een beetje beledigd. Ik moet een grijns onderdrukken. 'Ik zorg dat je die lijst zo snel mogelijk krijgt.'

'Mooi. Dag, Leo.' Ik draai me om en loop naar de poppenhoek, waar Vivian Anouk bijna de ogen uitkrabt omdat ze allebei met dezelfde pop willen spelen.

Die middag verschijnt Leo opnieuw op school. Meestal laat hij Vivian door de Poolse nanny ophalen, maar nu neemt hij haar zelf mee.

'Hier', zegt hij en hij duwt me een envelop in handen, als ik buiten op het plein sta. 'Je lijst.'

Ik zie een paar andere ouders bevreemd naar ons kijken. Ik laat een brede, gekunstelde glimlach zien en zeg overdreven luid: 'Oké, ik zal dit in Vivians map stoppen.'

Leo draait zich zonder iets te zeggen om.

Ik kan niet wachten tot iedereen weg is en ik me in mijn lokaal kan terugtrekken. Ik heb tot halfzeven de tijd om te bestuderen wie er allemaal geld van me krijgen. Frans vond het wel raar toen ik hem vanochtend vroeg of ik mag overwerken zo vlak voor de vakantie, maar hij heeft beloofd dat hij me de sleutel komt brengen voor hij zelf weggaat. Ik hoop dat dat niet te laat is, ik moet me nog omkleden ook.

Leo vertegenwoordigt onder andere de creditcardmaatschappij, zie ik, en mijn hypotheekbank. Beide instellingen zijn niet tevreden met de kleine afbetaling die ze elke maand krijgen en hebben dat laten merken door grote sommen geld bij het oorspronkelijke bedrag op te tellen. Ik begrijp nu waar Leo zijn glimmende auto van rijdt.

Vierduizend euro wil de bank van me hebben voor de hypotheek. Dat is het deel dat ik niet heb betaald. Ze hebben elke maand wel wat geld van mijn salaris weten in te pikken, maar ze vinden het niet genoeg. Mijn oog valt op de lening die Kars op mijn naam heeft afgesloten. Die bank wil niet alleen tienduizend euro terugzien, ik mag ook nog eens een paar honderd euro aan achterstallige rente en boetes voor wanbetaling komen inleveren. De creditcardmaatschappij wil een paar honderd euro per creditcard hebben en daarna heel snel de rest.

Zeshonderd euro heb ik thuis liggen. Dat is tweehonderd euro per instelling. Als ik het morgen cash aan Leo geef, kan ik hem misschien lang genoeg op afstand houden om Eva's logeerpartij uit te zitten. En anders zal ik hem het geld dat ik vanavond en volgende week verdien, ook moeten beloven.

Ik stop de papieren terug in de envelop en verberg die in mijn agenda. Ik kijk op de klok. Het is net halfvier geweest. Wat moet ik al die tijd doen? Met de vakantie voor de deur hoef ik voor de klas niets meer te regelen.

Gelukkig heb ik vanochtend een oud nummer van Cosmopolitan in mijn tas gestopt. Ik vond het in de papierbak, waar Eva het achteloos had gedumpt. Ik heb al één groot voordeel ontdekt van mijn nieuwe huisgenoot: ze heeft abonnementen op zes verschillende tijdschriften. Als een spons zuig ik het heerlijke gevoel van de luxe van een mooi blad in me op.

Als mijn telefoon piept, kijk ik verstoord op. Ineens breekt het zweet me uit. Het zal toch niet...?

Maar jawel, hij is terug.

*Ik ben dichterbij dan je denkt, Charlotte. Ik ben overal.*

Ik slaak een kreet en spring overeind. De school is ineens groot, leeg en dreigend. Ik kijk in alle lokalen en de schoonmaker werpt me een bevreemde blik toe. Dan trek ik me terug in mijn eigen lokaal en ga in de poppenhoek zitten wachten tot Reinier me komt halen. Hopelijk is dat snel. Ik voel me pas veilig in zijn gezelschap.

# 19

'TOCH VIND IK HET RAAR.' EVA ZIT OP MIJN BED EN STEEKT geen vinger uit om me te helpen mijn tas in te pakken. Af en toe houdt ze een kledingstuk omhoog om het vervolgens verfrommeld weer te laten vallen.

'Wat vind je raar?' vraag ik. Ik luister maar met een half oor, omdat ik ondertussen probeer te bedenken wat ik voor het logeerpartijtje met Reinier allemaal moet meenemen. Beetje zwemmen, beetje golf – ik heb niet eens golfkleren! Misschien kan ik een polsblessure voorwenden.

'Dat je in de vakantie met je collega's een weekendje weg moet.'

Ik knik. 'Ja, ik ben er ook niet blij mee.'

'Wie verzint dat?' Eva houdt een zwart kanten topje omhoog. 'En waarom zou je zoiets sexy's meenemen als je met je collega's weggaat?'

'Dat neem ik ook niet mee.' Ik gris het gegeneerd uit haar handen en leg het topje in de kast. Tegelijkertijd maak ik een mentale aantekening dat ik het straks weer in mijn tas moet stoppen. Het is stukken gezelliger met Eva in huis, maar ook stukken ingewikkelder.

'Hm', zegt ze. 'En waar gingen jullie ook alweer heen?'

'Ergens op de Veluwe. Ik weet het ook niet precies. Frans heeft het allemaal geregeld.' Ik duik weer in mijn kledingkast om mijn rode hoofd te verbergen.

De smoes dat ik in het kader van teambuilding een nachtje wegga met mijn collega's, was de beste die ik kon verzinnen. Eva vindt het vreemd, maar durft niet te veel uitleg te vragen. Ze woont hier natuurlijk nog maar net en heeft al vaker gezegd dat ze geen claim wil leggen op mijn persoonlijke leven.

'Oh trouwens,' zegt ze dan, 'ik wilde het nog even over de huur hebben. Wat vind jij een redelijk bedrag?'

Ik trek mijn wenkbrauwen op. 'Dit is een koophuis.'

'Dat weet ik, sufferd, maar aangezien ik hier als huurder woon, wil ik ook meebetalen aan de vaste lasten. Is tweehonderd euro per maand goed? Of vind je dat te weinig?'

Ik slik en probeer zo normaal mogelijk te reageren. 'Nee joh, tweehonderd per maand is prima. Het hoeft trouwens helemaal niet, hoor.'

Van dat laatste meen ik geen woord en gelukkig gaat Eva er niet op in.

'Oké, dat is dan afgesproken. Ik maak vandaag nog de eerste huur naar je over.'

'Ehm...' Ik verzin snel iets. 'Misschien kun je het beter contant geven. In verband met belastingen en zo. En onderhuur.'

'Het is toch geen onderhuur als jij de eigenaar bent?'

'Nee', zeg ik langgerekt om tijd te winnen. 'Maar je moet er dan wel belasting over betalen, weet je. En ik wil gewoon niet dat iemand argwaan krijgt.'

'Wat jij wilt', zegt Eva. 'Ik loop zo wel even naar de pinautomaat en dan geef ik je het geld morgen.'

Opgelucht rits ik mijn tas dicht. Daarna loop ik naar de badkamer om mijn toilettas te pakken. Ik neem veel meer spullen mee dan ik in de tijd van anderhalve dag kan gebruiken, maar je weet maar nooit.

Het past allemaal net in mijn tas. Eva bekijkt het geheel kritisch. 'Ik dacht dat ik erg was, maar jij verhuist zo ongeveer je hele inboedel voor één nachtje weg. Als ik niet beter wist, zou ik zeggen dat je eropuit bent om Frans te versieren.'

Ik wil er al heftig tegenin gaan, maar lach als een boer met kiespijn als ik Eva zie grijnzen.

'Heb je nog tijd voor een drankje?' vraagt ze.

Ik kijk op de klok. Reinier is hier pas over een uur. 'Natuurlijk. Wat wil je? Thee?'

'Thee?' Eva trekt een vies gezicht. 'Het is vier uur 's middags én het is vakantie. Ik dacht zo: een wijntje?' Ze tovert een fles uit de koelkast. 'Deze heb ik gisteren bij het boodschappen doen meegenomen. Lekker toch?'

Dat is een van de voordelen aan Eva's aanwezigheid. Ze heeft de afgelopen anderhalve week al drie keer boodschappen gedaan en elke keer haalt ze de lekkerste dingen in huis. Ik heb haar een paar keer aangeboden om de helft te betalen, maar tot mijn grote opluchting heeft ze dat aanbod elke keer afgewimpeld. Ik heb namelijk geen geld in huis. Alles wat ik heb, heb ik aan Leo gegeven. Dat had tot gevolg dat ik hem de belofte kon ontfutselen dat hij de komende weken niet langskomt. Hij vroeg nog waar ik dat geld ineens vandaan haalde, maar gelukkig viel Vivian op dat moment op haar kin en schreeuwde ze als een speenvarken. Tegen de tijd dat Leo haar had getroost, was ik al druk in gesprek met een andere ouder.

Eva trekt de fles open en schenkt twee flinke glazen in. We proosten op de vakantie, zoals we de laatste week wel vaker hebben gedaan.

Eva leunt achterover en sluit haar ogen. 'Ik heb zo'n zin om weg te gaan', zegt ze. 'Al is het maar een paar dagen. Mijn zusje wilde wel met me op vakantie. Oh, ik kan wel even naar de lastminutes kijken.' Ze veert op en gaat achter mijn computer zitten.

'Dat kan niet', zeg ik. 'Ik heb ook internet via de kabel.'

'Waarom bel je dat bedrijf niet op en eis je dat ze het vandaag nog rechtzetten? Die storing duurt nu al anderhalve week.'

'Ja.' Ik blijf zitten waar ik zit.

'Moet ik voor je bellen?'

'Nee, dat hoeft niet. Ik ga het echt snel regelen.' Een storing leek me een plausibele verklaring waarom Eva's plasmatelevisie het bij mij niet doet. En tot nu toe heb ik ook heel aardig kunnen verbergen dat ik geen internet meer heb, maar ik vrees dat het kabelbedrijf een flink stuk omhoog moet op mijn lijstje met af te betalen bedrijven. Langer dan nog een week of twee kan ik het verhaal van die storing niet volhouden.

Maar dat is van later zorg. Terwijl Eva probeert om via het internet op haar mobiele telefoon vakanties te zoeken, denk ik aan het weekendje met Reinier. Ik ben bloednerveus. Een avond spelen dat ik Elisa ben, is wel vol te houden, maar een heel weekend...

Terwijl de zenuwen nu al door mijn keel gieren, kijk ik er ook heel erg naar uit. Een beetje rondhangen in een gigantisch landhuis met een aantrekkelijke man – er zijn ergere dingen.

'Oh, dit is leuk!' roept Eva verrukt. 'Acht dagen Marokko. Daar schijnen ze heel mooie stranden te hebben.'

'Doen', zeg ik meteen.

Eva verdwijnt naar de logeerkamer om haar zusje te bellen. Ik hoor haar op hoge toon lachen en praten. 'Ze vindt het een geweldig idee', zegt Eva, als ze even later de kamer weer binnenkomt. 'Ik ga meteen even naar het reisbureau om te boeken. Misschien kunnen we al binnen een paar dagen vertrekken. Dat zou heerlijk zijn.'

Ik glimlach. 'Je hebt het ook echt verdiend. Er even helemaal uit zal je goed doen.'

'Dat denk ik ook.'

Eva springt overeind en geeft me een knuffel. 'Veel plezier met je collega's. Geen rare dingen uithalen met die oude Frans, hè!'

Ik trek een raar gezicht. 'Alsjeblieft, zeg. Wil je me dood hebben of zo?'

Ik hoor Eva nog grinniken als ze al onder aan de trap staat. Zodra de voordeur in het slot is gevallen, spurt ik naar mijn slaapkamer. Ik verruil de saaie T-shirts die Eva heeft ingepakt voor een paar elegantere outfits. Net als ik mijn tas dicht rits, gaat de bel.

Ik storm naar beneden, voor zover de zware tas dat toelaat, dan realiseer ik me dat ik mijn jas ben vergeten. 'Kom eraan!' brul ik door de dichte deur en ik ren weer naar boven. De sandaaltjes die ik vorige week heb gekocht, snijden gemeen in mijn voeten. Wat moet ik trouwens met een jas? Ook al miezert het een beetje, het is wel vijfentwintig graden.

Maar nu ik toch alweer boven ben, gris ik hem mee van de kapstok. Als ik de deur open, kijk ik in het grijnzende gezicht van Reinier.

'Tikje gestrest?' informeert hij.

Ik tover mijn charmantste glimlach tevoorschijn. 'Nee, hoor. Alles onder controle. En jij?'

Reinier geeft geen antwoord, maar neemt mijn tas van me over en brengt die naar de auto. Zelf heeft hij een bescheiden koffertje bij zich en dat is maar goed ook, want met mijn tas erbij is de kleine achterbak propvol.

'Hij is ook niet gemaakt voor veel bagage', zegt Reinier, terwijl hij liefdevol over de achterkant van zijn auto aait. 'Daar zijn andere auto's voor. Vrachtauto's.'

'Waar is hij dan voor gemaakt?' vraag ik als we zijn ingestapt. Ik weet het antwoord al en het zou kunnen dat ik precies dezelfde vraag al eens eerder heb gesteld, maar ik weet dat Reinier het heerlijk vindt om over zijn auto te praten.

'Voor snelheid en souplesse. Voor luxe en klasse. Eigenlijk voor alles waarvan een mens in het leven kan genieten.'

'En liefde?' Het is eruit voor ik er erg in heb. Ik kan mezelf wel voor m'n kop slaan.

Reinier draait zijn hoofd naar me toe. 'Dat weet ik niet. Geniet jij van de liefde?'

Ik mompel iets onverstaanbaars.

Reinier heeft zijn aandacht gericht op iemand die naast hem rijdt en niet aan de kant wil gaan. Hij toetert en wijst met zijn vinger naar zijn hoofd. Daarna steekt hij agressief zijn middelvinger op en schreeuwt: 'Klootzak! Laat me erlangs, man, met je goedkope kutwagentje.'

Waar komt dit ineens vandaan?

'Sjongejongejonge', zegt Reinier langgerekt. Hij toetert opnieuw, al is de andere automobilist allang aan de kant gegaan.

Reinier scheldt nog even verder. 'Wat een lul! Zag je dat? Die denkt dat de hele weg van hem is, terwijl hij nog niet eens een normale auto kan betalen. Dat soort paupers zouden ze moeten afschieten. Gewoon, pafpaf, dood.'

Hij maakt schietende bewegingen met zijn vingers in de lucht. 'Dood, dat moet hij!'

Ik kijk geschokt naar hem en voel me onrustig worden.

'Ach, hij is toch aan de kant gegaan?' vraag ik voorzichtig.

Reinier kijkt met een ruk opzij. 'Uiteindelijk wel, ja. Maar waarom moet dat zo lang duren? Hij ziet toch dat ik eraan kom?'

'Ja.'

'Wat is er?' Reinier kijkt opzij en ik wend snel mijn blik af.

'Niets', mompel ik.

'Oké.' Hij glimlacht. Ineens is alle agressie verdwenen en klinkt zijn stem weer zacht en vriendelijk. 'Je kijkt nogal peinzend.'

'Ja, ik dacht even na.'

Reinier steekt zijn hand uit en raakt heel vluchtig mijn wang aan. 'Moet je niet doen. Daar krijg je rimpels van. Alhoewel jij altijd mooi zult blijven.'

Ik kan er niets aan doen dat mijn hart een sprongetje maakt. Waar ben ik nou helemaal mee bezig? Reinier is hartstikke aardig voor me en ik zit hem hier te verdenken van allerlei duistere acties! En dat hij een beetje scheldt in het verkeer, nou ja, dat doe ik ook zo vaak.

Ik kijk opzij en zend hem een glimlach. Reinier knipoogt naar me.

Binnen een uur arriveren we bij het grote landhuis van Albert Zwiers, dat vanaf de weg niet eens te zien is. We moeten eerst aanbellen bij het hek en dan duurt het nog vijf minuten voor we via de enorme oprijlaan bij het huis arriveren.

Ik fluit bewonderend tussen mijn tanden. 'Zo. Goede klant zeker?'

Reinier grinnikt. 'Dat kun je wel stellen, ja.'

Ik stap uit en probeer mezelf onder controle te krijgen. Met open mond en bewonderende blik in mijn ogen binnen komen lopen, is vast niet iets wat een internationaal topmodel zou doen bij het zien van zo'n huis. Dus klap ik mijn mond dicht, tover een enigszins verveeld gezicht tevoorschijn en volg Reinier naar binnen. Dat een butler onze bagage meeneemt, vind ik natuurlijk de normaalste zaak van de wereld.

'Ha Reinier!' Albert Zwiers komt naar ons toe door de enorme hal. 'Hoe is het, jongen? Oh, en als dat Elisa niet is.' Hij begroet me met drie zoenen. Zijn snor prikt in mijn oor. 'Je wordt elke keer dat ik je zie, weer een stukje mooier.'

'Slijmerd', zegt Reinier. 'Ah, Renée!' Hij begroet Alberts vrouw en stelt haar daarna aan mij voor. Ik schud haar uitgestoken hand en beantwoord haar warme glimlach. Ik mag haar nu al.

'Laten we naar de salon gaan', stelt Albert voor. 'Het is tijd voor een drankje.'

Hij leidt ons naar een kamer rechts van de hal waar een duizelingwekkende hoeveelheid flessen staat. Door de openstaande tuindeuren komt de aangename warmte van buiten naar binnen. Er staan een paar grote loungebanken buiten op het terras. Het is inmiddels opgehouden met miezeren.

'Laten we buiten gaan zitten. Maar ik schenk eerst even iets in. Wat mag het zijn?' Albert maakt een wijds handgebaar naar de flessen. 'Ik heb nog meer, hoor.'

'Een Blue Label gaat er altijd wel in', zegt Reinier handenwrijvend. 'Zonder ijs, natuurlijk.'

Albert zendt hem een bestraffende blik. 'Al wilde je hem met ijs, dan kreeg je hem nog zonder. Echte mannen nemen geen ijs, dat zou je inmiddels moeten weten.' Hij schenkt Reinier een glas whisky in en kijkt daarna naar mij. 'En wat mag ik voor jou inschenken?'

Ik snak naar een wijntje. 'Witte wijn, graag. Droog.'

'Aha!' Albert loopt naar de andere kant van de kamer, waar hij de wijnen bewaart. 'Ik heb een paar mooie witte wijnen op de kop getikt de laatste tijd. Wat dacht je van een Domaines Ott Clos Mireille Blanc de Blancs?' Hij houdt een fles omhoog.

'Of voel je meer voor een Domaine Marcel Deiss Pinot Gris Beblenheim? Of een Bourgogne Lucienne Michel Saint-Bris?' Hij wijst op een paar flessen. Het duizelt me van al die namen die ik niet ken en ik kijk hulpzoekend naar Reinier, maar hij gaat helemaal op in zijn whisky.

'Ach Albert, jaag dat arme kind toch niet de stuipen op het lijf', schiet Renée me te hulp. 'Ze heeft gewoon zin in een wit wijntje. Kies iets voor haar uit en geef mij ook maar een glas.'

'Oh. Oké.' Albert ontkurkt een beetje beledigd een fles. Tegen de tijd dat hij me een glas overhandigt, is er echter alweer een brede lach op zijn gezicht verschenen. Ik zend Renée een dankbare blik en krijg een begrijpend glimlachje terug. Ik draai genietend mijn hoofd naar het voorzichtige zonnetje.

'Zo, en waar hebben jullie zin in?' vraagt Albert nadat hij zichzelf van een flink glas whisky heeft voorzien en we hebben getoost op een geslaagd weekend.

'Er is hier maar één regel en dat is dat er geen regels zijn. Iedereen moet doen waar ie zelf zin in heeft en als je niets kunt bedenken, ga je met mij mee jagen.'

'Het jachtseizoen is nog niet geopend', zegt Reinier.

Albert grijnst breed. 'Dat weten die beesten toch niet?'

'Goed punt', zegt Reinier. 'Ik heb wel zin om mee te gaan morgenochtend. En jij, lief?'

Hij kijkt me aan. Ik vind jagen vooral zielig en bovendien kan ik niet paardrijden. 'Oh, maak je om mij niet druk. Ik ga wel zwemmen of zo. Of een boek lezen in de tuin.'

'Goed idee', zegt Renée. 'Dat afknallen van die beesten is ook niets voor mij.'

Albert haalt zijn schouders op. 'Dan wordt het morgen mannen onder elkaar, Reinier. Ik rijd om vijf uur uit.'

'Die staat', zegt Reinier en hij heft zijn glas. Ik voel een steek-je van teleurstelling. Tegen samen wakker worden had ik geen bezwaar gehad.

Later die avond laat de butler ons onze kamer zien. Albert omschreef het als een 'eenvoudige logeerkamer', maar ik heb nog nooit zoiets gezien. Aan het hoge plafond hangt, net als in de rest van het huis, een kroonluchter en op het grote hemel-bed liggen de mooiste lakens die ik ooit heb gezien. Het bed ziet er heel antiek en heel, heel erg duur uit. Ik ga voorzichtig op het randje zitten. Het matras veert mee.

'Wauw', zeg ik als de butler de deur achter zich heeft geslo-ten. 'Dit is echt prachtig.'

Hij knikt een paar keer en zegt: 'Kom, dan kleden we ons om en gaan we daarna eten. De kok hier is echt fantastisch.'

Hij verdwijnt in de badkamer en slaat de deur achter zich dicht. Ik kijk hem dromerig na. Dit weekendje kan me niet lang genoeg duren.

De badkamerdeur gaat weer open. Reinier heeft een baard van scheerschuim.

'Trouwens,' zegt hij, 'over dat bed. Ik vrees dat we het niet uit elkaar kunnen schuiven. Probeer eens.'

Een achttiende-eeuws hemelbed blijkt inderdaad niet uit twee delen te bestaan. Reinier kijkt zorgelijk. 'Ik weet dat het niet tot jouw service behoort om samen met de opdrachtgever in één bed te slapen, maar ik hoop dat je begrijpt dat de opdrachtgever in kwestie hier even met zijn rug tegen de muur staat.'

'Ja', zeg ik snel. 'Geen probleem! We kunnen toch best sa-men in één bed slapen. Daar hebben we het over gehad!'

'Oké, oké.' Reinier steekt lachend zijn handen in de lucht. 'Je hoeft mij niet te overtuigen, hoor. Ik ben om.'

Hij verdwijnt weer naar de badkamer en sluit de deur. Ik laat me achterover op het bed vallen. Ineens voel ik me raar.

Vanavond zal ik naast Reinier liggen. Gelukkig heb ik een zijden nachthemd bij me, maar wat als ik snurk? Of praat in mijn slaap? Reinier vindt me nu nog aantrekkelijk en dat wil ik graag zo houden.

Mijn telefoon piept in mijn tas. Ik wil eigenlijk niet kijken, maar dat kan ik toch niet lang volhouden. Mijn keel wordt droog als ik zie van wie het berichtje is.

*Ik word nu echt een beetje boos. Wie niet horen wil, moet maar voelen.*

Ik begin te trillen en schiet overeind als achter me een deur open gaat.

'Hé,' zegt Reinier, 'liet ik je schrikken? Sorry.'

'N-nee, hoor.' Ik weet een glimlach op mijn gezicht te krijgen. 'Niets aan de hand. Ben je klaar, daar?'

'Ja, ga je gang.' Hij houdt de deur voor me open. Ik grijp mijn tas en verdwijn naar de badkamer. Daar bekijk ik mijn bleke gezicht in de spiegel. Wie het ook is die deze sms'jes stuurt, hij heeft me behoorlijk in z'n greep. Moet ik inderdaad naar de politie gaan?

Ik stop mijn telefoon weer in mijn tas. Op een zwaar beveiligd landgoed met niet alleen Reinier, maar ook een behoorlijke hoeveelheid personeel om me heen, moet ik toch wel veilig zijn.

In razend tempo kleed ik me om. Ik twijfel even, maar kies dan toch voor het blote zomerjurkje dat ik heb meegenomen. Het is strapless en ik moet de stof met een veiligheidsspeld vastzetten om te zorgen dat het niet afzakt. Het is van vorig jaar en twee maten te groot. Maar je ziet niets van die speld en ik constateer dat het me echt goed staat.

Snel kneed ik wat mousse door mijn haar en werk mijn make-up bij. Als laatste spuit ik een royale hoeveelheid Miss Dior Chérie op en trek sandaaltjes met duizelingwekkend hoge hakken aan. Het zijn de hoogste hakken die ik ooit heb gedragen en sinds ik de schoenen vorige maand heb gekocht, heb ik wel even moeten oefenen. Maar nu loop ik erop alsof ik nooit anders heb gedaan. Ik werp een tevreden blik in de spiegel.

Ik gooi de deur van de badkamer open en geniet van een bewonderende blik die Reinier op me werpt.

# 20

‘WE VONDEN HET ECHT HEEL GEZELLIG’, ZEG IK VOOR DE ZO-veelste keer en ik druk Albert de hand. ‘Echt. Bedankt voor alle gastvrijheid.’

Ik neem ook afscheid van Renée. ‘Kom snel weer eens langs’, zegt ze. ‘Je bent altijd welkom.’

‘Bedankt. Voor alles. Ik heb ervan genoten.’

Reinier zit al in de auto en nadat ik Albert en Renée nog-maals heb bedankt, stap ik ook in.

‘Wat een leuke mensen’, zeg ik, als we de oprijlaan afrijden.

‘Misschien kun je je klantenkring uitbreiden met Albert.’

‘Sorry?’ Ik kijk naar Reinier. ‘Wat bedoel je daarmee?’

‘Je kunt het wel met hem vinden, hè?’

Ik probeer zijn blik te vangen, maar hij kijkt stuurs voor zich uit. ‘Wat bedoel je?’ vraag ik opnieuw. ‘Ik zeg gewoon dat ik hem een aardige man vind. Daar is toch niets mis mee?’

‘Je vindt hem gewóón een aardige man’, herhaalt Reinier.

'Ja, jij niet? Ik dacht dat jullie vrienden waren.'

'Hij is een zakenrelatie. Een goede weliswaar, maar wel een zákenrelatie. Ik zie niet in waarom je je zo bij hem moet inlikken. Als je het mij vraagt, ben je iets té goed in je werk. Je moet míjn vriendin spelen, niet die van elke man die je tegenkomt.'

'Nou já, zeg!' roep ik op hoge toon. 'Waar slaat dit nu ineens op? Ik heb me juist het hele weekend voorgedaan als jouw vriendin. Ben je niet tevreden?'

'Meer dan', zegt Reinier smalend.

'Reinier, ik...' Ik zwijg, omdat ik niet weet wat ik moet zeggen.

'Wat?'

'Ik wist niet dat je ergens ontevreden over was. Het spijt me.'

'Je had je toch wel iets minder kunnen uitsloven voor Albert? Zoals je daar op een ligbedje lag bij het zwembad... Het was gewoon stuitend!'

'Ik had een bikini aan!'

'Je had er ook eentje met iets meer stof kunnen kiezen. Albert stond zich gewoon aan je te verlekkeren en dat moet ik allemaal maar goed vinden.'

Ik denk terug aan het moment dat hij bedoelt. Volgens mij zei Albert gewoon goedemorgen en verdween hij daarna naar binnen om te douchen na de vroege rit door de bossen. Reinier baalde dat hij niets had geschoten en was chagrijnig, maar dat had niets met mij te maken.

Ik wil Reinier echter niet boos maken en zeg: 'Je hebt gelijk. Ik zal er de volgende keer beter op letten.'

Een hele tijd lang zeggen we niets. Ik voel me ongemakkelijk en zoek naar de juiste woorden, maar ik kan niets bedenken. Het is jammer dat hij zich ineens zo opstelt, zeker na de nacht die we achter de rug hebben. Als ik daar weer aan denk, bekruipt me een bijzonder fijn gevoel. We hebben gelachen en gepraat, écht gepraat, en daarna zijn we in slaap gevallen. Althans, Reinier. Ik heb nog een hele tijd wakker gelegen en genoten van zijn aanwezigheid. Ik kan er best aan wennen, dacht ik nog.

Tegen de tijd dat ik wakker werd, was hij allang gaan jagen, maar hij had een briefje op het kussen achtergelaten met 'Goedemorgen, schoonheid'. Ik heb de glimlach de hele ochtend niet van mijn gezicht gekregen.

Reinier lijkt zijn irritatie alweer te zijn vergeten en neuriet af en toe mee met de radio. Dan schiet hem ineens iets te binnen en zegt hij: 'Heb je volgende week vrijdag al iets? Zo nee, dan zou ik graag reserveren. Ik heb een bedrijfsfeestje bij mij op kantoor. We hebben een grote klant binnengehaald en het feestje is mijn bedankje naar alle medewerkers. Sommigen vroegen al naar jou.'

'Natuurlijk,' zeg ik snel, 'ik zal er zijn. Hoe laat?'

'Ik pik je op om halfnegen. Het kan wel laat worden.'

'Geen probleem.'

Dan zegt hij ineens: 'Sorry.'

'Waarvoor?'

'Dat ik net zo raar tegen je deed. Ik meende het niet, en ik had het niet mogen zeggen.'

Ik vergeef hem direct. 'Dat geeft niet.'

'Jawel, het geeft wel. Jij doet ontzettend je best en dat moet ik ook waarderen. Ik ben echt heel blij met je, Lot.'

Als hij voor mijn huis stopt, drukt Reinier het geld in mijn handen. Ik prop het in mijn zak. Het moment bezorgt me een ongemakkelijk gevoel, alsof het niet hoort dat hij me betaalt. Dan kijk ik hem aan. De blik in zijn ogen bezorgt me een vreemd gevoel in mijn buik.

Reinier leunt een beetje naar me toe. Met zijn hand strijkt hij een haarlok uit mijn gezicht. Daarna leunt hij nog iets dichter naar me toe. Heel even raken zijn lippen de mijne aan. Ik sluit mijn ogen.

Maar dan gaat Reinier weer rechtop zitten. Verward kijk ik hem aan. Hij glimlacht. 'Dag, Lot. Ik verheug me op de volgende keer.'

Ik haal snel mijn tas uit de achterbak en haast me naar binnen. Gelukkig is Eva er niet. Ik blijf midden in de kamer staan. Mijn hartslag gaat razendsnel en ik kan niet anders dan het uitgillen. Hij heeft me gezoend. De knapte, leukste en waarschijnlijk ook rijkste man van Nederland heeft mij, een arme sloeber zonder noemenswaardige achtergrond, met een zoen de liefde verklaard.

Nou ja, min of meer.

Op de eettafel vind ik een briefje van Eva. *Ben bij Natasja. Kom ook als je zin hebt.*

Ik moet er echt even uit, anders vlieg ik van pure verliefdheid tegen de muren op. Daarom spring ik op mijn fiets en nog geen tien minuten later sta ik bij Natasja voor de deur.

'Zullen we nog even een afzakkertje nemen?' Eva houdt een fles rosé omhoog. 'Deze heb ik gekocht om te proosten op mijn vakantie. Het is trouwens nog hartstikke warm buiten.'

Mij hoeft ze niet te overtuigen. Ik heb toch nog geen zin om te gaan slapen. Ik ben niet moe en zelfs als ik dat wel was, zou de warmte in mijn slaapkamer maken dat ik de halve nacht wakker zou liggen. De warmte én de gedachte aan Reinier.

We nemen de fles en twee glazen mee naar het balkon.

'Proost', zegt Eva.

'Op je vakantie.'

We nemen allebei een slok en zeggen een tijdje niets. In mijn zak trilt mijn telefoon twee keer kort achter elkaar. Een sms'je. Ik schrik.

'Even naar het toilet', zeg ik, als ik snel opsta en naar binnen loop. Ik sluit me op in de badkamer en pak mijn telefoon.

Het is van Menno, gelukkig.

*Hoi Lot, beetje onpersoonlijk maar ik moet nog veel regelen. Ga met Tristan op wereldreis om aan relatie te werken. Joepie! Heb ontslag genomen, ben wrslk pas over zes maanden terug. Succes met de service! Menno*

Ik lees het sms'je drie keer opnieuw. Menno is een goede klant en ik baal ervan dat ik hem kwijt ben, maar het is ook wel een opluchting. Het betekent dat ik 's avonds minder vaak weg ben en dat is wel even prettig nu Eva bij me in huis woont.

Ik sms Menno terug.

*Succes! Ben blij voor je. Lot*

Ik verstuur het bericht, trek voor de vorm het toilet door en loop weer naar buiten. Het valt Eva gelukkig niet op dat ik een beetje stil ben.

'Na de vakantie ga ik met de bank praten. Ik denk dat ik met mijn salaris best genoeg hypotheek kan krijgen om een huis te kopen.'

'Je zit mij niet in de weg', zeg ik. Het is waar. En met Eva in huis voel ik me stukken veiliger. Wat kan mij nou gebeuren? Als iemand mijn huis binnendringt, is er altijd iemand om de politie te bellen.

'Dat is lief van je, maar ik moet verder met mijn leven. En jij trouwens ook. Je weet wel, na Kars, bedoel ik.'

Het is weken geleden dat ik die naam voor het laatst hoorde. Gek genoeg denk ik zelden aan hem, hoewel ik nog dagelijks leef met wat hij me heeft achtergelaten.

'Tja.' Ik haal mijn schouders op.

Eva kijkt me onderzoekend aan. 'Denk je nog wel eens aan hem?'

Ik neem een flinke slok rosé. 'Nee, bijna niet.'

'Weet je wat ik het ergste vind?' vraagt Eva dan. 'Dat je een beeld voor ogen hebt van hoe je toekomst eruit gaat zien. Of je het nou wilt of niet, dat toekomstbeeld is toch ook gebaseerd op degene met wie je samen bent. Gaat het uit, dan moet je alles bijstellen. Daar heb ik moeite mee.'

'In jouw toekomstbeeld kwam zeker een baby voor?'

'Ja, om maar eens iets te noemen. Ik zag mezelf over een jaar al moederen. Maar nu moet ik op zoek naar een tweekamer-appartement waarin geen ruimte is en hoeft te zijn voor een baby. En het gezinsleven waarop ik me had verheugd, is verder weg dan ooit.' Ze kijkt me aan. 'In zekere zin is het makkelijker als je niet samenwoont. Toen Kars wegging, had jij je leven zo weer op de rit.'

Ik heb heel veel zin om haar te vertellen hoe het echt zit. Maar voor het hele verhaal is het te laat. Als ik Eva nu vertel dat ik al bijna een jaar moet rondkomen van een paar tientjes per maand en dat ik mezelf als escort inzet om dat aan te vullen tot een acceptabel bedrag, loopt onze vriendschap onherstelbare schade op.

Maar een beetje, een flintertje van het verhaal kan ik toch wel vertellen? Ik kan niet langer mijn mond houden. De ruime hoeveelheden wijn die ik vanavond al tot me heb genomen, doen de rest.

'Kars heeft me bestolen', zeg ik.

Eva kijkt me met een ruk aan. 'Hoe bedoel je?'

'Toen hij wegging, heeft hij geld meegenomen.'

Op Eva's gezicht verschijnt een ongelovige blik. 'En dat vertel je nu pas? Was het veel?'

Ik haal mijn schouders op. 'Wel wat, ja. Een paar honderd euro.'

'Wat een klootzak! Wat een onbetrouwbare dief!' Ze kijkt me verontwaardigd aan. 'Waarom heb je dat nooit verteld?'

Ik sla mijn blik neer. 'Ik durfde het niet. Iedereen zei al dat Kars niet te vertrouwen was, maar ik moest zo nodig een relatie met hem. Ik zou wel even het tegendeel bewijzen. Toen bleek dat hij inderdaad onbetrouwbaar was, was ik bang voor jullie reacties. Daarom heb ik niets gezegd.'

'Oh, suffie!' Eva legt haar hand op mijn knie. 'Dat had je toch gewoon kunnen zeggen. Waar was je bang voor? Dat wij zouden zeggen: zie je wel?'

Ik knik. 'Inderdaad. Ik ben zo dom geweest om hem te vertrouwen.'

'Je was verliefd!'

'Ja, maar je kunt niet zeggen dat niemand me heeft gewaarschuwd.'

Eva haalt haar schouders op. 'Ach. Jullie hebben me ook vaak genoeg laten merken hoe jullie over Herbert dachten en toch ben ik met hem verder gegaan. Toen uitkwam dat hij vreemdging, hebben jullie toch ook niet "zie je wel" gezegd?'

Ik knik. Alhoewel ik het wel een paar keer heb gedacht.

'Hoe heeft Kars je trouwens bestolen? Had je zo veel geld in huis?'

'Nee, hij kende mijn codes voor internetbankieren. Hij heeft het geld naar zijn eigen rekening overgemaakt.'

'Kun je het niet gewoon terugboeken?'

'Blijkbaar niet. Ik heb de bank gebeld.'

'Je moet aangifte doen!' roept Eva. 'Ook al is het zo lang geleden, ze kunnen het vast nog wel terugkrijgen!'

Ze wordt me nu iets te fanatiek. Ik schud mijn hoofd. 'Ik heb de politie wel gebeld, maar aangezien ik hem de codes heb gegeven, kunnen ze niets voor me doen. Dom van mij, zeggen ze. De volgende keer moet ik beter op dat soort gegevens passen.'

'Tja.' Eva schenkt onze glazen nog eens vol. 'Daar hebben ze ook wel een beetje gelijk in. Nou ja, wees blij dat het maar om een paar honderd euro gaat en niet om een paar duizend. Of nog meer.'

'Daar ben ik ook blij om', zeg ik, en dan begin ik over iets anders. Ik voel me opgelucht, al heb ik nog steeds heel veel níét verteld. En dat zal ook zo blijven. De rest moet een geheim blijven, al word ik honderd.

'Doei! Ik ga naar Spaans!'

Eva staat onder de douche. 'Oké, tot straks. Veel plezier!' roept ze. 'Hoe laat ben je terug?'

'Weet ik nog niet!' Ik gooi de deur achter me dicht. Het is maar goed ook dat Eva niet voor het raam staat, want dan zag ze me instappen in de auto van Michel.

'Hoi', zegt hij. 'Hoe is het?'

'Goed.' Ik probeer de gordel vast te klikken.

'Oh ja', zegt Michel. 'Die is stuk. Maar het is niet ver.'

'Waar gaan we heen?'

'Mijn ouders geven een barbecue. Eigenlijk was mijn plan om je niet te vermoeien met mijn familieleden, maar via via hebben ze al veel over je gehoord. En dus hebben ze me gesmeekt om je eens mee te nemen. Ik zeg nu alvast sorry voor ze.'

'Is het zo erg?' grinnik ik.

Michel trekt een scheve grijns. 'Ze zijn geschift, maar verder best oké. Mijn moeder was vroeger een hippie. Is dat genoeg?'

'Alleen vroeger?' vraag ik.

'Als je haar leert kennen, valt ze best mee.'

Een kwartier later stopt Michel voor een klein huis in Watergraafsmeer. Hij volgt mijn blik als ik ernaar kijk. 'Het is klein, maar wel gezellig.'

Hij heeft geen woord te veel gezegd, blijkt als ik de hal binnenstap. Michels ouders verdringen zich om mij te kunnen begroeten en met Michel en mij allebei in de hal, worden we tegen elkaar aan gedrukt.

'Kom eerst eens binnen', zegt zijn vader. Hij trekt me de huiskamer in. 'Da's beter. Hallo, ik ben Kees.'

'Lot.'

'Dag, Lot. Ik ben Saskia.' Zijn moeder pakt mijn hand en beweegt die heen en weer alsof ze water omhoog wil pompen. 'Leuk je te ontmoeten. We hebben al veel over je gehoord. Nou ja, niet van Michel, natuurlijk.' Ze buigt zich een beetje naar me toe. 'Hij is zo gesloten als wat. Net z'n vader.'

'Oh ja?' zeg ik.

'Oh, vreselijk!' Saskia laat eindelijk mijn hand los. 'Maar goed, kom verder. Iedereen zit in de tuin.'

Met 'iedereen' blijkt ze Michels zus met haar drie kinderen te bedoelen, en zijn broer en diens vriendin.

Michel stelt me aan iedereen voor. Het valt me op dat hij zowel zijn zus als zijn schoonzus met een oprechte knuffel begroet en dat hij breed grijnst als hij zijn broer de hand schudt. Zo heb ik hem nog niet eerder gezien.

Ik kijk naar de drie kinderen van Michels zus Linda. Ze hebben alle drie een lichtbruine huid, terwijl Linda hoogblond is. 'Wat een mooie kindjes heb je', zeg ik gemeend. 'Is hun vader van buitenlandse afkomst?'

'Hun vader is een lapzwans', antwoordt ze. 'En inderdaad, hun vader is Afrikaan. Deze drie zijn het enige goede dat hij ooit heeft gepresteerd.'

De geslotenheid van Michel blijkt geen familietrekje. Binnen een halfuur weet ik alles over de manier waarop de Afrikaanse vader van de kinderen Linda betoverde, bedroog en vervolgens in de steek liet. Linda blijkt een eersteklas entertainer en hoewel het verhaal eigenlijk best triest is, lig ik in een deuk van het lachen.

Kees staat op. 'Ik ga de barbecue aansteken.' Michels broer Pieter volgt hem.

'Ik help jullie.' Michel loopt achter hen aan en ik blijf achter met zijn moeder.

Ze kijkt me onderzoekend aan en zegt dan: 'Volgens mij is Michel maar wat blij met je. Hij zegt er natuurlijk weer eens niets over, maar hij straalt. Ik heb hem nog nooit zo gezien.'

'Echt?' Ik ben benieuwd wat Michel dan zo gelukkig maakt, want mijn aanwezigheid kan het niet zijn.

'Ja, echt.' Saskia kijkt naar haar zoon. 'Ik heb ook het idee dat hij door jou wat losser is. Hij maakt grapjes en lijkt gewoon beter in zijn vel te zitten.'

Ik slik. 'Dat is goed om te horen.'

'Ho, shit!' roept Michel plotseling.

Er valt iets nats en kledderigs in mijn schoot. Ik schiet overeind.

'Oh, sorry!' Michel kijkt een beetje beteuterd. Hij staat naast me en bekijkt de vlek op mijn witte driekwartbroek. Op de grond liggen kipfilet en wat satéstokjes.

'Geeft niets!' Saskia springt op en begint het verspreid liggende vlees te verzamelen. 'Er is genoeg, ook zonder de kipfilet. Geef maar.' Ze trekt Michel de lege schaal uit zijn handen. Ik onderdruk een giechel.

Als hij naar mij kijkt, moet Michel ook lachen. Ik voel ineens een enorme verbondenheid, zo intens dat ik stop met lachen en hem alleen maar aankijk. Michel houdt mijn blik vast. Pas als Saskia voorbij stuift met een nieuwe schaal vlees, kijkt Michel weg.

# *21*

ZENUWACHTIG TREK IK MIJN ZWARTE JURKJE WEER UIT. IK
schop de pumps terug in de kast en bekijk wanhopig mijn eigen lichaam in de spiegel. Wat moet ik aan?

Ik houd een lichtblauw jurkje omhoog, met een donkerblauwe velours band die mijn taille benadrukt. Ik heb het vorige
maand gekocht, maar nog nooit gedragen.

Als ik het jurkje aan heb, weet ik weer waarom ik er zo enthousiast over was. De band maakt dat ik er bijzonder slank
uitzie. Ik knik tevreden en trek donkerblauwe pumps aan met
hoge hakken, die ik van Eva heb geleend. Ze stond wel even
raar te kijken toen ik haar schoenen wilde lenen, want vroeger
maakte ik altijd opmerkingen over de hoogte van haar hakken, maar gelukkig vroeg ze niet voor welke gelegenheid ik ze
nodig had.

In de badkamer kneed ik mousse door mijn haar en maak ik
me op met donkerblauwe oogschaduw en veel mascara. Als ik

iets heb geleerd, is het dat Reinier ervan houdt als ik alle blikken naar me toe trek. En dat lukt niet met een bescheiden make-upje. Ik ben de laatste tijd bijna een volleerd visagiste geworden en dat is best een prestatie voor iemand die voorheen slechts met een dun laagje mascara de deur uitging.

Ik check het resultaat in de spiegel en glimlach naar mezelf. Uiteindelijk ben ik best tevreden. Ik ben een paar kilo aangekomen en dat staat me beter dan dat hele dunne, vind ik zelf. Met Eva in huis heb ik mijn dieet aan de wilgen gehangen, en dankzij mijn vele opdrachten van de laatste tijd én het feit dat Eva vaak boodschappen doet, kan ik de normale maaltijden nog betalen ook.

Maar vanavond is Eva uit eten met haar zusje. Ze hebben een grote stapel reisgidsen meegenomen en gaan bekijken wat ze allemaal willen doen in Marokko. Het komt mij wel goed uit, want ik heb gezegd dat ik naar een inhaalles van mijn cursus Spaans moet en dat ik daarna misschien nog even met mijn medecursisten naar de kroeg ga. Als Eva er niet is, kan ze me ook niet in Reiniers auto zien stappen.

Ongeduldig kijk ik uit het raam. Het is al vijf over halfnegen en Reinier is er nog niet. Ik kijk hier al dagen naar uit en nu het moment daar is, kan ik niet langer wachten. Vanavond staat er meer te gebeuren, dat weet ik gewoon zeker. Aan mij zal het niet liggen. Ik werp nog maar eens een blik in de spiegel. Perfect, absoluut perfect. Het jurkje kan met één simpele ruk aan de rits uit.

Uiteindelijk rijdt om kwart voor negen Reiniers sportauto de straat in. Ik gris een dun jasje van de kapstok, pak snel mijn minihandtas en ren naar beneden. Als ik de deur achter me dichttrek, stapt Reinier net uit.

'Wauw', zegt hij, terwijl hij de deur voor me openhoudt. 'Je ziet er oogverblindend uit.' Hij geeft me een zoen op mijn wang, iets te dicht bij mijn mond om nog fatsoenlijk te zijn. Mijn hart slaat over.

'Vind je?' zeg ik schor.

'Ja.' Reinier legt zijn hand op mijn rug als ik naar de auto loop.

'Dank je.' Ik stap zo gracieus mogelijk in. Reinier slaat het portier dicht en stapt aan de andere kant in.

'Hoe is het?' informeert hij als we de straat uit rijden.

'Goed. Lekker weer, hè?'

'Ja.' Reinier kijkt naar de lucht alsof hij het nu pas doorheeft. Ik kijk naar zijn onberispelijke pak, dat er inderdaad niet als zomermodel uitziet. 'Ik weet het eigenlijk niet. Het is nogal druk geweest afgelopen week.'

'Weinig in de tuin gezeten?'

Reinier glimlacht. 'Ik herinner me nauwelijks hoe mijn tuin eruitziet. Gelukkig heb ik een tuinman, anders zou ik een oerwoud achter mijn huis hebben.'

'Je moet wat meer ontspannen', zeg ik.

'Ja.'

'Waarom neem je geen hobby?'

'Mijn werk is mijn hobby. En ik golf wel eens.'

'Dat is toch geen ontspanning? Ik bedoelde meer iets als mozaïeken, of gitaarspelen.'

Reinier werpt een snelle blik op me en raakt even mijn schouder aan. 'Leuk idee.'

Ik bespeur iets in zijn blik wat ik niet kan thuisbrengen. Het lijkt wel... tederheid.

'Ik moet je iets vertellen', zegt Reinier.

Ik hang aan zijn lippen.

'Ik heb echt naar deze avond uitgekeken.' We staan voor een stoplicht en Reinier boort zijn blik in de mijne.

Het stoplicht springt op groen en het moment is voorbij.

Even later rijden we de parkeergarage onder Reiniers kantoor binnen. Hij zet zijn auto in zijn eigen vak, net naast de lift.

'Ben je er klaar voor?' vraagt hij als we in de lift staan.

Ik leg mijn hand op zijn onderarm. 'Natuurlijk.'

Mijn hand ligt daar nog steeds als we uitstappen. In de hal van Reiniers kantoor is het een drukte van belang. De medewerkers en gasten komen binnen en krijgen meteen hun eerste glas champagne geserveerd. Iedereen blijft staan om elkaar te begroeten. Als Reinier en ik binnenkomen, vallen mensen stil, stoten elkaar aan en kijken naar ons. Ik weet dat de vrouwen elkaar toefluisteren dat ik een lelijke jurk draag, ben aangekomen of een uitschieter heb gemaakt met de make-upkwast. De mannen maken elkaar duidelijk dat Reinier het goed voor elkaar heeft, dat zomerjurkjes verplicht zouden moeten worden of dat hun mond open hangt.

'Ik ga iedereen eens richting tuin bewegen', zegt Reinier. 'Het is prachtig weer buiten en er wacht ons een geweldig feest.' Hij klapt in zijn handen en het wordt meteen stil in de hal.

Reinier bedankt zijn medewerkers en de gasten voor hun komst en voor de prestaties die het bedrijf dankzij hen heeft neergezet. 'En dan stel ik voor dat we nu samen het glas heffen op ons succes. Maar niet voordat ik een heel speciaal persoon heb bedankt.'

Hij draait zich naar mij en pakt allebei mijn handen vast. 'Elisa, bedankt voor je steun in moeilijke tijden en voor je eindeloze begrip als ik weer eens een hele nacht doorwerkte. Jij hebt me de energie gegeven om dit vol te houden.' Hij buigt zich naar me toe en ik voel zijn lippen op de mijne. Mijn knieen beginnen te knikken.

'Goed.' Reinier draait zich ineens om en trekt me mee naar de achterdeur. 'Laten we toosten.'

Buiten staat een lange tafel klaar met een rij champagneglazen. De obers zijn bezig alles vol te schenken. Naast de glazen staan grote schalen met hapjes. Zodra we naar buiten komen, duiken er ineens obers op die met de schalen rondgaan. Op niets is vanavond bezuinigd.

Ik besluit me eens kostelijk te gaan vermaken. Van het eerste dienblad dat voorbijkomt, pak ik een glas champagne en de rest van de avond zorg ik dat mijn glas geen seconde leeg is.

Als de band begint te spelen, komt Reinier naar me toe. 'We gaan dansen.' Hij trekt me de houten vlonders op die vanavond als dansvloer dienstdoen. De band begint met een uptempo nummer en Reinier draait me rond tot ik duizelig ben. Daarna volgt een ballad en trekt hij me dicht tegen zich aan. Ik voel zijn warmte en het zweet breekt me uit, wat hij hopelijk niet merkt.

Aan het eind van het nummer kijkt hij me aan. Zacht zegt hij: 'Je bent heel bijzonder.'

Ik sla mijn blik neer en dan voel ik opnieuw zijn lippen. Reiniers tong glijdt naar binnen en ik zie sterretjes van puur genot. Zijn hand glijdt over mijn rug. Wacht maar, zeg ik in gedachten. Ik ga voorlopig niet naar huis.

'Vond je het leuk vanavond?' Reinier kijkt me aan. We zitten in de auto, maar hij heeft de motor nog niet gestart. Hoewel ik hem het grootste deel van de tijd met een gevuld glas in zijn hand heb zien staan, is Reinier toch gewoon achter het stuur gekropen.

Ik realiseer me dat hij nog steeds op antwoord wacht. Door de ruime hoeveelheid champagne werkt mijn brein een beetje traag.

'Ja,' zeg ik, 'ik vond het geweldig. En jij?'

'Ik ook.' Reinier legt zijn hand op mijn knie en buigt zich een beetje naar me toe. Hoewel het warm is en hij heeft gedanst, ruikt hij fris gewassen. Ik snuif de geur genietend op. 'Dank-zij jou', zegt Reinier dan. 'En dan bedoel ik niet: dankzij Elisa. Ik heb het al vaker gezegd, maar jij bent heel bijzonder, Lot. Jíj, als persoon, niet als degene die je moet spelen. Ik ben blij dat ik je heb leren kennen.'

'Oh ja?' vraag ik schor en ik kan mezelf wel voor mijn kop slaan dat ik niet met iets beters op de proppen kan komen.

'Ja.' Reinier beweegt zijn duim heen en weer over mijn knie en er schieten kleine stroomstootjes door mijn lichaam.

We zeggen een tijdje niets. Het licht van de parkeergarage tekent spookachtige schaduwen op het dashboard en op Rei-niers gezicht.

Uiteindelijk verbreekt Reinier de stilte. Hij lijkt een beetje verlegen als hij zegt: 'Ik wil je iets vragen. En je moet eerlijk antwoord geven.'

'Oké', zeg ik.

'Ik weet dat jouw service bepaalde regels kent en ik wil ook niet van je vragen of die misschien overtreden kunnen wor-den, maar... Nou ja, misschien wil ik dat wel van je vragen.'

Ik voel al aan welke kant het op gaat. Mijn hart hamert in mijn keel. Ik heb mijn antwoord allang klaar, maar wacht tot Reinier zijn zin afmaakt.

'Goed.' Hij stuntelt. 'Wat ik dus vragen wil: heb je zin om bij mij thuis nog even eh... een drankje te drinken?'

Ik antwoord schor: 'Dat lijkt me een goed idee.'

Reinier haalt zijn hand van mijn knie en start de motor. Ik slik. Nu gaat het echt gebeuren en er is geen vezeltje in mijn lijf dat zich ertegen verzet. Ik kan het net zo goed aan mezelf toe-geven: ik ben smoorverliefd.

'Vanavond is van het huis', zeg ik in een opwelling.

Reinier glimlacht. 'Dank je. Dat maakt de zaken eenvoudi-ger.'

Hoewel ik goud geld had kunnen verdienen, krijg ik liever niets betaald. Ik ben niet zo naïef dat ik verwacht dat we alleen maar een glaasje prik gaan drinken en het geld zou van mij een regelrechte prostituee maken.

'Ik weet niet eens waar je woont', zeg ik als Reinier de parkeergarage uit rijdt.

'Het is niet ver. Oud-Zuid.'

'Leuke buurt.'

'Je moet even wennen aan de mensen, maar als je ze leert kennen, vallen ze wel mee.'

Ik knik alsof ik daar alles vanaf weet. 'Heb je een mooi huis?'

'Heb geduld', lacht Reinier. 'Je zult het zo wel zien. Zelf ben ik er erg blij mee. Het is bescheiden, maar wel mooi.'

We rijden door de duurste straten van Oud-Zuid. Reinier wijst de plekken aan waar allerlei criminelen zijn vermoord. Ineens stopt hij voor een hek.

'Shit, waar is dat ding nou weer?' mompelt hij. 'Kijk eens in het dashboardkastje, als je wilt.'

'Wat zoek je?' Ik trek het kastje open. Het is er akelig netjes, heel anders dan in mijn eigen auto waar het dashboard altijd de bewaarplek was van een stapel cd's, een verzameling lege wikkels, papieren, muntjes, pasjes en doekjes. Maar niet bij Reinier: er ligt alleen een mapje met autopapieren en een klein zwart apparaatje.

'Dit?' vraag ik.

Reinier pakt het apparaat en drukt op een knopje. Het hek zwaait open.

'Wauw', zeg ik.

Reinier haalt zijn schouders op. 'Ach ja.'

In het halfdonker onderscheid ik een groot, wit huis. Reinier drukt op een ander knopje van de afstandsbediening en de garagedeur glijdt open. Hij rijdt de auto naar binnen, stapt uit en doet het licht aan. Ik kijk bewonderend om me heen. Reiniers garage alleen al is groter dan mijn hele appartement.

'Woon je hier echt alleen?' vraag ik ongelovig.

Reinier lacht verontschuldigend. 'Ja, het is een beetje overdreven. Dat vind ik zelf ook. Ik heb zes slaapkamers. Wat moet ik ermee?'

De vraag blijft tussen ons in hangen. Mijn hart mist een slag. Vraagt hij me nou om bij hem in te trekken? Ik zou er geen bezwaar tegen hebben, geloof ik.

'Kom je?' Reinier houdt de deur al een tijdje open.

'Oh ja. Natuurlijk.' Ik loop langs hem heen naar binnen. Het is pikdonker.

Reinier drukt op wat knopjes in een kastje aan de muur en ineens floept overal het licht aan. Ik kijk om me heen.

'Je woont leuk', zeg ik. Ik probeer een beetje cool over te komen, maar ik weet zeker dat Reinier aan mijn gezicht kan aflezen dat ik nog nooit zo'n huis als dat van hem heb gezien.

We staan in de keuken, die het formaat van een balzaal heeft. Reinier houdt van design. In het midden staat een hoge, glazen tafel met barkrukken. De keukenkastjes hebben geen handgrepen, maar zijn strak en glimmend. Op het aanrecht staat niets, zelfs geen glas of bord van vanochtend. Het is bijna eng, zo leeg als het is.

'Laten we naar de kamer gaan.' Reinier gaat voorop en ik volg hem. Via de hal, waar een gigantische kroonluchter hangt, komen we in de woonkamer die al net zo modern en strak is ingericht als de keuken. Alles ademt geld uit; de witte bank ziet eruit alsof hij gloednieuw is en net door een of andere hippe ontwerper is geplaatst. Het eveneens hagelwitte kleed op de grond vertoont geen vlekje. De salontafel is ook wit en strak en de laden erin hebben uiteraard geen greepjes. De enige decoratie wordt gevormd door drie precies even hoge orchideeën die in glazen potten voor het raam staan.

Reinier volgt mijn blik. 'Dat doet de werkster altijd. Vindt ze gezellig.'

'Dat is het ook. Verder houd je niet zo van eh... prullen, hè?'

Reinier kijkt in zijn huiskamer rond alsof hij het zelf ook voor het eerst ziet. 'Van mij mag het allemaal wel wat minder. Ga zitten.'

Heel voorzichtig neem ik plaats op de bank. Reinier loopt naar een kast en pakt er een fles en twee glazen uit. Ik kijk naar hem. De manier waarop hij beweegt, waarop hij bezig is, doet mijn hartslag stijgen tot historische hoogte. Ik geloof niet dat ik nog langer kan ontkennen dat ik smoorverliefd ben op deze man.

Reinier draait zich om. 'Wijn?'

'Lekker.'

Ik kijk toe terwijl hij inschenkt. Hij heeft zijn stropdas een beetje losgetrokken en ziet er daardoor op een of andere manier nog aantrekkelijker uit. Hij kijkt me aan. Ik sla mijn blik niet neer.

Reinier overhandigt me een glas en komt naast me zitten op de bank. 'Proost. Op de mooiste vrouw die ik ken.'

Ik durf amper een slok te nemen, bang dat ik om een of andere reden het hele glas over de bank zal kieperen. Gelukkig is het witte wijn.

'Weet je.' Reinier pakt mijn glas uit mijn hand en zet het op de tafel. Daarna legt hij allebei zijn handen op mijn knieën. Ik wacht gespannen af wat er nu gaat gebeuren.

'Nee', zeg ik ademloos.

'Ik belde de eerste keer alleen maar omdat ik zin had in een avondje entertainment. En dat bedoel ik niet positief. Het leek me ontzettend komisch om iemand mee te nemen en diegene te vragen om Elisa te spelen. Toen dacht ik nog dat niemand aan haar kon tippen. Ik zag je advertentie toen ik zocht naar nieuwe medewerkers voor ons kantoor en ik dacht, kom, ik ga mezelf eens kostelijk amuseren, want dit kan natuurlijk niet anders dan een flater worden.'

'Zoek jij je medewerkers op Marktplaats?'

'Soms. Mensen plaatsen er de gekste advertenties en voor moeilijk opvulbare functies zoek ik daar soms tussen. Een van onze administratief medewerksters heb ik gevonden door haar advertentie.'

'Oh.' Ik voel me toch een beetje gekrenkt door zijn opmerking over dat entertainment.

'Hé.' Reinier knijpt licht in mijn been. 'Sorry, ik bedoelde het niet rot. Ik zeg niet dat ik jóú als leuk entertainment zie, maar de hele situatie leek me geestig. Totdat ik zag hoe professioneel je te werk gaat. Ik heb al vaker gezegd dat ik daarvan echt onder de indruk ben.'

'Dank je.'

'Misschien wel iets té professioneel.'

Ik weet niet wat ik moet zeggen en leun naar voren om mijn glas te pakken. Ik ben me er heel erg van bewust dat mijn jurkje een beetje zakt en dat Reinier recht in mijn decolleté kan kijken. En daar heb ik totaal geen bezwaar tegen.

Nog voor ik mijn glas te pakken heb, legt Reinier zijn hand op mijn arm. Ik kijk hem aan. Hij leunt naar voren, legt zijn hand achter mijn hoofd en begint me te zoenen. Ik aarzel geen moment en zoen hem terug.

Reiniers handen glijden gretig over mijn lichaam en ik druk me tegen hem aan. Reiniers vingers vinden de rits van mijn jurk. Hij gaat makkelijk open. Dat is een van de redenen dat ik deze jurk vanavond draag.

Ik trek aan zijn overhemd. Hijgend van opwinding knoop ik het open, nadat ik de verleiding om het in één keer open te scheuren heb weerstaan. Het is vast erg duur.

Met ongeduldige bewegingen trek ik het shirt van Reinier uit. De rits van mijn jurk hangt nog steeds los, maar Reinier maakt geen haast met het uittrekken. Terwijl we wild zoenen, laat hij zijn handen over mijn rug gaan.

Ineens rukt hij aan mijn jurk, waardoor de stof scheurt. Hij kijkt even een beetje beteuterd. Ik moet er onbedaarlijk om lachen, maar weet me in te houden. Een lachbui zou de heerlijke spanning die er tussen ons is, direct verbreken.

Nu hangt mijn jurk rond mijn taille en Reinier pakt mijn borsten vast alsof het kostbare schatten zijn. Heel voorzichtig streelt hij ze met zijn duim. Ik hap naar adem en boor mijn nagels in zijn rug. Ik voel me aantrekkelijker dan ooit en weet heel zeker dat ik deze man nooit meer zal laten gaan.

Reinier hijgt in mijn oor. Hij zegt iets, maar ik versta het niet. En het maakt ook niet uit. Onze lichamen begrijpen elkaar zo ook wel.

'Heb je honger?' vraagt Reinier. 'Ik wel. Ik ga iets te eten maken. Jij ook?'

Ik knipper met mijn ogen. Loom kijk ik naar hem, terwijl hij snel zijn boxershort aantrekt en naar de keuken loopt. Nu pas voel ik dat ik rammel, al zal ik waarschijnlijk geen hap door mijn keel kunnen krijgen.

Met een verzadigde glimlach op mijn gezicht ga ik overeind zitten. Ik pluk mijn jurkje van de vloer en trek het aan. Door de scheur zit het een beetje los en zakt het af, maar wat maakt het uit? Als het aan mij ligt, gaat het ergens in de komende uren gewoon weer uit.

Ik hoor Reinier in de keuken. Hij doet de koelkast open en dicht en rammelt wat met borden. 'Sushi?' roept hij.

'Ja, graag!'

Ik loop langzaam door de kamer. Het hoogpolige tapijt voelt zacht aan onder mijn voeten.

'Moet ik helpen?' roep ik naar de keuken.

'Nee, joh. Ik kom er zo aan! Even geduld nog!'

'Oké.'

Terwijl ik Reinier zachtjes hoor neuriën, glijdt mijn hand over de voorkant van een laatje. Met mijn blik strak op de deur gericht, trek ik het open. Ik zou mijn nieuwsgierigheid moeten bedwingen, maar aangezien ik toch van plan ben hier vroeg of laat in te trekken, kan ik net zo goed vast wat rondsnuffelen.

Er ligt bijna niets in. Een paar sleutels, een bankpasje en een boek over management. Ik sluit het laatje zonder lawaai te maken en trek de tweede open. Hier ligt alleen een telefoon en een envelop. Ik wil de la alweer sluiten als ik me realiseer dat Reiniers telefoon in de zak zit van de broek die nu over de leuning van de bank hangt.

Ineens beginnen mijn handen te trillen. Het koude zweet staat op mijn rug en ik probeer helder na te denken, maar drank en angst vertroebelen mijn gedachten. Met vingers die niet doen wat ik wil, pak ik het mobieltje. Het valt een paar keer uit mijn handen, zo erg tril ik.

In de keuken valt met veel gerinkel een bord op de grond. Ik hoor Reinier vloeken. Snel gooi ik het mobieltje terug en sla het laatje dicht. Met twee passen ben ik terug bij de bank.

Net op tijd.

Reinier steekt zijn hoofd om de hoek van de deur. Hij grijnst verontschuldigend. 'Ik kom eraan, hoor. Maar het ging even mis. Vijf minuutjes.'

'Geen probleem.' Terwijl de angst traag door mijn lichaam kruipt, glimlach ik zo ontspannen mogelijk. Zodra zijn voetstappen zich verwijderen, spring ik weer overeind.

Ik open de la, pak de telefoon en de envelop eruit en ga op de bank zitten.

De envelop is niet dichtgeplakt. Er zitten foto's in.

Ik laat ze in mijn hand glijden en durf er bijna niet naar te kijken. Kan ik dit wel maken? Maar de telefoon zit me dwars. Ik haal diep adem en werp dan een blik op de foto's.

# 22

ALLES KOMT ME BEKEND VOOR: DE STRAAT, DE AUTO'S, DE voordeur. Hoe kan dit? Haalt iemand een grap met me uit? Ik zit naar foto's van mijn eigen huis te kijken!

Op de tweede foto kom ik ook allerlei bekende dingen tegen: het huis van Michels ouders, zijn oude auto voor de deur.

Steeds sneller blader ik door het stapeltje. Niet alleen zijn er foto's van plekken waar ik de laatste tijd ben geweest, ik sta er zelf ook op! Wazig en van veraf, maar ik ben het wel. Michel is ook gefotografeerd, net als Menno en Harry en die ene rare snuiter die een paar maanden geleden met me naar een bedrijfsborrel wilde. Zelfs Leo staat erop, terwijl hij bij me aanbelt.

Mijn ademhaling gaat steeds sneller als tot me doordringt wat dit te betekenen heeft. Ik prop de foto's terug in de envelop en pak de telefoon.

Nerveus druk ik op de knopjes. In het menu Berichten staat niets, en ook niet bij Verzonden Items. Maar ik moet weten of dit dé telefoon is. Met hevig trillende vingers toets ik mijn eigen nummer in. Als de telefoon overgaat, zoek ik in mijn tasje naar mijn mobiel. Hoewel ik niet gelovig ben, bid ik dat het een ander nummer is. Misschien is het een groot misverstand.

Ik hoor niets, en ik vind ook niets. Met een wild gebaar keer ik mijn tasje ondersteboven. Niets. Mijn portemonnee, een lipgloss en mijn sleutels liggen op de bank, maar daar blijft het bij. Geen telefoon. Ik zal iets anders moeten bedenken.

Ik herinner me ineens een functie van mijn eigen telefoon. Door de toenemende angst heen probeer ik helder te denken. Het zat ergens bij contacten. Of nummers. Of oproepen.

Als een gek druk ik op de knopjes. Ik hoor Reinier nog steeds zingen in de keuken, maar ik heb niet veel tijd meer.

Dan zie ik ineens Eigen Nummers staan. Dat is het! Ik open 'mijn telefoon'.

Ik voel een golf wijn naar boven komen en slik hard om het tegen te houden. Het brandt achter in mijn gortdroge keel. Mijn hart slaat nu zo hard dat het pijn doet tegen mijn ribben.

Ik zit met de telefoon in mijn hand en probeer wanhopig te bedenken wat ik moet doen. Ik bevind me op de bank bij de man die mij al maanden geschifte berichtjes stuurt en nu blijkt hij me ook nog eens te hebben gevolgd. Ik moet iemand bellen.

Mijn gedachten zijn één over elkaar heen buitelende chaos. Eva! Ik moet Eva bellen. Zij kan me helpen.

Ik typ een 0 in en dan een 6, maar verder kom ik niet.

'Kom op', mompel ik wanhopig, maar hoe hard ik het ook probeer, ik kan me haar nummer niet meer herinneren.

Het bloed suist in mijn oren. Natasja dan! Maar ik kom er gewoon niet op.

Ineens weet ik zeker dat er iemand naar me kijkt. Het geneurie in de keuken is gestopt. Ik zit doodstil en durf niet op te kijken.

'Zo', zegt Reinier.

Ik krimp ineen. Ik weet zeker dat het afgelopen is met de leuke, charmante Reinier op wie ik een paar krankzinnige weken lang dacht verliefd te zijn. Wat dácht ik? Waarom heb ik nooit serieus de optie in overweging genomen dat hij degene was die achter de sms'jes zat? En dan die plotselinge woedeaanvallen van hem. De signalen waren er, en bepaald niet subtiel, maar ik moest zo nodig denken dat ik verliefd was. Verlíéfd! Hoe kwam ik erop?

Maar het is nu te laat voor spijt. Ik verzamel al mijn moed en hef dan eindelijk mijn gezicht op naar Reinier. De blik in zijn ogen ontneemt me acuut de adem. Ik herken zijn gezicht bijna niet, zo verbeten en vol haat.

'I-ik...' Wat moet ik zeggen? 'I-ik wilde niet in de laden kijken.'

Reinier zegt niets. Bij zijn oog trekt een spiertje. Ik sla snel mijn blik neer. Ik kan hem niet aankijken. Ik voel me vies en goedkoop dat ik met hem heb gevreeën. Reinier blijft maar zwijgen.

Paniek kruipt door mijn lichaam als een kolonie beestjes en maakt me hoe langer, hoe rustelozer. Ik moet iets bedenken, een plan om mezelf te redden.

Ik probeer onopvallend om me heen te kijken en een vluchtweg te zoeken, maar dit huis is beter beveiligd dan de Bijlmerbajes. Op alle ramen zitten extra sloten en er is geen enkele manier waarop ik de voordeur kan bereiken, of het moet dwars door Reinier heen zijn.

Reinier zegt nog altijd niets. Zijn stilzwijgen maakt me nog veel banger dan welke woorden ook. De paniek maakt me rusteloos en ik heb moeite om stil te blijven zitten, maar ik durf ook niet te bewegen. Reinier is onberekenbaar. En tot alles in staat.

Uiteindelijk doet hij zijn mond open. 'Dus je wilde niet kij-ken.'

Ik antwoord snel, te snel. 'Nee, ik...'

Met veel lawaai vallen twee borden sushi op de grond. De scherven springen alle kanten op.

Ik gil. Reinier vertrekt geen spier. Zijn ijskoude blik is recht op mij gericht. Ineens weet ik heel zeker dat hij me zal ver-moorden. Van pure angst begin ik te huilen. 'Wat wil je van me? Waarom heb je me... heb je me...'

'Laten volgen?' vraagt Reinier, als ik naar adem hap en be-gin te hyperventileren.

Ik probeer wanhopig mijn ademhaling weer onder controle te krijgen. Reinier bestudeert zijn nagels.

'Ik vond het ook niet leuk, maar het moest. Je wilde niet luis-teren.'

*Charlotte toch, je bent zo ondeugend. Je gaat maar door. Ik vind het niet meer leuk.*

De tekst van het sms'je staat me haarscherp voor ogen. Ik huiver, hoewel het warm is in de kamer.

'Heb je het koud?' Reinier zet een paar passen in mijn rich-ting. Ik schiet naar achteren, maar kan nergens heen.

Reinier komt op me af. Hij steekt zijn hand uit. Ik kijk er-naar, doodsbang voor wat hij met die hand kan doen. Maar dan legt hij zachtjes zijn hand op mijn wang. Met zijn andere hand pakt hij het telefoontje, mijn enige hoop op redding uit de buitenwereld.

Reinier buigt zich voorover en zegt in mijn oor: 'Je hoeft niet bang te zijn. Als je naar mij luistert, zal ik je heus niets doen. Maar dat is het probleem: je hebt tot nu toe niet naar mij ge-luisterd.'

Ik begin te trillen en mijn maag knijpt zich samen. Misselijk van angst vraag ik: 'Wat wil je van me? Waarom doe je dit?'

'Je bent van mij', zegt Reinier koel. 'En niet van al die andere mannen die denken dat ze door een beetje geld te betalen over je kunnen beschikken.'

Dat heb je zelf toch ook gedaan! En toen had je er geen problemen mee! Ik wil het wel uitschreeuwen, hem tot rede brengen, maar ik houd mijn mond. Het zou de situatie alleen maar erger maken. Ik kan mijn energie beter gebruiken voor een vluchtplan.

Reinier ziet mijn blik van links naar rechts schieten. Hij haalt zijn hand weg en zet een stap opzij. 'Toe maar. Ga maar. Zo te zien wil je weg.'

Meent hij dat? Ik kijk hem wantrouwend aan.

'Ga dan', zegt Reinier hard. Ik deins nog wat achteruit, maar voel het stucwerk boven de bank tegen mijn blote schouders.

'Maar ik...'

'Wat is er nou?' Reinier maakt een bruusk handgebaar. 'Ga dan! Je zit maar om je heen te kijken. Als je niet wilt blijven, kun je maar beter gaan!'

Ik probeer zijn woorden te doorzien, de verborgen aanwijzing eruit te halen. Nu zo de voordeur uitlopen zou veel te makkelijk zijn. Iemand die zoveel moeite heeft gedaan om mijn gangen na te gaan en me bang te maken, moet een groter plan in gedachten hebben.

Ik sta voorzichtig op en zet een paar stappen richting de deur. Reinier doet niets. Hij heeft zijn armen over elkaar geslagen en kijkt naar me. Ik loop langzaam en zonder mijn blik van hem los te maken, naar de gang. Ik ontwijk de scherven. Er blijft rijst kleven aan mijn voet.

Als ik in de hal sta, kijk ik wild om me heen. Reinier kan me vanuit de kamer nog zien en ik moet snel handelen, voor hij zich bedenkt. Ik leg mijn warme vingers op het koele metaal van het voordeurslot en trek eraan.

Er gebeurt niets. De sleutel ontbreekt.

Als een gek begin ik aan de diverse schuiven en sloten te rammelen, maar ik krijg de deur niet open.

Als ik me omdraai, staat Reinier ineens vlak achter me. Hij pakt mijn handen vast. 'Rustig maar, het lukt toch niet.'

Ik ruk me los en ren naar de keuken. Ik moet in de garage komen en dan die afstandsbediening vinden!

Maar ik stoot hard mijn hoofd tegen de deur als ik de klink naar beneden doe en de deur geen centimeter meegeeft. Even duizelt het me. Ik hijg van angst en blijf aan de deur rukken, maar langzaam dringt het besef tot me door dat het geen enkele zin heeft.

Reiniers gestalte vult de keuken. Ik walg van hem, van zijn geur, zijn hele voorkomen. Als een gek blijf ik aan de deur trekken. Ik moet bij hem vandaan zien te komen, maar de deur geeft niet mee. Nog geen millimeter.

'Ben je klaar?' vraagt Reinier. 'Je kunt niet weg, dat heb je nu zelf gezien. Kunnen we dan eindelijk rustig gaan zitten?'

'Wat wil je van me?' vraag ik snikkend en met overslaande stem.

'Ik wil niets ván je,' zegt Reinier gedecideerd, 'ik wíl je. Simpel toch?'

Reinier speelt met de handset van zijn huistelefoon. 'Ik geloof dat ik deze maar even weg moet stoppen, voor je domme dingen gaat doen.' Hij haalt de batterij eruit en klimt half op het aanrecht om die uit het hoge keukenraam te gooien. Zijn eigen mobieltje zeilt erachteraan.

Ik kijk naar het raam. Zou het groot genoeg zijn om doorheen te kruipen?

Niet dat Reinier me die kans zou geven. 'Nu kunnen we echt samen zijn zonder gestoord te worden', zegt hij.

Hij komt op me af en legt zijn handen om mijn middel. Ik

word misselijk van walging. Reinier buigt naar me toe en drukt zijn lippen op de mijne. Ik probeer me los te worstelen.

'Tot een uur geleden had je niet zo'n haast om weg te komen', zegt hij, terwijl hij zijn greep geen moment verslapt.

Ik geef geen antwoord, maar probeer me op alle mogelijke manieren te bevrijden. Reinier is echter ijzersterk. Waarom vond ik zijn gespierde borstkas ook alweer zo leuk?

Buiten hoor ik iets. Het geloei van een sirene komt dichtbij. Ik voel Reiniers greep verstrakken en ik sta ineens muisstil. Als het geluid op z'n hoogtepunt is, begeven mijn knieen het bijna van de zenuwen, maar de sirene wordt zachter en sterft uiteindelijk weg. Iemand anders krijgt de hulp die ik zo hard nodig heb.

Plotseling laat Reinier me los. Ik wankel, maar hervind mijn evenwicht. 'Even dacht ik dat je nu weer probeerde om me in de maling te nemen', zegt hij.

'Ik neem je niet in de maling. Dat heb ik ook nooit gedaan. Je moet me geloven.'

Reinier kijkt me ijskoud aan. 'Nu ineens moet ik je geloven. Ik heb je laten schaduwen en de foto's liegen er niet om. Je hebt je niets aangetrokken van de berichten die ik je heb gestuurd. Je bent gewoon doorgegaan!'

Hij beent naar de huiskamer en trekt me achter zich aan. Daar smijt hij me op de bank.

'Ik wist toch niet dat jij het was!' roep ik uit. 'Hoe moest ik er dan rekening mee houden?'

'Lieg niet! Je hebt geen afspraak afgezegd na die sms'jes!'

'Jawel, ik...' begin ik, maar ik maak mijn zin niet af. Ik weet niet hoeveel Reinier over me weet. Misschien heeft hij mijn telefoon wel laten tappen.

Reinier maakt sussende geluidjes. 'Zeg nou maar niets, anders lieg je alleen maar weer tegen me.'

Reinier gaat in een van de twee designstoelen tegenover me zitten. Hij kijkt me lange tijd zwijgend aan. Ik sla mijn blik neer.

'Waar het om gaat,' zegt Reinier uiteindelijk, 'is dat wij samen oud gaan worden, en heel gelukkig. We passen bij elkaar, ik kan jou alles geven wat je nodig hebt. Te beginnen met die paar duizend euro die je nodig hebt om je schuld af te betalen.'

Ik hap naar adem. Hij weet echt alles.

'J-ja', zeg ik aarzelend. 'Dat denk ik ook.'

'Oh ja?' Reiniers gezicht krijgt ineens zachte trekken.

Ik knik. Misschien is dit de oplossing, meegaan in zijn waanideeën.

'Ik ben ervan overtuigd', zeg ik, zekerder nu. 'Zoals het net was, toen we hier naartoe reden, zo zou het altijd moeten zijn.'

'Maar je deed heel vervelend tegen mij.'

'Ik schrok, maar dat is nu weer over', zeg ik op overredende toon. 'Dat begrijp je toch wel?'

Reinier knikt. 'Ik vond het ook heel vervelend dat ik dat moest doen, met die foto's en die sms'jes, bedoel ik. Dat is helemaal niet mijn stijl, maar soms moet je onpopulaire beslissingen nemen. En het heeft gewerkt.'

'Nou, zeker.'

Reinier kijkt me geringschattend aan. 'Ik heb je laten schrikken, hè?'

'Een beetje.'

'Ja, dat spijt me. Maar ik dacht dat je er beter zelf achter kon komen dat alles dicht is. Zo te zien ben je al een stuk rustiger.'

Ik probeer uit alle macht om mijn trillende knieën stil te houden. 'Ja, ik ben helemaal ontspannen.' Dat mijn stem van pure stress een beetje overslaat, merkt Reinier gelukkig niet.

Hij kijkt naar zijn eigen lichaam, slechts gehuld in een boxer-short. 'Ik ga me even omkleden. En dan beloof ik je dat ik daarna echt iets te eten maak.'

Hij kijkt naar de sushiravage en stapt er dan overheen. Ik hoor zijn voetstappen op de trap.

Even blijf ik heel stil zitten. Mijn hart bonst zo hard dat het pijn doet. Ik kan niet helder denken, maar ik weet één ding zeker: dit is mijn enige kans.

Al mijn hoop is gevestigd op het keukenraam. Het is een smal bovenraam, maar ik moet er wel door passen. Ik loop naar de deuropening en blijf even staan luisteren. Reinier fluit een melodietje. De hele situatie komt me absurd voor, maar ik heb nu geen tijd om erover na te denken. Zo stil mogelijk loop ik naar de keuken. De vloer voelt koud aan onder mijn voeten.

Terwijl Reinier boven heen en weer loopt, klim ik op het aanrecht. Het raam knarst een beetje als ik het open zet. Verschrikt luister ik, maar Reinier heeft het niet gehoord.

Heel voorzichtig steek ik één been door het raam. In het midden zit een hendel die zorgt dat het raam niet verder open kan. Het zal krap worden. Als ik klem kom te zitten, ben ik verloren.

Boven is het stil. Ik spits mijn oren, maar hoor geen voetstappen op de trap. Waar is Reinier? Nog wel boven?

Ik moet voortmaken. Het moeilijkste gedeelte moet nog komen. Ik moet mijn andere been door de opening krijgen en tegelijkertijd zorgen dat ik mijn evenwicht niet verlies. Ik schat de afstand tot de grond in, wat in het donker bijna niet lukt. Het zal een meter of twee zijn.

Koortsachtig kijk ik om me heen. Waar kan ik steun zoeken? Ik zet mijn handen tegen het plafond en trek mijn been op. Ik weet mijn evenwicht te bewaren. Als ik me een kwartslag draai, kan ik me rustig naar beneden laten zakken door me aan de rand van het raam vast te houden.

Ineens hoor ik het geluid. Heel even is het er, en dan verdwijnt het weer. Het leek wel... een voetstap? Op de trap?

Maar dan zouden er meer moeten volgen en het is stil, zo stil dat ik het gefluit van vogels kan horen, heel in de verte. De ochtend nadert.

Ik grijp me weer stevig vast en ploeter verder. Mijn hele lichaam beeft en daardoor krijg ik mijn been eerst niet door het raam. Ik schuif heen en weer en probeer mijn evenwicht te bewaren, maar keer op keer val ik bijna en moet ik mijn been helemaal terugtrekken.

De angst heeft mijn zintuigen op scherp gezet. Plotseling pik ik een geur op. Ik snuif als een bedreigd dier in de donkere nacht. Het is hem, de geur die mijn hart eerst sneller deed slaan van pure opwinding. Nu is het de paniek die mijn hartslag omhoog doet schieten.

De geur wordt sterker en ik vecht om weg te komen. Ik neem risico's, wankel en val, maar weet me vast te grijpen aan het kozijn. Maar het is allemaal te laat. Reinier stormt de keuken binnen en grijpt mijn been vast.

'Wat ben je in godsnaam aan het doen?'

Hij geeft een ruk aan mijn been en ik verlies definitief mijn evenwicht. Met een bons kom ik op het aanrecht terecht. Een scherpe pijnscheut schiet door mijn arm en ik kreun.

Aan mijn haren trekt Reinier me van het aanrecht af. Ik voel mijn arm opzwellen, maar verbijt de pijn. Ik heb wel een groter probleem om over na te denken.

'Hoe durf je zo tegen mij te liegen?' Reiniers stem trilt van woede. 'Ik geloofde je ook nog!'

Hij geeft een ruk aan mijn haar, zodat ik mijn hoofd ophef en onze ogen op gelijke hoogte komen. 'Denk je nou echt dat je zo makkelijk kunt ontsnappen? Er hangen hier overal camera's.'

Ik kijk schichtig om me heen. Ik bibber van de kou, ik heb nooit geweten dat je het van angst zo koud kon krijgen.

'Daar', wijst Reinier. Ik zie alleen een heel klein puntje.

Hij brengt me naar de kamer en laat me weer op de bank plaatsnemen. Daarna neemt hij zijn positie tegenover mij in.

'Ik heb boven nagedacht over wat voor lekkers ik zou maken, maar nu heb ik er helemaal geen zin meer in. Je hebt het vergald.'

Dat is dan het enige voordeel, want ik ben zo misselijk dat de gedachte aan eten me al doet kokhalzen.

Reinier opent met zijn voet een la van de salontafel. Ik kan niet zien wat erin zit. Hij buigt naar voren en pakt er iets uit.

Mijn ogen registreren wat het is, maar mijn brein weigert mee te werken. Ik hap naar lucht en heb het gevoel dat ik ga flauwvallen. De blik in Reiniers ogen is weer net zo ondoorgrondelijk als eerst.

'Ga je me...?'

'Vermoorden?' Hij spreekt het woord uit alsof het om iets heel normaals gaat. Ik durf geen antwoord te geven.

Reinier speelt met het pistool in zijn handen. Hij laat het door zijn vingers glijden en vangt het dan met zijn andere hand op. Een paar minuten lang zegt hij niets.

'Dat hoop ik niet', antwoordt hij dan. 'Maar je hebt me gekwetst.'

'Sorry.'

'Voor sorry is het nu wel een beetje laat.' Reinier laat het pistool klikken. Ik verstijf.

Hij kijkt me ineens onderzoekend aan. 'Je hebt zeker nog nooit een pistool gezien, hè?'

Ik schud mijn hoofd. 'Niet in het echt.'

Hij glimlacht. 'Dat vind ik nou zo leuk aan jou. Jouw verhel-
derende kijk op dingen, die wil ik nooit meer missen. Je moet
altijd blijven zoals je bent, Charlotte.'

'Je kent mijn naam.'

'Charlotte van Rhijn. Je vriendje heeft je bestolen en je denkt
dat je je problemen helemaal hebt afgeschermd van de buitenwereld, maar informatie ligt op straat.'

'Voor een privédetective, zeker.'

'Ja, ik neem aan dat je ouders je wel geloven als je zegt dat het
heel goed met je gaat. Leuke mensen, trouwens.'

Met een ruk ga ik rechtop zitten. 'Heb je mijn ouders gesproken?'

'Niet persoonlijk. Maar de detective heeft mooie foto's gemaakt. Je komt er niet erg vaak, hè?'

'Nee', zeg ik stug.

'Waarom niet?'

Ik haal mijn schouders op. Ik wil niets meer over mezelf vertellen. Ieder stukje informatie dat Reinier over mij krijgt, is
te veel. Ik voel me vies en bekeken nu ik weet dat hij al weken
mijn gangen nagaat.

Er valt een stilte. Ik veeg mijn klamme handen af aan de
rand van mijn jurk. Het vocht laat donkere vlekken achter.

Reinier ziet het. Hij wijst er met zijn pistool naar. 'Heb je het
warm?'

Ik schud mijn hoofd.

'Ben je bang voor me?' Er klinkt zo veel warmte door in zijn
stem, dat ik even aan het wankelen wordt gebracht. Hij klinkt
weer als de Reinier die ik heb leren kennen.

'Nou?' dringt hij aan.

Ik aarzel. Dan maak ik een gebaar met mijn hoofd dat het
midden houdt tussen knikken en schudden.

'Je denkt dat ik je ga vermoorden, hè?'

Opnieuw hetzelfde vage geknik, dat net zo goed voor 'nee' kan doorgaan.

'Hm.' Reinier aait met zijn wijsvinger over de loop van het pistool. 'Misschien doe ik dat ook wel. Ik dacht dat ik je kon vertrouwen, maar je wilt alleen maar weg. Je mag niet weg. Iedereen gaat altijd maar weg. Jij niet. Jij moet blijven.'

Ik zeg iets, maar er klinkt alleen wat schor gekras.

Reinier kijkt op. Hij buigt voorover en schenkt de fles wijn leeg in mijn glas. Maar ik wil niet drinken. Ik moet helder blijven.

'Ik ben wel toe aan iets sterkers', zegt Reinier en hij staat op. Achter een van de deurtjes van een glimmend witte kast, blijkt zich een bar te bevinden. Reinier schenkt een glas halfvol en drinkt het dan in twee teugen leeg.

Hij schenkt zichzelf nog een keer in en gaat dan weer op zijn plek zitten. Met het pistool wijst hij naar de wijn. 'Waarom drink je niet? Vind je het niet lekker?'

Ik schud mijn hoofd. Reinier veert overeind. 'Iets anders?'

'Water.'

Hij trekt een afkeurend gezicht. 'Saai.'

Maar hij loopt toch naar de keuken om een glas water voor me te halen. Even later zet hij het met een klap voor me neer. Ik verstijf.

'Ik meen wat ik zeg.' Reinier gaat weer zitten.

Hij heeft zoveel gezegd en ik ben het spoor even bijster.

'Dat jij niet weg mag gaan. Ik weet dat je dat diep vanbinnen ook niet wilt. Jij moet bij mij blijven, hoe dan ook.'

Hij laat het pistool aan zijn vinger ronddraaien.

Ik ben bereid om alles te beloven. 'Dat doe ik ook. Echt, ik blijf bij je.'

Ineens kijk ik recht in de loop. 'Dat zei je net ook en toen loog je! Ik wil niet dat je nog liegt! Heb je dat begrepen?'

'Ja.'

'Je moet "sorry" zeggen!'

'Sorry.'

Reinier laat zich in zijn stoel vallen en ontspant een beetje. Ik drink het glas water in één keer leeg.

'Probeer niet nog een keer te ontsnappen', zegt hij. 'De volgende keer ben ik niet zo aardig voor je.'

De lucht is zwaar van de warmte en mijn angst, die bijna tastbaar is. Ik vraag me af of Reinier hiervan geniet. Is hij uit op macht?

Dan zegt hij ineens: 'Jij bent niet zoals zij.'

De zin blijft tussen ons in hangen, tot ik vraag: 'Zoals wie?'

'Elisa.' Hij spreekt haar naam uit met een zucht. 'En Claire. En Luna. Vooral Luna.'

Reinier richt het pistool in de ruimte en haalt zogenaamd de trekker over. 'Dat verdient ze.'

Ik durf niets te zeggen. Wat is hij nu weer van plan?

Hij slaakt een zucht. 'Die trut. Zo van de ene op de andere dag was het "nou doei" en hup, weg was ze.'

Hij kijkt op en knippert verbaasd met zijn ogen, alsof hij nog steeds niet kan geloven dat iemand hem dit heeft aangedaan. 'Ja. Heel gemeen. Niemand doet dat bij mij.'

'Ik niet.'

'Jij ook. Maar nu niet meer, want nu ben je van mij. Ik kan met je doen wat ik wil.'

Reinier kijkt gefascineerd naar het pistool. Ik wil hem vragen wat het is dat hij met mij wil doen. Ik heb behoefte aan duidelijkheid, de onzekerheid maakt me gek.

'Ik kan je vermoorden', zegt hij dan. 'Eén beweging van mijn vinger en hup, je bent dood.'

Hij kijkt me met gefronste wenkbrauwen aan. 'Dat zou alles oplossen. Je hebt bewezen dat je wegloopt als ik je niet vasthoud. En je hebt ook niet geluisterd toen ik je waarschuwde.'

'Ik wist niet dat jíj het was', zeg ik nogmaals.

'Dat doet er niet toe!'

Ik duik ineen. Reiniers ogen schieten vuur. Hij springt op en begint door de kamer te ijsberen.

'Ik moet het gewoon doen', mompelt hij in zichzelf. 'Je luistert toch niet. Je bent net zoals al die anderen.'

Hij staat ineens naast me en drukt het pistool tegen mijn hoofd. Ik kan me niet bedwingen en begin te gillen.

Reinier zegt verbeten: 'Dit verdien je, slet. Omdat je net zo bent als zij allemaal. Net zoals die hoer.'

'Doe het niet! Ik doe alles wat je zegt!' Ik huil hysterisch en kan niets doen om mezelf in de hand te houden.

'Je liegt!' Reinier trekt mijn hoofd aan mijn haar omhoog.

'Auw! Je doet me pijn! Alsjeblieft laat los', smeek ik. 'Ik ben niet zoals zij!'

'Je bent precies hetzelfde.'

'Nee! Ik ga niet weg.'

'Iedereen gaat weg. Dus jij ook.'

'Echt, ik zweer het je.' Mijn hoofd bonkt op de plek waar Reinier de loop hardhandig tegen mijn slaap drukt. 'Je moet me geloven.'

Reinier kijkt op me neer. 'Ik geloof je niet', zegt hij, maar hij haalt wel het pistool weg. Een paar minuten lang gebeurt er niets. Ik hoor mijn eigen trillende ademhaling en probeer wanhopig om mezelf onder controle te krijgen. Maar de doodsangst raast door mijn aderen en ik heb al mijn energie nodig om het niet uit te gillen. Dezelfde vraag blijft terugkomen, als een stuiterbal in mijn gedachten. Hoe heb ik ooit kunnen denken dat ik verliefd was op Reinier? Waarom heb ik niet beter opgelet?

Dan gaat Reinier weer in zijn stoel zitten en begint met de mouw van zijn shirt het pistool te poetsen. De plek op mijn slaap waar net de loop tegen mijn hoofd stond, brandt. Ik word misselijk als ik voor me zie hoe de hagelwitte kamer eruit had gezien als Reinier de trekker over had gehaald. Ik druk mijn hand tegen mijn maag, maar het helpt niet. Het zuur brandt in mijn keel. Ik kan er niets aan doen. Ik geef over op het smetteloze kleed. Reinier kijkt niet eens op. Hij schuift een wijnglas naar me toe. Ik neem een ferme slok. Het is beter dan niets.

Ik realiseer me pas dat ik in slaap ben gesukkeld als ik wakker schrik van Reiniers voetstappen. In één klap ben ik helder. Ik ga overeind zitten. Hoe kan ik nou in slaap zijn gevallen?

Op tafel staat het lege wijnglas. Ik herinner me het vreemde smaakje. Zou Reinier...? Hij is tot alles in staat.

Reinier kijkt me aan, maar stopt niet met ijsberen. 'Ben je wakker', zegt hij. Het is geen vraag en ik geef geen antwoord.

Ik kijk naar de rommel op de vloer en word weer misselijk, maar deze keer slik ik het gevoel met moeite weg.

'Ik heb het geregeld.'

Ik kijk hem verward aan. 'Wat?'

'Wij gaan samen weg.'

'Hoe bedoel je?'

'Gewoon, zoals ik het zeg. Jij en ik gaan samen weg. Het land uit.'

Mijn hart begint weer wild te bonzen. Dit gaat helemaal de verkeerde kant op! 'Maar ik wil...' begin ik.

Ik zie het pistool op me afkomen en het volgende moment voel ik een scherpe pijn tegen mijn slaap. Voelt het zo om neergeschoten te worden?

Het wordt even zwart voor mijn ogen en het duizelt me, maar dan zie ik de kamer weer. De haat spat van Reiniers gezicht.

'Jij wil?' herhaalt hij met samengeknepen mond.

Ik voel aan mijn slaap. Er blijft iets warms en kleverigs op mijn vingers achter. Ik durf niet te kijken, omdat ik al weet wat het is.

'Heb je geschoten?' vraag ik paniekerig. 'Ga ik dood?'

'Stel je niet aan! Een tik heb je gehad, meer niet.'

Ik veeg mijn vingers aan de bank af. Er blijft een dieprode vlek achter.

Ik kijk op mijn horloge. Het is halfzes, buiten begint het licht te worden. Straks wordt iedereen wakker en dan moet iemand mij toch wel missen? Ik heb tegen Eva gezegd dat ik laat thuis zou zijn, niet dat ik de hele nacht zou wegblijven.

Overmoedig zeg ik: 'Ik word straks heus wel gemist.'

Reinier snuift. 'Denk je nou echt dat je vriendinnetjes je komen halen? Ze komen niet eens door het hek, laat staan dat ze het huis binnen kunnen komen. Ik heb goede contacten bij de politie. Ze laten me met rust. Daar betaal ik voor.'

'De Nederlandse politie is niet corrupt.'

'Nee', zegt Reinier. 'Maar ik heb zo mijn manieren. Dus als je hoopt dat iemand je komt halen en dat ik met een stel handboeien om in de politieauto verdwijn, dan heb je het mis.'

Praten maakt me duizelig, dus ik houd mijn mond. Mijn slaap schrijnt, ik durf er niet aan te komen. Ik frunnik zenuwachtig aan het kettinkje van Eva en Natasja dat om mijn nek hangt. Als ik straks dood word gevonden, wie zal het dan krijgen?

Reinier verdwijnt naar de hal. De scherven en de hard geworden rijst kraken onder zijn schoenen. Even later komt hij terug. Hij zet een schop naast zijn stoel.

'Voor straks', zegt hij achteloos. 'Ik wil het zelf ook niet, maar ik heb geen keus.'

Ik word licht in mijn hoofd. De betekenis van zijn woorden dringt maar langzaam door, en ik wil ook niet beseffen wat hij bedoelt. Ik adem diep en trillerig in. 'Je hoeft het niet te doen.'

'Jawel.' Reinier is heel stellig. 'Het is de enige manier. Je bent slim, Charlotte. Je zou het zelf kunnen begrijpen.'

'Nee, ik...'

'Niets zeggen', onderbreekt Reinier me. 'Ik wil nog even genieten.' Hij leunt achterover. Het pistool ligt op zijn schoot. Hij kijkt naar me met een verliefde blik in zijn ogen en voor de zoveelste keer besef ik dat hij gevaarlijker is dan welke willekeurige seriemoordenaar ook. Hij houdt van me, dat maakt zijn haat zo sterk dat hij tot alles in staat is.

Ineens weet ik zeker dat hij me zal vermoorden. Gek genoeg moet ik huilen om mijn eigen dood – niet eens echt voor mezelf, maar voor mijn familie en mijn vriendinnen. Ik zie ze allemaal zitten op mijn begrafenis, vol ongeloof over wat er is gebeurd. Ik schaam me. Ze komen er natuurlijk achter hoe het echt met mij is gesteld, en ze zullen vol vragen zitten. Ik kan ze zo niet achterlaten. Ik wil niet dood. Niet nu, niet op deze manier.

'Ik zou je kunnen doodschieten.' Reinier geeft klopjes op het pistool. 'Maar dat is misschien een beetje te makkelijk.'

Ik slik. Ik heb nog steeds een vieze smaak in mijn mond, maar ik durf niet om een glaasje water te vragen. Bizar waar je aan denkt als je in levensgevaar verkeert.

'Nee, ik ga het anders doen. Langzamer.' Hij knikt. In zijn hoofd ontspint zich blijkbaar een heel plan. Reinier zegt niets meer en verdwijnt naar de keuken. Ik hoor hem de deur naar de garage doorgaan. Even later komt hij terug met een gereedschapskist.

'Wat ga je doen?' vraag ik met droge keel als hij weer tegenover me is gaan zitten en in de kist rommelt.

'Dat zul je wel zien.' Hij pakt een beitel en een hamer, keurt die even en legt ze dan terug. Uiteindelijk valt zijn keus op een soort ijzeren staaf en een houten blok. Hij zit er een tijdje mee in zijn handen, maar zet de kist dan op de grond en loopt naar de keuken.

Als hij terugkomt, heeft hij een mes in zijn hand.

'N-niet doen', zeg ik beverig.

Reinier komt naast me op de bank zitten en trekt met het mes lijntjes over mijn been. Er blijven witte strepen achter, die daarna rood kleuren. Ik durf me niet te bewegen en slik moeizaam.

'Zal ik het langzaam doen?' vraagt Reinier. Zijn zachte, warme adem strijkt langs mijn gezicht. Hij maakt een onverhoedse beweging met het mes. Ik adem scherp in.

'Of snel?'

Er komt een hoog geluidje uit mijn keel als Reinier het mes naar mijn gezicht verplaatst.

'Wat is er?' Reiniers gezicht is nu zo dichtbij dat ik de minuscule zweetdruppeltjes op zijn voorhoofd kan zien.

'Doe het niet', smeek ik hem. 'Ik doe alles wat je wilt.'

'Alles?'

Ik voel de druk van het mes tegen mijn keel en knik.

'Ik geloof je niet', zegt Reinier. Hij duwt harder. Mijn huid staat strak gespannen onder het mes.

# 23

IK HOOR EEN GELUID DAT IK NIET DIRECT KAN THUISBRENGEN. Reinier verstijft. Hij heeft het ook gehoord.

'Shit!' Hij pakt me ruw bij mijn arm en sleurt me van de bank. We vallen op de grond en ik hap naar adem als hij boven op me landt. Zijn volle gewicht drukt op me en ik heb het gevoel dat ik stik, maar dat is beter dan het mes tegen mijn keel. Ik worstel om een beetje los te komen en vind een houding waarin ik voldoende lucht krijg.

'Wat was dat?' vraagt Reinier. Hij richt zich een stukje op en kijkt door het raam.

Ik doe hetzelfde, maar zie niets.

'Shit!' roept hij weer, deze keer harder. 'Er komen mensen aan.'

Hij springt overeind, trekt mij ook op en drukt het mes opnieuw tegen mijn keel, terwijl hij me in een houdgreep neemt. Ik kan geen kant op.

Als in een film roept hij: 'Ik heb haar! Iedereen moet buiten blijven anders krijgen jullie haar in stukken terug.'

Ineens klinkt buiten een stem. 'Dit is de politie. Uw huis is omsingeld. Kom naar buiten met uw handen boven uw hoofd.'

'Nee!' schreeuwt Reinier. Zijn stem slaat over. 'Ik rijg haar aan mijn mes!'

Hij duwt me naar het raam. 'Kijk maar. Ik doe het echt. Ze gaat dood!'

Ik kijk met grote ogen naar buiten. Droom ik, of staan er echt tientallen politieagenten in kogelwerende vesten om het huis? Ik durf het nog niet te geloven.

Een van hen praat tegen Reinier met een megafoon. 'We zien dat u haar hebt. U moet haar loslaten en naar buiten komen.'

Een andere stem, veel dichterbij, zegt: 'Nu.'

Reinier draait zich met een ruk om. Ik struikel. Hij sleurt me overeind en duwt het mes weer tegen mijn keel.

Midden in de kamer staan vijf agenten, en daarachter zie ik er nog een paar. Ze hebben hun pistolen geheven. Ik merk dat Reiniers hand begint te trillen.

'Laat haar los', draagt een van de agenten hem op.

'Nee.'

'We zijn niet bang om te schieten.'

'Ik ben niet bang om te doden.'

Even gebeurt er niets. De stilte is zwaar en drukkend en ik hoor mijn bloed suizen. Ik durf me niet te bewegen.

Plotseling klinkt er een enorme knal. Ik gil en duik naar grond, vaag beseffend dat er iets hards en scherps door mijn hand snijdt. Er vlamt een gigantische pijn op, maar ik negeer het. Ik grijp me vast aan de eerste agent die ik tegenkom. Hij trekt me bij Reinier vandaan. Die ligt ook op de grond en kreunt.

Oh god, is hij dood?

Er duiken twee agenten op hem die hem in de boeien slaan. 'Het was een schot in de lucht', zegt een van hen. 'We hebben u niet geraakt.'

Reinier kijkt op. Ik weet nu al dat ik de blik in zijn ogen nooit meer zal vergeten. Zo ziet pure haat eruit.

'Doorlopen', dragen de agenten Reinier op als hij blijft staan en mij iets toesist wat ik niet versta. Hij krijgt een duw in zijn rug en struikelt terwijl hij wordt afgevoerd.

Ik zit op de grond met mijn rug tegen de bank en kan niet stoppen met trillen. Drie agenten staan om me heen en stellen me vragen, maar ik hoor ze nauwelijks. Dood, is het enige wat ik kan denken. Ik was bijna dood. Dan begin ik onbedaarlijk te huilen.

Ik voel twee warme, veilige armen om me heen en leg mijn hoofd op de schouder die erbij hoort. De geur is vertrouwd, de warmte ook en dat is alles wat ik nodig heb. Heel lang blijf ik zitten, tot het overhemd doorweekt is van mijn tranen en het trillen eindelijk minder wordt. Dan pas kijk ik op, recht in de lichtblauwe ogen van Michel. Ik staar hem verbaasd aan. Wat doet hij hier nou?

'Gaat het?' vraagt hij. De bezorgdheid staat in zijn ogen te lezen.

Ik haal diep adem. 'Zo'n beetje.'

'Doe maar rustig.'

Ik lik langs mijn lippen, die gortdroog zijn. 'Hoe kom jij hier?'

'Lang verhaal.' Hij drukt me weer tegen zich aan. 'Vertel ik je nog wel eens. Het belangrijkste is dat je veilig bent.'

Hij aait over mijn hoofd en ik zoek weer warmte en troost tegen zijn borstkas. Michel geeft een kus op mijn haar. En ondanks de bizarre situatie verlang ik plotseling naar meer.

'Oh mijn god!' Met veel lawaai maakt Eva haar entree. 'Oh, jezus. Je leeft nog!'

Ze laat zich op haar knieën naast me vallen. Ik zie aan haar uitgelopen mascara dat ze heeft gehuild. En als ik haar aankijk, lopen de tranen opnieuw over haar wangen.

'Oh, kijk mij hier nou zitten!' snikt Eva. 'Jij bent degene die zou moeten huilen. Oh, lieverd, ik dacht dat je dood zou gaan.'

Michel laat me los en Eva klemt me tegen zich aan. 'Ik was zo bezorgd.' Ze verstevigt haar greep nog een beetje en verbetert zichzelf dan: 'Wij, moet ik zeggen. Wíj waren bezorgd.'

Ik wurm me los uit haar omhelzing, omdat ik geen lucht meer krijg. 'Hoe komen jullie hier nou?'

'Mevrouw?' De agenten komen aan met een deken. Michel slaat hem zorgzaam om me heen. 'We willen u graag meenemen naar het bureau om u een verklaring te laten afleggen. Denkt u dat u...'

Eva bemoeit zich ermee op hoge toon: 'Mag ze misschien heel even bijkomen? Ze heeft nogal wat meegemaakt, vindt u niet?'

Ik glimlach zwak. 'Het is al goed. Jullie hebben mijn leven gered, dus het minste wat ik kan doen, is een verklaring afleggen.'

Ik kom overeind. Gelukkig ondersteunt Michel me, want mijn knieën knikken en mijn benen trillen als rietjes.

In de hal is het een chaos. De deur ligt uit zijn sponning en overal zijn mensen bezig om sporen te verzamelen.

Ik stap in een gereedstaande politieauto. Michel en Eva verliezen me geen moment uit het oog en weigeren me alleen naar het bureau te laten gaan. Uiteindelijk mogen ze ook instappen.

Eva weet bijna niet waar ze moet beginnen met vragen stellen.

'Nee, ik eerst', zeg ik. 'Hoe komen jullie hier?'

'Eva belde me', vertelt Michel.

'Ja, omdat je met hem de laatste tijd contact had gehad en ik hem niet kende', vult mijn vriendin aan. Het klinkt me niet erg logisch in de oren.

'Het telefoonnummer', zegt Michel ter verduidelijking. 'Daaraan had Eva gezien dat je in gevaar was.'

Het duizelt me van al die informatie. 'Wacht even. Begin nou eens bij het begin.'

Eva gaat er eens goed voor zitten. 'Toen je naar Spaanse les ging, had je je telefoon op de eettafel laten liggen. Natuurlijk heb ik hem niet aangeraakt.'

Ik knik automatisch, maar bedenk me dan. 'Niet waar.'

'Nou ja.' Eva kijkt schuldbewust. 'Misschien heb ik heel even je sms'jes bekeken. Maar in dit geval was dat geen slecht idee!'

Ze knijpt in mijn schouder. 'Waarom heb je ons niet verteld dat die bedreigingen steeds erger werden?'

Ik kijk naar mijn handen in mijn schoot. Door de brok die ineens in mijn keel zit, kan ik geen antwoord geven. Ik haal alleen mijn schouders op.

'Wij zijn je vriendinnen. We zouden met je mee zijn gegaan naar de politie.'

Ik begin te snikken. 'Het is een lang verhaal.'

Eva wrijft over mijn rug. 'Dat heb ik inmiddels ook begrepen. De politie heeft me verteld dat jij aangifte tegen Kars hebt gedaan, omdat hij wel iets meer dan een paar honderd euro gestolen heeft.'

Ik knik opnieuw en veeg met mijn hand mijn tranen weg.

'Maar goed,' gaat Eva verder, 'dat moet je allemaal nog maar eens uitleggen, want ik geloof dat ik er niet zoveel van begrijp. In elk geval was ik behoorlijk ongerust toen ik die sms'jes had gelezen. Het zal er allemaal heel serieus uit, niet alsof iemand een grap met je uithaalde. Het werd steeds later en je kwam maar niet thuis. Ik dacht, die cursus kan toch niet tot middernacht duren?'

Ik schud mijn hoofd.

'En toen werd je gebeld door het telefoonnummer van die *creep* van de sms'jes.'

'Dat was ik zelf.'

Eva kijkt me niet-begrijpend aan.

'Ik had de telefoon gevonden waarmee Reinier de sms'jes had verstuurd, dacht ik, en daarmee heb ik mezelf gebeld om het nummer te controleren. Maar ik was mijn telefoon vergeten.'

'Dat was dan een geluk bij een ongeluk', zegt Michel. 'Want doordat Eva het nummer zag, raakte ze in paniek en wist ze dat je in gevaar was. Toen belde ze mij.'

'Dat begrijp ik niet.'

Eva neemt het weer over. 'Ik zocht naar aanwijzingen in je telefoon en ik zag dat je de laatste tijd nogal vaak had gebeld met twee mannen, die ik niet kende. De ene was Reinier, de ander Michel. En ik kwam nog een sms'je van een of andere Menno tegen, maar die ging op wereldreis. Dus ik belde eerst Reinier op, maar ik kreeg zijn voicemail. Daarna belde ik Michel. Midden in de nacht.'

Michel neemt het over. 'Ik was wel even verbaasd. Maar toen ik begreep wat er aan de hand was, ben ik samen met Eva naar de politie gegaan. Oh ja, ik moest haar wel even uitleggen hoe de vork in de steel zat. Van jouw eh... service, zal ik maar zeggen.'

Ik durf mijn vriendin niet aan te kijken. Ik schaam me dat ik haar en Natasja niet in vertrouwen heb genomen, toen dat nog kon.

'Dat je al een jaar zo leeft', verzucht Eva. 'Ik kan het nog steeds niet geloven.'

'Nou ja, zo erg was het nou ook weer niet', zeg ik, maar we horen allemaal dat het weinig overtuigend klinkt.

Eva pakt me met beide handen vast en dwingt me om haar aan te kijken. 'Je moet me beloven dat je vanaf nu mij en Natasja altijd om hulp vraagt.'

Ik slik en begin dan te knikken. 'Beloofd.'

Als we bijna bij het bureau zijn, gaat Eva's telefoon. Het is Natasja, die vraagt waarom Eva haar vannacht een keer of vijfentwintig heeft gebeld.

'Waarom nam je dan ook niet op? Het is hartstikke belangrijk! Charlotte was bijna dood!'

Ze heeft na die opmerking heel wat uit te leggen en blijft buiten achter. Michel gaat met me mee naar een kamer, waar maar liefst drie agenten me allerlei vragen stellen. Ik probeer zo goed mogelijk antwoord te geven.

Af en toe zie ik Michel even zijn wenkbrauwen fronsen. Als ik vertel over de reden waarom ik met Reinier meeging, slaat hij zijn blik neer. Ik voel me smerig.

Pas na twee uur zijn we klaar. Eva zit op de gang te wachten, hevig verontwaardigd dat een agente haar verhindert om naar binnen te gaan. Ze springt op als ze ons ziet.

'En?' vraagt ze. 'Hoe ging het?'

'Ja, het ging goed. Maar nu wil ik wel naar huis. Even douchen, ook.'

'We nemen binnenkort weer contact met u op', zegt de agent. 'Maar gaat u er maar van uit dat de heer Van Deutekom niet zomaar weer vrij rondloopt. Hij heeft namelijk ook nog het een en ander uit te leggen over wat panden die hij de laatste tijd heeft aangekocht.'

Ik knik. De opluchting die ik zou moeten voelen, blijft uit. Ik ben vooral heel erg moe en wil gewoon naar mijn eigen huis.

'Weet je wat ik nu nog steeds niet begrijp', zeg ik, als we met z'n drieën in een taxi zitten. 'Hoe heeft de politie Reinier opgespoord? Jullie wisten alleen zijn voornaam, en bovendien wisten jullie niet zeker of hij het had gedaan.'

'De politie heeft het signaal van zijn telefoon, dé telefoon, getraceerd. En toen kwamen ze bij zijn huis uit.'

'Oh, en weet je wat er toen gebeurde?' Eva begint een verhaal over dat ze mee mocht rijden in een politieauto met zwaailichten, maar het gaat langs me heen. Vanuit mijn ooghoeken kijk ik naar Michel. Alsof het de normaalste zaak van de wereld is, heeft hij zijn hand op mijn arm gelegd. Het voelt vertrouwd, en zijn warmte straalt uit naar mijn hele lichaam. Ik kan niet geloven dat ik hem ooit verdacht van de sms'jes.

'Sorry', fluister ik.

Hij kijkt me niet-begrijpend aan. 'Waarvoor?'

'Dat ik dacht dat jij het had gedaan. Weet je nog, toen die verjaardag?'

'Oh, was dat het.' Michel knikt. 'Ja, dat weet ik nog wel. Ik dacht al dat je paranoïde was geworden.'

'Dat was ook wel een beetje zo', zeg ik. Ik glimlach.

De taxi stopt voor mijn huis. Eva stapt uit. Ik wil hetzelfde doen, maar Michel pakt mijn arm vast.

'Kom snel bij me langs', zegt hij. 'En dat is geen reservering.'

Hij buigt zich een stukje naar mij toe. Ik draai mijn gezicht in zijn richting. Heel even raken zijn lippen de mijne. Dan stap ik snel uit.


Eva en Natasja zorgen voor me alsof ik een terminale ziekte heb. Ik lig onder een deken op de bank, hoewel het bloedheet is, en ze lopen af en aan met thee, koekjes, chocolade en alles wat ik maar wil. Natasja schudt onophoudelijk haar hoofd.

'Dat je het geheim hebt weten te houden', zegt ze keer op keer. 'En dat je niets durfde te zeggen. Ik kan het gewoon niet geloven.'

'Ik ook niet', zegt Eva, terwijl ze door de enorme stapel onbetaalde rekeningen en ongeopende enveloppen heen ploegt. Ze legt de dingen die dringend zijn apart en gooit de rest in een schoenendoos.

'En dan die deurwaarder! Wat een engerd!' Natasja schudt haar hoofd.

Ik heb ze inmiddels het hele verhaal verteld, zonder ook maar één detail weg te laten, en mijn vriendinnen hebben twee uur lang ademloos geluisterd. Het voelt onbeschrijflijk goed om het verhaal eindelijk te delen, ook al ben ik nog steeds niet uit de problemen. Mijn gezelschapsservice is met onmiddellijke ingang opgedoekt en Eva en Natasja hebben me laten beloven dat ik nooit meer zoiets begin.

Mijn telefoon gaat en er verschijnt een nummer dat ik niet ken in het schermpje.

Het is de politie. 'We willen u even laten weten dat meneer Van Deutekom voorlopig niet vrijkomt', zegt de rechercheur. 'En dat u heel veel geluk hebt gehad.'

'Oh.'

'Zegt de naam Luna u iets?'

Het doet wel een belletje rinkelen. 'Volgens mij heeft hij het over Luna gehad. Was dat geen ex van hem?'

'Ja, dat klopt. Hij heeft haar een jaar gestalkt, nadat zij bij hem was weggegaan. Zo erg, dat ze verhuisd is en haar huis bijna niet meer uit durfde.'

'Wat erg.' Ik herinner me de ijskoude haat in Reiniers blik toen hij het over Luna had.

'Ja. Ze was zo bang voor hem dat ze geen aangifte durfde te doen. Maar ze hoorde via via dat meneer Van Deutekom vanochtend is opgepakt en ineens stond ze hier aan de balie om alsnog aangifte te doen. Dus die aanklacht komt erbij en dan bleek meneer Van Deutekom ook nog een en ander uit te leggen te hebben over het witwassen van geld via zijn kantoor. Als je alles bij elkaar optelt, kom je tot een behoorlijke kerfstok, zal ik maar zeggen. Dus u hoeft zich niet ongerust te maken; hij loopt zeker niet volgende week weer vrij rond.'

'Dat is een hele opluchting.'

De rechercheur wenst me sterkte en ik hang op. Ik heb een sms'je gekregen. Ze zullen Reinier toch wel zijn telefoon hebben afgepakt?

Maar het sms'je is niet van Reinier. Het is van Michel.

*Hoe gaat het? Ik denk aan je.*

Ik sms direct terug.

*Alweer veel beter.*

Even zweeft mijn vinger besluiteloos boven de knopjes. Dan voeg ik toe: *Ik bel je snel.*

# Epiloog

'MORGEN WORD IK DERTIG', ZEG IK, EN IK VLIJ ME NOG EENS DICHTER TEGEN MICHEL AAN.

Hij knikt. 'Ja. Je zult het wel overleven.'

Ik glimlach. 'Sterker nog, het kan me niets schelen.'

'Dat geloof ik niet. Iedere vrouw vindt het toch erg om dertig te worden?'

'Ik niet. Ik vond 29 veel erger.'

'Hoezo?' Michel trekt zijn wenkbrauwen hoog op.

'Omdat ik toen bijna dertig werd.'

Michel geeft een kus op mijn haar. 'Raar mens', mompelt hij.

Ik denk aan deze dag, precies een jaar geleden. De laatste dag voor ik erachter kwam dat Kars me had beroofd.

De bel gaat. Ik kom sloom van de bank om de deur open te doen. Het eerste wat ik zie, is een grote bos bloemen, daarachter gaat een bezorger schuil.

'Voor mij?' vraag ik verbaasd.

*Hij knikt en overhandigt me het boeket. Ik neem het mee naar boven en zoek nieuwsgierig naar het kaartje. Uiteindelijk vind ik het aan een witte roos.*

Ik heb gehoord wat er is gebeurd. Veel sterkte. Leo.

*Verbijsterd kijk ik Michel aan. 'Het is van Leo. Hij wenst me sterkte.'*

*Hij grinnikt. 'Dan is hij toch niet zo'n eikel als jij denkt dat hij is. Jouw mensenkennis laat te wensen over, Charlotte van Rhijn.'*

*'Ik vrees dat ik je gelijk moet geven. Maar ik heb mijn leven gebeterd, te beginnen met jou.'*

*Ik ga weer naast Michel op de bank liggen. Met een glimlach denk ik aan mijn huidige situatie. Ik breng de zaterdagmiddag door op de bank met mijn nieuwe vriend, ik ben helemaal klaar voor de dertig – en hoewel mijn banksaldo nog altijd te wensen overlaat, kan ik in de supermarkt gewoon pinnen. Het grootste deel van mijn oorspronkelijke schuld is afbetaald, doordat ik bijna mijn volledige salaris eraan heb besteed. Het enige wat ik nu nog moet doen, is mijn vaste lasten van het afgelopen jaar inhalen. Maar gelukkig heeft Michel me geholpen overal een betalingsregeling te krijgen.*

*Michel. Mijn hart slaat over als ik denk aan wat er de afgelopen tijd allemaal gebeurd is tussen ons. Het begon met een etentje, drie dagen na het gebeuren met Reinier. Hij begreep dat ik daarna naar huis wilde en er niet aan toe was om met hem mee te gaan, en juist daarom was ik er ineens wel aan toe. Als we sindsdien langer dan een werkdag uit elkaar zijn geweest, is het veel. Nu het ongemakkelijke gevoel eraf is dat hij mij moet betalen, hebben we het geweldig samen. Ik kan niet geloven dat ik ooit heb gedacht dat hij saai was. Hij is de grappigste en meest liefdevolle man op aarde.*

*Eva en Natasja worden gek van mijn gezwijmel.*

De telefoon gaat, en hoewel we in mijn huis zijn, neemt Michel op. Ik hoor hem praten, maar verder dan 'ja' en 'nee' en 'mooi' komt hij niet. Na een paar minuten hangt hij op.

'Ze hebben Kars gepakt', zegt hij beduusd. 'Met een ton aan contanten in zijn koffer. Jij bent zijn eerste schuldeiser, gevolgd door tien vrouwen bij wie hij hetzelfde heeft gedaan.'

Ik kom overeind. 'Maar betekent dat...'

'Ja', knikt Michel. 'Dat betekent dat jij een rijke vrouw bent, Charlotte van Rhijn.'

Ik laat het nieuws even tot me doordringen. Natuurlijk ben ik blij, maar ik voel ook een zekere berusting. Zonder het geld had ik het ook wel gered.

'Dat is mooi', zeg ik uiteindelijk, en ik kom van de bank. 'Zullen we nu gaan?'

'Hoe bedoel je? Naar het politiebureau?'

'Welnee, dat kan morgen wel.' Ik heb het al een jaar zonder dat geld gesteld, die ene dag kan er ook nog wel bij. En als ik precies op mijn verjaardag zou gaan, is de cirkel mooi rond, denk ik poëtisch.

Ik werp een blik in de spiegel en gooi mijn haar over mijn schouders. 'Naar je ouders, natuurlijk.' Michel heeft gezegd dat Saskia vanavond een van haar fameuze curry's kookt, en daar moet ik natuurlijk bij zijn.

'Oké.' Michel grijnst. 'Kom mee, dan zal ik je aan mijn ouders voorstellen. Als mijn officiële, nieuwe vriendin.'

'Alweer?' vraag ik droog.

'Je hebt gelijk.' Michel lacht ondeugend. 'Aangezien je ze toch al kent, kunnen we ook wel te laat komen.'

'Dat slaat nergens op.'

'Nee.'

Heel even staan we tegenover elkaar, maar dan zet Michel een stap naar voren en ben ik niet meer te houden. Alsof ik zo licht als een veertje ben, tilt hij me over zijn schouder en draagt me naar de slaapkamer. Saskia's curry zal nog even moeten wachten.

ISBN 978 90 4940 048 4

NUR 301

Verspreiding in België via Van Halewyck, Diestsesteenweg 71a, 3010 Leuven, België.
www.vanhalewyck.be

Een uitgave van:

STRENGHOLT
UNITED MEDIA

Strengholt United Media BV
Hofstede 'Oud-Bussem'
Flevolaan 41
1411 KC Naarden
Tel.: +31 (0)35 69 58 430
Fax.: +31 (0)35 69 58 440
E-mail: unitedmedia@strengholt.nl
www.strengholt.nl